W9-DEW-052

Pintip Dunn

ISBN 978-607-7627-93-7
Título original: FORGET TOMORROW

Mariano Escobedo No. 62, Col. Centro, Tlalnepantla, Estado de México,
C.P. 54000, Ciudad de México. Miembro núm. 2778 de la Cámara Nacional de la Industria Editorial Mexicana.
Tels. y fax: (0155) 5565-6120 y 5565-0333
EU a México: (011-5255) 5565-6120 y 5565-0333
Resto del mundo: (0052-55) 5565-6120 y 5565-0333
informes@esdiamante.com ventas@esdiamante.com
www.editorialdiamante.com
facebook.com/GrupoEditorialDiamante
twitter.com/editdiamante

IMPRESO EN MÉXICO / PRINTED IN MEXICO
Este libro se imprimió en julio de 2017 en los talleres de Litográfica Ingramex, S.A. de C.V. Centeno 162-1, Col. Granjas Esmeralda, Ciudad de México C.P. 09810

ESD 1e-93-7-M-5-07-17

Para mi hermana Lana

1

—La siguiente hoja que caiga será roja —anuncia Jessa, mi hermana de seis años.

Un instante después, una hoja de color carmesí flota a través del aire como la pluma de la cola de un cardenal. Jessa la toma y la guarda en el bolsillo de su uniforme escolar. La plaza está cubierta por un montón de hojas crujientes, convirtiéndose en el único destello de color en el paisaje de Ciudad Edén. Detrás de nuestro parque, trenes bala que corren disparados dentro de tubos electromagnéticos, y edificios de metal y cristal se disputan cada centímetro del pavimento. Sus relucientes espirales no sólo rascan el cielo: lo perforan completamente.

—Ahora será anaranjada —dice Jessa.

Una hoja del color de la calabaza madura cae del árbol.

—La próxima será café —efectivamente, café como el lodo e igual de muerta.

—¿Estás tratando de romper algún récord? —pregunto.

Jessa voltea a verme y sonríe. Entonces me olvido por completo de mañana y de lo que está a punto de suceder. Mis sentidos se llenan de mi hermana. Esa voz que resuena como música. El modo en que su cabello se dobla en su barbilla. Sus ojos tan cálidos e irresistibles como castañas asadas.

Casi puedo sentir la piel seca de sus codos, donde se niega a ponerse crema hidratante. Y luego, el momento pasa. El conocimiento se filtra en mi interior, del mismo modo en que se recupera la conciencia después de un sueño. Mañana cumplo diecisiete años. Según el decreto del ComA, me convertiré oficialmente en una adulta. Recibiré mi recuerdo del futuro.

Algunas veces siento como si llevara toda la vida esperando cumplir diecisiete años. Cuento los días no por mis experiencias, sino por el tiempo que falta para que reciba mi recuerdo, *el* recuerdo, que supuestamente le dará sentido a mi vida.

Me dicen que cuando suceda ya no me sentiré tan sola. Sabré, sin lugar a dudas, que en algún lugar de otro espacio-tiempo existe una versión futura de mí, que termina bien. Sabré quién se supone que debo ser. Y ya nunca más me sentiré perdida.

Qué mal que haya tenido que pasar primero diecisiete años de relleno.

—Amarilla —Jessa retoma su juego, y una hoja amarilla se desprende de una rama—. Naranja.

Diez, quince, veinte veces y no falla ni una sola vez en predecir el color de la siguiente hoja que caerá. Aplaudo alegremente, aunque ya he visto este espectáculo, o algo parecido, montones de veces.

Y entonces me fijo en él. Un chico que lleva puesto el uniforme de mi escuela, sentado sobre una banca curva de metal a unos diez metros de distancia. Observándonos.

Siento un cosquilleo en el cuello. Es imposible que nos escuche. Está demasiado lejos. Pero nos mira. ¿Por qué nos mira? Quizá tiene audición supersensible. A lo mejor el viento recogió nuestras palabras y las llevó hasta donde él está.

¿Cómo pude ser tan tonta? Nunca dejo que Jessa se entretenga en el parque. Siempre la llevo directamente a casa después de la escuela, tal y como mi madre lo ordena. Pero hoy, quería —necesitaba— un poco de sol, aunque sólo fuera unos minutos.

Pongo una mano sobre el brazo de mi hermana, y ella se queda inmóvil.

—Tenemos que irnos. Ahora —el tono de mi voz da a entender el resto de la frase—, antes de que ese tipo informe a las autoridades sobre tus habilidades psíquicas.

Jessa ni siquiera asiente. Ya sabe lo que hay que hacer. Se pone a mi lado y caminamos hacia la estación de trenes al otro lado de la plaza. Veo de reojo cómo el joven se levanta y comienza a seguirnos. Me muerdo tan fuerte el labio que puedo sentir la sangre. ¿Y ahora qué? ¿Corremos para escapar? ¿Hablamos con él para intentar controlar los daños?

Puedo ver su cara. Tiene cabello rubio extremadamente corto y una sonrisa ridículamente encantadora, pero no es por eso que me tiemblan las rodillas.

Es mi compañero de clase, Logan Russell, capitán del equipo de natación y dueño, según mi amiga Marisa, de los mejores pectorales de este espacio-tiempo. Es inofensivo. Aunque tiene el descaro de sonreírme después de cinco años de ignorarme, no es una amenaza para el bienestar de Jessa.

Cuando éramos niños, su hermano Mikey hizo flotar una pelota de frontón sobre la cancha, sin tocarla. El ComA se lo llevó lejos, y desde entonces nadie ha vuelto a verlo. Logan no reportará a mi hermana con nadie.

—Calla, espera —dice, como si hubieran pasado días, en vez de años, desde que nos sentáramos juntos en el salón de clases T-menos cinco.

Me detengo, y Jessa me aprieta la mano. Le doy tres apretones para hacerle saber que estamos a salvo.

—Mis amigos me llaman "Callie" —le digo a Logan—. Pero si no sabes eso, creo que mejor deberías llamarme por mi fecha de cumpleaños.

—De acuerdo —se detiene frente a nosotras y mete las manos en sus bolsillos—. Debes estar nerviosa, Veintiocho de Octubre. Por lo que pasará mañana.

Levanto la ceja.

—¿Cómo podrías siquiera tener la menor idea de lo que siento?

—Éramos amigos —dice.

—Cierto —respondo—, todavía me acuerdo de la vez que te hiciste pis en los pantalones de camino hacia la clase al aire libre.

Me sostiene la mirada directamente.

—Yo también me acuerdo que nos salpicaste a los dos con agua de la fuente para que nadie se diera cuenta —sonríe.

¿Se acuerda de eso? Desvío la mirada, pero es demasiado tarde. Puedo oler las píldoras de proteína que juramos no comer nunca, y sentir su mano sobre mi hombro cuando Amy Willows dijo que mi cabello parecía paja.

—No le hagas caso —me susurró el Logan de doce años, mientras aparecían los créditos del documental sobre métodos de cultivo previos al Auge de la Tecnología—. Los espantapájaros son la cosa más genial del mundo.

Me fui a casa y soñé despierta que había recibido el recuerdo de mi "yo futuro", y en él Logan Russell era mi esposo. Claro que eso fue antes de saber que las chicas mayores esperaban hasta que el chico recibiera su recuerdo del futuro para decidir si era o no un buen partido. A final de cuentas, ¿qué importa si Logan tiene hoyuelos en las mejillas, si su futuro no muestra créditos suficientes para mantener a su familia? Tal vez hoy tenga el cuerpo de un nadador, pero todo eso bien podría convertirse en grasa dentro de veinte años.

Cuando descubrí que mi enamoramiento era prematuro, ya no importaba. El chico de mis sueños había dejado de hablarme.

Me cruzo de brazos.

—¿Qué quieres, Veintiséis de Octubre?

En vez de responder, se para detrás de Jessa, que juega con las hojas que tiene sobre su uniforme, trenzándolas entre sí para formar los pétalos de una flor. Logan se agacha a su lado, ayudándola a amarrar el "retoño" con un grueso tallo.

Jessa sonríe como si le hubiera regalado un arcoíris. ¿Y qué importa si hace sonreír a mi hermana? Va a necesitar mucho más que un insignificante pedazo de tallo para compensar cinco años de silencio.

Continúan jugando con las hojas, haciendo más "rosas", y juntándolas en ramos, por lo que parece una eternidad.

—Ayer recibí mi recuerdo —al decirlo me enseña una de las rosas.

Mis brazos y boca caen al mismo tiempo. Por supuesto que lo recibió. Acabo de llamarlo por su nombre de escuela. ¿Cómo se me pudo haber olvidado?

El cumpleaños de Logan es dos días antes que el mío. Por eso nos sentamos juntos durante tantos años. Así es como lo ordena la escuela, no por apellido, altura o grados, sino por el tiempo que falta para que recibamos nuestro recuerdo del futuro.

Noto la insignia en forma de reloj de arena, de un centímetro y medio de ancho, tatuada en la parte interna de su muñeca. Todos los que han recibido su recuerdo del futuro tienen uno igual. Debajo del tatuaje, se implanta un chip que contiene tu recuerdo, y que puede ser escaneado por posibles jefes, oficinas de préstamos, e incluso por futuros suegros.

En Ciudad Edén, tu recuerdo del futuro es tu mejor referencia. Más que las calificaciones o el historial crediticio, porque tu recuerdo es más que un pronosticador. Es una garantía.

—Felicidades —le digo—. ¿Con quién estoy hablando? ¿Con un futuro oficial del ComA? ¿Un nadador profesional? Creo que debo pedirte un autógrafo, ahora que todavía puedo hacerlo.

Logan se levanta y se sacude la tierra de los pantalones.

—Sí, me vi como un nadador de medallas de oro. Pero también había otra cosa. Algo... inesperado.

—¿De qué hablas? —noto cómo se intensifica su mirada.

Se acerca un poco más. Había olvidado que tiene los ojos verdes, como el verde del pasto antes del verano, con un brillo que es vibrante y apagado al mismo tiempo, como si el color no pudiera decidir si florecer bajo el sol o marchitarse con su calor.

—No fue como nos enseñaron, Callie. Mi recuerdo no respondió mis preguntas. No me siento en paz ni en armonía con el mundo. Sólo me siento confundido.

Me paso la lengua por los labios.

—Tal vez no seguiste las reglas. O a lo mejor tu yo futuro metió la pata y envió el recuerdo equivocado.

No puedo creer que dije eso. Pasamos toda nuestra niñez aprendiendo a elegir el recuerdo correcto, el que nos ayudará en los momentos difíciles. Y aquí estoy, diciéndole a alguien que se equivocó en la única prueba que importa realmente. No me creía capaz de hacer algo así.

—Puede ser —responde—, pero tú y yo sabemos que no es cierto.

Logan es inteligente, tan inteligente que nunca pude ganarle en el concurso de deletreo T-menos siete, y demasiado inteligente como para haberse equivocado.

Y entonces lo entiendo.

—Estás bromeando. En el futuro eres el mejor nadador que el país ha visto, ¿no?

Algo que no puedo identificar se dibuja en su cara.

Y luego dice:

—Sí. Tengo tantas medallas, que necesito ampliar mi casa para poder exhibirlas.

No está bromeando, grita algo en mi interior. *Está tratando de decirte algo*.

Pero si Logan es uno de esos casos raros de los que he escuchado rumores —esos que reciben un mal recuerdo, o peor aún, no reciben absolutamente nada— no quiero saberlo. No hemos sido amigos desde hace cinco años. No voy a preocuparme por él sólo porque volvió a considerarme digna de su atención.

De pronto, siento muchas ganas de que la plática se termine. Busco la mano de Jessa y tocó su codo.

—Perdón —le digo a Logan—, pero tenemos que irnos.

Jessa le da el ramo de flores, y yo la jalo de un tirón. Ya estamos lejos de él cuando grita:

—¡Callie! Feliz Víspera del Día del Recuerdo. Que la alegría del futuro te ayude en los momentos difíciles del presente.

Es el saludo estándar, que se les dice a todos un día antes del cumpleaños número diecisiete. Antes, las palabras de Logan hubieran provocado una cálida sensación en mis mejillas, pero ahora sólo hacen que sienta un escalofrío que me recorre la espalda.

Llegamos a casa y nos recibe el olor a pastel de chocolate. Mamá está en el área de comida, con su cabello café oscuro recogido en un chongo. Todavía lleva puesto su uniforme con la insignia del ComA cosida en el bolsillo. Es supervisora de androides en una de las agencias, pero quien le paga es el Comité de Agencias, o ComA, la organización que gobierna nuestro país.

Tiramos nuestras mochilas y corremos. Abrazo a mamá por detrás mientras Jessa la ataca por las piernas.

—¡Mamá! ¡Estás en casa!

Se da la vuelta. Tiene azúcar glas en la mejilla, y un poco de glaseado de chocolate le oscurece una ceja. La luz roja que normalmente parpadea en nuestro ensamblador de alimentos está apagada. Hay ingredientes reales: bolsas de harina, un pequeño envase de leche y huevos *de verdad*, esparcidos sobre la mesa.

Miro asombrada la escena.

—Mamá, ¿estás cocinando? ¿A mano?

—No todos los días mi hija cumple diecisiete años. Pensé en hacer un pastel, en honor de mi futura Chef Manual.

—Pero, ¿cómo?... —mi voz se desvanece cuando veo la pequeña máquina rectangular en el suelo. Tiene una puerta de vidrio con perillas a un lado, dos rejillas de metal y una bobina que se pone roja cuando está caliente.

Un horno. Mamá me compró un horno.

Me tapo la boca con la mano.

—¡Mamá, esto te debe de haber costado cien créditos! ¿Qué tal si... qué tal si mi recuerdo no me muestra como una chef exitosa? —realmente tengo miedo.

—No fue fácil encontrarlo, lo reconozco —se quita el trapo que tiene amarrado en la cintura y lo sacude. Una nube de harina llena el aire—. Pero confío plenamente en ti. ¡Feliz Víspera del Día del Recuerdo, querida mía!

Acerca a Jessa a su cadera y a mí me da un abrazo, quedando así rodeadas por sus brazos, como siempre hemos estado. Sólo nosotras tres.

Tengo muy pocos recuerdos de mi padre. No es que sea un agujero negro en mi vida, sino más bien es una sombra que acecha a la vuelta de la esquina, pero fuera del alcance. Antes, molestaba a mamá para saber más detalles sobre él, pero esta noche, en la víspera de mi cumpleaños diecisiete, lo que sé es suficiente.

Mamá comienza a quitar los ingredientes de la mesa. La piel desnuda y brillante de su muñeca atrapa la luz que proviene de las paredes. No tiene un tatuaje. Los recuerdos futuros no fueron algo sistemático siempre, sino desde hace algunos años, y mamá no tuvo la suerte de recibir uno.

Tal vez si mamá hubiera contado con esos recuerdos, no habría perdido su trabajo. Ella era asistente médica, pero cuando fueron llegando más y más candidatos con chips que mostraban sus futuros como médicos de diagnóstico competentes, sólo fue cuestión de tiempo para que fuera rebajada a supervisora de androides.

—No se les puede culpar —dijo mientras se encogía de hombros—. ¿Por qué arriesgarte cuando puedes ir a lo seguro?

Nos sentamos frente a una cena que normalmente se guarda para Año Nuevo. Todo tiene ese ligero sabor a plástico de la comida preparada en el ensamblador de alimentos, pero la variedad supera hasta los mejores establecimientos de cocina manual. Un pollo entero asado, con la piel crujiente y color castaño dorado. Esponjoso puré de papa con mantequilla. Chícharos dulces salteados con dientes de ajo.

Casi no hablamos durante la cena, porque tenemos la boca llena de comida. Jessa saborea los chícharos dulces como si fueran caramelos, mordisqueándolos por los extremos y pasándolos por su boca antes de tragarse las vainas enteras.

—Deberíamos haber invitado a cenar a ese chico —dice, mientras un chícharo cuelga de su boca—. Tenemos mucha comida.

La mano de mamá se queda inmóvil sobre la cuchara.

—¿Qué chico? —pregunta.

—Uno de mis compañeros de clase.

Siento que las mejillas se me están enrojeciendo, y luego me recuerdo que no tengo por qué sentirme avergonzada. Ya no me gusta Logan. Me sirvo otro pedazo de pierna.

—Nos lo encontramos en el parque. No fue nada importante.

—¿Qué estaban haciendo en el parque? —pregunta mamá.

De pronto, siento seco el pollo en mi boca. Cometí un error. Ya lo sé. Pero no podía quedarme encerrada hoy. Necesitaba sentir la calidez del sol en mi cara, ver las hojas de los árboles e imaginar mi futuro.

—Sólo hablamos un minuto con él, mamá. Jessa estaba adivinando el color de las hojas antes de que cayeran, y quería asegurarme de que no nos hubiera escuchado.

—Un momento. ¿Qué estaba haciendo Jessa?

Oh, oh. Respuesta equivocada.

—No es para tanto —intento suavizar su enojo.

—¿Cuántas veces?

—Como unas veinte.

Mamá saca el collar que tiene debajo de la blusa, donde normalmente lo lleva, y frota la cruz entre sus dedos. No deberíamos usar símbolos religiosos en público. No es que la religión sea ilegal. Simplemente es... innecesaria. Las tradiciones de la época pre-Auge brindaban alivio, esperanza y consuelo a los creyentes. En pocas palabras, todo lo que el recuerdo futuro nos proporciona ahora. La única diferencia es que tenemos pruebas reales de que el futuro existe. Cuando rezamos, no nos dirigimos a ningún dios, sino al Destino y al curso predeterminado que ha establecido.

Pero mamá está dispensada por aferrarse a una de las religiones antiguas. Después de todo, nunca pudo ver su futuro.

—Calla Ann Stone —dice mientras sujeta la cruz—. Dependo de ti para que mantengas a salvo a tu hermana. Eso significa que no debes permitir que hable con extraños. Que no debes detenerte en un parque de camino a casa. Y que no debes exhibir ante nadie sus habilidades.

Me miro las manos.

—Lo siento, mamá. Sólo fue esta vez. Jessa está a salvo, te lo prometo. El ComA se llevó al hermano de Logan. Él jamás la delataría.

Al menos, no creo que lo hiciera. ¿Por qué *me habló hoy*? A lo mejor, estaba espiando a Jessa. Tal vez ahora trabaja para el ComA, y su informe será el que envíe lejos a mi hermana.

O tal vez no tenga nada que ver con Jessa. Podría ser que el caer de las hojas le haya recordado otros tiempos, cuando éramos amigos. Mi mente se transporta a un viejo libro de poemas que mamá me regaló cuando cumplí doce años. Entre las páginas, junto a un poema escrito por Emily Brontë, hay una hoja roja hecha casi pedazos. La primera hoja que me dio Logan. Una pequeña parte de mi corazón, que no sabía que seguía existiendo, golpea en mi pecho.

—Tuviste suerte —mamá camina hacia la encimera y toma la base para pasteles—. Puede ser que la próxima vez las cosas no salgan tan bien.

Pone la base sobre la mesa para comer y levanta la tapa. El pastel de chocolate es más alto de un lado que del otro, el glaseado está derramándose y se ve grumoso. Todas las señales de la hechura a mano del pastel son un reproche. ¿Ves lo duro que trabajó tu madre? ¿Así es como le pagas?

—No habrá una próxima vez —digo—. Perdón.

—No te disculpes conmigo. Piensa en cómo te sentirías si no volvieras a ver a tu hermana.

El pastel de chocolate se desliza frente a mis ojos. Esto es muy injusto. Nunca permitiría que nos quitaran a Jessa. Mamá lo sabe. Sólo quería ver el sol. No es el fin del mundo.

—Eso no va a pasar —digo.

—No lo sabes.

—¡Sí lo sé! Ya verás. Mañana obtendré mi recuerdo, y en él seremos felices y estaremos juntas y a salvo para siempre. ¡Y entonces ya no podrás volver a gritarme!

Me levanto, y tiro con el brazo la base que cae al suelo, rompiendo el pastel en cientos de pedazos.

Jessa grita y sale corriendo de la habitación. Se me había olvidado que estaba ahí.

Mamá suspira y camina alrededor de la mesa para poner su mano sobre mi hombro. La tensión desaparece, dejando atrás nuestra culpa compartida por haber discutido frente a Jessa.

—¿Qué prefieres hacer? ¿Limpiar este desastre o hablar con tu hermana?

—Hablaré con Jessa —normalmente dejo que mamá se haga cargo de las cosas difíciles, pero no soportaría buscar entre el pastel los pocos pedazos rescatables.

Mamá aprieta mi hombro.

—Está bien.

Me doy la vuelta para marcharme y veo la mesa con sus platos vacíos, servilletas enrolladas y migajas cubriendo el suelo como una maceta volteada.

—Perdón por lo del pastel, mamá.

—Te amo, querida mía —dice, lo cual no es una respuesta pero contesta a todo lo que es importante.

Jessa está acurrucada en su cama con Princesa, su perra morada de peluche, metida bajo su barbilla. Sus paredes ya se oscurecieron, así que la única iluminación viene de la luna que se filtra por las persianas.

—Toc, toc —digo desde la puerta.

Balbucea algo y entro a su cuarto. Me siento en su cama y le acaricio la espalda. ¿Por dónde empiezo? Mamá es mucho mejor que yo en esto, pero desde que tomó un turno extra en el trabajo, he tenido que sustituirla cada vez más.

Antes me preocupaba no decir las palabras correctas. Cuando le dije esto a mamá, se quitó el fleco de la frente con un soplido y dijo:

—¿Crees que yo sé lo que estoy haciendo? Lo invento sobre la marcha.

Así fue como decidí darle un tazón de helado a mi hermana cuando Alice Bitterman le dijo que ya no serían amigas; y una pistola eléctrica de juguete cuando dijo que tenía miedo de los monstruos bajo su cama.

Probablemente no sea la mejor madre del mundo, pero no lo hago tan mal sin ser madre.

Jessa voltea la cabeza, y en el resplandor de las paredes, veo lágrimas en sus ojos. El corazón se me retuerce. Renunciaría a cada bocado de mi cena con tal de hacer que la tristeza se fuera. Pero es muy tarde. La comida ya está en mi estómago, pesada y densa.

—No quiero irme —dice—. Quiero quedarme aquí, contigo y con mamá.

La tomo entre mis brazos. Sus rodillas se me clavan en las costillas, y su cabeza no cabe muy bien debajo de mi barbilla. Princesa rueda y cae al suelo.

—No vas a ir a ningún lado. Lo prometo.

—Pero mamá dijo...

—Tiene miedo. La gente dice muchas cosas cuando tiene miedo —intento tranquilizarla.

Se mete uno de sus nudillos a la boca y lo mordisquea. Le quitamos la costumbre de chuparse el pulgar hace varios años, pero los viejos hábitos nunca mueren del todo.

—Tú no tienes miedo —afirma mi hermana.

Si tan sólo supiera que yo tengo miedo de todo. A las alturas. A los lugares pequeños y cerrados. Tengo miedo de que nadie me ame igual que mi papá amó a mamá. Tengo miedo de que mañana no obtenga las respuestas que he estado esperando.

—Eso no es cierto —digo en voz alta—. Tengo miedo de una cosa.

—¿De qué?

—¡Del monstruo de las cosquillas! —y ataco.

Grita y se retuerce intentando liberarse, mientras agita la cabeza. Me asusto cuando su cara casi golpea con la cabecera de metal. Pero eso es lo que quiero. Una risa que sacuda todo su cuerpo. Gritos que provengan desde el fondo de su estómago.

Después de unos veinte segundos, me detengo. Jessa se deja caer sobre su almohada, con los brazos colgando sobre el borde. Si tan sólo pudiera borrar el tema así de fácil.

—¿Para qué me quieren? —dice, cuando su respiración se tranquiliza—. Sólo tengo seis años.

Suspiro. Debería haberle hecho cosquillas más tiempo.

—No estoy segura. Los científicos creen que las habilidades psíquicas son lo más avanzado. Quieren estudiarlas para poder aprender de ellas.

Se sienta y columpia las piernas sobre la cama.

—¿Aprender qué?

—Aprender más, supongo.

Miro sus delgadas piernas, con las rodillas llenas de costras por las caídas de su aerodeslizador. Tiene razón. Es ridículo. El talento de Jessa es sólo un truco de magia, y nada más. Puede ver unos cuantos minutos del futuro, pero nunca me ha dicho nada realmente importante, por ejemplo, cómo me irá en un examen importante o cuándo me darán mi primer beso.

La frente de Jessa se relaja mientras abraza su almohada.

—Bueno, pues diles, ¿sí? Diles que yo no sé nada, y entonces nos dejarán en paz.

—Claro que lo haré, Jessa.

Cierra los ojos, y unos minutos después la escucho respirar lenta y constantemente. Me pongo de pie, y estoy a punto de irme cuando dice:

—¿Callie?

Me doy la vuelta.

—¿Sí?

—¿Puedes quedarte conmigo? No hasta que me duerma. ¿Puedes quedarte conmigo toda la noche?

Es la víspera de mi cumpleaños diecisiete. Necesito llamar por teléfono a Marisa para especular una última vez sobre cómo será mi recuerdo. Si me veré como una Chef Manual o tendré una profesión completamente distinta.

Ha llegado a pasar. Por ejemplo a Rita Richards, que está un año más adelante que yo. Nunca había tocado un teclado en toda su vida, pero su recuerdo la mostró como una consumada concertista de piano. Ahora, está estudiando en el conservatorio, con todos los gastos pagados.

Y a principios de este año, Tiana Rae llegó a la escuela con los ojos enrojecidos cuando su recuerdo reveló una futura carrera como maestra en lugar de cantante profesional. Aun así, todos estuvimos de acuerdo en que era mejor descubrir algo que no estaba destinado a suceder, en vez de pasar toda la vida intentando y fallando.

Una cosa está clara, sin importar las posibilidades: esta noche necesito estar en mi propia cama, sola con mis pensamientos. Jessa no se dará cuenta si me voy diez minutos después de que se haya dormido. Y mañana no se acordará de que me pidió quedarme con ella.

—Está bien —digo, dando la vuelta y regresando a su cama.

—Prométeme que no te irás. Promete que te quedarás para siempre.

—Te lo prometo —es una pequeña mentira, tan blanca que prácticamente es transparente. No puedo preocuparme por esto. Ha llegado el momento. El momento que he estado esperando toda mi vida.

Mañana todo cambiará.

2

Los edificios de acero y cristal se elevan por el bosque, encaramados sobre un acantilado que mira hacia un río, como una serpiente que sale disparada del oleaje, llena de líneas curvas y escamas brillantes.

Trago saliva mientras salgo del tren bala. La Agencia del Recuerdo Futuro. El lugar donde podré darle una ojeada al futuro. En todas las ciudades de Amerie del Norte, hay edificios similares, que son agencias locales donde los habitantes de la zona pueden acudir a recibir su recuerdo. Pero como yo vivo en Ciudad Edén, la capital del país, esta agencia es la más bonita y la más grande.

La AgeREF no es dueña de todo el edificio, desde luego. Abajo, muy abajo en las profundidades de la tierra, en los sótanos del edificio, los científicos de la Agencia de Investigación Tecnológica diseccionan los cerebros de sus pacientes psíquicos.

Mi estómago da un vuelco lento, como lo hace cada vez que alguien menciona la palabra *AgeINT*. Pero no voy a esa parte del edificio. Sólo estoy aquí para obtener mi recuerdo futuro, y los científicos no tendrán ningún motivo para fijarse en mí. O en mi hermana.

En la entrada, escaneo la tarjeta de identificación incrustada en mi muñeca derecha. Al final de la tarde, tendré un chip a juego, implantado en mi muñeca izquierda, que contendrá mi recuerdo futuro. Un androide me conduce hacia un salón de conferencias, en donde unos veinte chicos hablan entre sí en pequeños grupos.

Todavía no he visto a Marisa. Apoyo la espalda contra la pared y trato de parecer indiferente.

Mi mejor amiga y yo cumplimos años el mismo día. Probablemente tuvo que ver para que nos hiciéramos amigas que cuando Logan dejó de hablarme, fui alejando mi silla cada vez más y más de él, hasta que prácticamente estaba sentada en las piernas de la estudiante de junto. Para mi suerte, esa estudiante era Marisa. En vez de ofenderse, hizo una broma sobre la maestra y que tenía garras en lugar de uñas, y desde entonces hemos sido mejores amigas.

Jalo mi larga trenza café sobre el hombro de mi traje de malla plateado y juego con ella. Unos cuantos minutos después, Marisa entra caminando tranquilamente al salón, con un par de lentes trapezoides sobre la nariz. Obviamente no necesita los lentes para ver. Todos se arreglan los ojos con láser, pero la última moda es vestirse como nuestros ancestros de antes del Auge de la Tecnología. Así que la gente usa moldes de yeso falsos en los brazos y piernas, y aparatos auditivos como si fueran aretes. Al otro lado del salón veo a un chico que se ha pegado en los dientes tiras metálicas diminutas.

—¡Veintiocho de Octubre! —Marisa se abalanza sobre mí. De todos mis amigos, ella es la única que me llama por mi nombre escolar, probablemente porque tenemos el mismo.

Un par de chicos se nos quedan viendo, y ella los saluda.

—Qué gusto verte, Veintiocho de Octubre. Y a ti también, Veintiocho de Octubre.

Desvían la mirada, como si hubiera dicho mal sus nombres. Obviamente, no se equivocó. En este Día del Recuerdo, todos los que estamos aquí tenemos el mismo nombre.

Marisa vuelve a voltear hacia mí y entrelaza su mano con la mía.

—¿Estás lista? —me pregunta, hablando en serio para variar.

—Estoy muerta de miedo —confieso.

Aprieta mi mano con más fuerza. Las dos sabemos lo importante que es este día. Determinará el camino que tomaremos y las carreras que tendremos. Establecerá los parámetros para el resto de nuestras vidas.

—Ojalá no hubiéramos elegido las cuestiones artísticas —dice suavemente—. Qué mal que no queramos dedicarnos a dar mantenimiento a los androides. Hay muchas vacantes ahí.

Suelto una risilla. Mi mejor amiga anhela convertirse en actriz de teatro, y probablemente también lo conseguirá. Con sus grandes ojos cafés y su piel color ámbar profundo, llama la atención a donde quiera que va. Además, su talento es igual a su apariencia. Durante los últimos cuatro años, ha sido la protagonista de las obras de teatro de la escuela, y es conocida por conmover al público hasta las lágrimas con un solo diálogo.

—Ay, claro que te veo pasando todo el día abajo de los androides —digo—. Con la nariz llena de grasa, que se escurre por tu cabello. ¿Quién sabe? A lo mejor pones de moda ese estilo.

En ese momento, una mujer que lleva puesto un uniforme de la AgeREF entra y camina hacia el podio. Supuestamente, en el ComA todas las agencias son iguales, pero dicen por ahí que el poder de la AgeREF está aumentando, a medida que el recuerdo futuro se vuelve cada vez más importante en nuestra sociedad.

El cabello de la mujer es de un tono plateado artificial, y lo lleva cortado casi al ras de la cabeza. No mide más de tres centímetros de largo. Debe tener casi la misma edad de mamá, pero eso es en lo único que se parecen. Mamá es supervisora de androides, mientras que el uniforme de esta mujer es completamente azul marino:

blusa azul, chamarra azul y falda azul. La vestimenta de un oficial de alto rango.

—Tomen asiento —dice.

Marisa se dirige en línea recta hasta la primera fila, y yo camino detrás de ella. Cuando todos nos sentamos, la mujer sonríe, pero sus ojos grises no tienen ninguna emoción.

—Soy la Presidenta Dresden, directora de la Agencia del Recuerdo Futuro. Permítanme ser la primera en felicitarlos por su entrada a la edad adulta. Dentro de un momento, su vida cambiará para mejor. Por primera vez, serán dirigidos y guiados por una fuente incuestionable y omnisciente: el futuro.

Se escuchan algunos aplausos en el salón. La Presidenta lo tolera con una sonrisa forzada. Los aplausos se van apagando hasta que se detienen por completo.

—Como saben, los primeros recuerdos futuros llegaron hace veinte años, y sorprendieron a los afortunados receptores igual que un relámpago, al azar y sin advertencia, dibujando una imagen tan vívida del futuro que eliminaron todas las dudas que las personas tenían en su corazón. Estos pocos elegidos se convirtieron en los miembros más productivos de nuestra sociedad. Y no es algo raro. En vez de cuestionar sus decisiones, pudieron dirigir sus pasiones y energías hacia las tareas en donde sabían que triunfarían. Sin embargo, hace diez años, la AgeREF descubrió que estos recuerdos no llegaban de manera aleatoria. Todos los ciudadanos que se encuentran bajo la jurisdicción del ComA reciben un recuerdo de su yo futuro en su cumpleaños número diecisiete. Lo único que teníamos que hacer era enseñarles a abrir sus memorias para que pudieran acceder a esos recuerdos, una orden que la AgeREF llevó a cabo con un éxito rotundo.

La Presidenta Dresden hace una pausa, como si esperara aplausos. Pero el público no sabe qué hacer, y sólo se escucha silencio. Levanta una ceja y continúa:

—Esperamos que este recuerdo sea un faro para ustedes, que los guíe a través de las peligrosas aguas de la vida. Sin embargo, no deben ignorar los peligros —nos mira directamente a los ojos. Cuando su mirada se cruza con la mía, siento el frío del metal de la silla a través del traje de malla—. Tal vez algunos de ustedes den por hecho el futuro, y se sientan tentados a holgazanear, alocarse, o incluso violar la ley. En resumen, podrían llegar a sentirse invencibles. Cometerían un error.

Baja del podio. Quizá su intención no era parecer amenazante haciendo esto, pero las manos me comienzan a sudar.

—El recuerdo que están a punto de recibir no es más que un fragmento de su futuro. No cuenta toda la historia. No se equivoquen, su recuerdo futuro no los protegerá de las leyes de la física. No les proporcionará inmunidad de los directivos del ComA. Si se lanzan de un barranco, se lastimarán. Aunque todavía podrían dedicarse a descubrir avances científicos, seguramente quedarían paralizados de la cintura para abajo. Si quebrantan las leyes del ComA, irán a la cárcel. Igual podrían convertirse en cantantes famosos, pero grabarán sus discos desde la comodidad de su celda.

El ambiente en el salón se agita, Marisa y yo intercambiamos miradas. No es que la Presidenta Dresden nos haya dicho algo nuevo. Siempre hemos sabido que nuestros recuerdos sólo son un vistazo de nuestros futuros, pero nunca antes lo había oído decir de forma tan inquietante.

—Por otro lado, seguramente todos ustedes han oído rumores sobre personas que han logrado cambiar su futuro. Les digo ahora mismo que no desperdicien su tiempo. La mano del Destino es firme. Todos conocemos la historia del hombre que viajó en el tiempo para salvar a su esposa de morir ahogada. Logró sacarla del agua, pero al día siguiente, ella cayó por las escaleras y murió de todas formas.

La Presidenta guarda silencio por un minuto. Luego sonríe.

—Pero no nos detengamos en los aspectos negativos. Sus prometedores y brillantes futuros los esperan. Dentro de unos pocos minutos, serán llevados a sus habitaciones. Abran sus mentes, como les enseñaron, y el recuerdo les llegará. Una vez que esto pase, se dirigirán al área de Operaciones en donde se les implantará un chip negro en la muñeca. Por favor, repórtense con la AgeREF dentro de dos días. Cada persona reacciona diferente a su recuerdo futuro, y queremos asegurarnos de que todo progrese... adecuadamente.

Se da la vuelta para marcharse y luego se detiene.

—En caso de que sean uno de los raros casos que no reciben nada, por favor, repórtense a la División Sin Recuerdo para dar seguimiento. Eso es todo. Buena suerte.

Varios guardias vestidos con uniformes azul marino y blanco entran al salón. Al verlos mis nervios se aceleran. Me seco las palmas de las manos en los pantalones. Es imposible que mi recuerdo no llegue. Ni siquiera puedo considerar esa posibilidad. He esperado mucho tiempo este día. Quiero mi recuerdo. Lo necesito.

Rezo una rápida oración a los Destinos. *Por favor, permitan que reciba un recuerdo maravilloso. Que este día sea el primero del resto de mi vida, de una vida buena y feliz.*

Uno de los guardias dice mi nombre. Marisa aprieta mi mano, y la miro a los ojos por última vez. Me pongo de pie y sigo al guardia, que me conduce a donde me espera mi destino, a donde mi presente y mi futuro están a punto de chocar.

3

¿Quién se hubiera imaginado que el Destino vive dentro de una caja de cristal? El piso es de mosaicos oscuros tan brillantes que puedo ver mi reflejo, y un grueso panel de vidrio hace las veces de pared frontal de la habitación. En las otras tres paredes hay sábanas blancas colgadas, en un triste intento por brindar un poco de privacidad al cuarto.

Me acomodo en el sillón reclinable. El asiento y el respaldo están hechos de hileras de cojines cilíndricos, de quince centímetros de ancho. Es más moderno que cómodo. Me pongo un artefacto de metal en la cabeza. Se parece al equipo protector que usamos durante la clase de Deportes. Tiene tiras estrechas y muchos respiraderos, y se conecta a una máquina que hay sobre la mesa.

El guardia aprieta algunos botones de la máquina. Su gafete dice "William"; se ve joven, apenas un poco mayor que yo. El color de su cabello es uno de los más hermosos que he visto: rojo cobrizo profundo con mechones dorados. Me siento tentada a preguntarle a qué salón de belleza va. Lo veo colocarse un par de guantes y desliza un pequeño chip de metal en la máquina.

Respiro nerviosamente. Ese es el chip de computadora que grabará mi recuerdo, y que más tarde me implantarán debajo de la piel.

—No te preocupes —me dice—, no duele, te lo prometo.

Me paso la lengua por los labios.

—¿Cómo conseguiste este trabajo? ¿Lo viste en tu recuerdo del futuro? —le pregunto.

Sonríe.

—Nah. Mi yo futuro es un padre que se dedica al cuidado de sus hijos, con mermelada en el cabello y una manada entera de niños. Pero el recuerdo de mi novia la mostró como la directora de la Age-REF dentro de treinta años. Ahora es la asistente personal de la Presidenta, así que supongo que pensaron que les convenía portarse bien conmigo, en caso de que decida ser mi esposa.

Se agacha debajo de la mesa para tomar una bandeja con artículos de meditación.

—¿Qué quieres? ¿Una vela, ruido blanco o aceites aromáticos?

Miro la vela a medio derretir sobre la bandeja. ¿Cuántos recuerdos ha inducido esa cera chorreante? Pensar en eso me inquieta. Es como si estuviera compartiendo algo íntimo con toda esa gente desconocida. La botella verde con el aceite aromático me hace pensar en mis ancestros de la época pre-Auge, respirando el aire sucio.

—¿Qué tipo de ruido blanco? —pregunto.

—Canto de aves.

¿En serio? ¿Eso relaja a la gente? Demasiados *píos* van a hacer que quiera electrocutarme.

—Creo que no quiero ninguno.

William frunce el ceño.

—¿Estás segura? La mayoría de la gente necesita algo que le ayude a alcanzar el estado de apertura adecuado.

—Saqué diez en la clase de Meditación. Y he estado practicando todas las mañanas durante los últimos seis meses.

Se encoge de hombros y ajusta el aparato en mi cabeza.

—Bien. Abre tu mente y concéntrate en recibir tu recuerdo. Estaré en el cuarto de al lado, supervisándote. Buena suerte.

Antes de que pueda responder, ya se ha marchado, dejando la puerta abierta.

La puerta no está cerrada, no tiene llave ni barrotes. Está abierta. Una puerta de vidrio, abierta en ángulo. Igual que mi mente. Igual que mi futuro.

Una sensación extraña me recorre el cuerpo. La siento en todas partes. En mis dedos de los pies y codos. Detrás de mis oídos. En la punta de la nariz. ¿Qué diablos? ¿Es alivio? ¿Es estrés? ¿Anticipación?

Volteo hacia los cojines, y pierdo la concentración. ¿Qué pasará si mi recuerdo no llega? A lo mejor debí haber pedido la vela. El pánico se dispara por mi cuerpo, y me clavo las uñas en las palmas de mis manos. No. No puedo pensar así. Tengo que concentrarme.

Bueno. ¿Qué otra cosa está abierta? El cielo enorme y azul, que se abre sobre los campos. Las latas de vegetales que el ensamblador de alimentos abre para la cena. Las ventanas que abro en los calurosos días de verano.

El recuerdo del futuro que fluye hacia mi mente preparada y abierta.

Abierta, abierta, abierta.

Vuelvo a sentir la misma sensación, pero esta vez es más fuerte. ¡Ay! No son mis emociones. Es mi recuerdo. *Mi recuerdo*. ABIERTO.

Voy caminando por un pasillo con piso verde de linóleo, y pantallas de computadora incrustadas en los mosaicos. Las iluminadas paredes brillan tan intensamente que puedo distinguir lo que parece una huella de zapato en el suelo. El penetrante olor a antiséptico me quema la nariz.

Doy vuelta en la esquina y rodeo los pedazos rotos de una maceta de cerámica. Un camino de tierra conduce, como si fueran migajas de pan, al tallo roto de una planta y a hojas verdes sueltas.

Camino por un pasillo idéntico. Y luego por otro. Y otro más.

Finalmente, me detengo enfrente de una puerta. Una placa dorada, decorada en las esquinas con espirales en forma de caracol, tiene escrito el número 522. Camino hacia adentro. El sol brilla a través de la ventana, la primera ventana que veo en este lugar. Un oso de peluche con un moño rojo está sentado en el alféizar; quitando eso, todo lo demás es color blanco hospital. Paredes blancas, persianas blancas, sábanas blancas.

Jessa está acostada en medio de las sábanas.

Se ve pequeña, apenas un poco mayor que cuando la vi ayer. Su cabello cae sobre sus hombros, enredado y suelto. Hay muchos cables que salen de su cuerpo, como si fueran las serpientes de Medusa, moviéndose por todos lados hasta llegar a una de muchas máquinas.

—¡Callie! ¡Viniste! —sus labios se curvan en una hermosa sonrisa.

Tengo algo sujeto entre las manos, algo duro, pequeño y cilíndrico.

—Claro que vine. ¿Cómo te tratan?

Jessa arruga la nariz.

—La comida es asquerosa. Y nunca me dejan salir a jugar.

Doblo la mano y hago rodar el objeto por mi palma. Es una jeringa llena con un líquido transparente. Una jeringa. Estoy sosteniendo una jeringa.

—Cuando salgas de aquí, podrás jugar todo lo que quieras —quito los cables de su pecho y coloco mi mano directamente sobre su corazón—. Te amo, Jessa. Lo sabes, ¿verdad?

Asiente con la cabeza. Su corazón late de forma regular contra la palma de mi mano. Es el latido fuerte y estable de la confianza total que una niña tiene en su hermana mayor.

—Perdóname —susurro.

Antes de que pueda reaccionar, levanto mi brazo en el aire y clavo la jeringa justo en su corazón. El líquido transparente se vacía dentro de mi hermana.

Jessa se me queda viendo con los ojos y la boca bien abiertos.

Varios pitidos fuertes llenan el cuarto. Y luego, el monitor cardiaco emite un sonido largo.

4

No puedo respirar. Tomo grandes bocanadas de aire, pero no sirve de nada. Me asfixio. Estoy empapada en sudor, y me estoy ahogando. Me levanto de un salto y alguien empuja mi cabeza hacia mis rodillas. Mi reflejo en los mosaicos se me queda viendo. Estoy de vuelta en el cuarto del recuerdo.

—Respira —dice William—. No me esperaba eso. ¿Quién era esa niña?

—Mi hermana —balbuceo.

—¿Mataste a tu propia hermana? ¡Madre del Destino! ¿Quién eres?

Buena pregunta. ¿Quién soy? Una criminal. Una asesina. La asesina de mi hermana.

¡No. No. No! Eso fue un sueño, una alucinación. Eso no fue mi recuerdo, ni mi futuro.

Pero sí lo fue. Lo sé por las náuseas que me aprietan el estómago. El dolor fantasma en mi hombro. La pesadilla no está desapareciendo. Es tan real en este momento como lo fue hace unos instantes. Igual de real y todavía más horrible.

¡Ay, mi bebé Jessa! La niña a la que juré proteger. ¿Qué he hecho?

Comienzo a temblar con movimientos agitados e insistentes que hacen vibrar mis hombros y castañear mis dientes. Aprieto las manos, pero eso sólo hace que el temblor aumente.

—Cálmate —William toma una sábana de un estante y la pone sobre mí—. Relájate un minuto y no te muevas.

Como si moverme fuera una opción. No creo que moverme vuelva a ser una opción nunca más.

Me acurruco debajo de la sábana. Huele a detergente para ropa. Las duras fibras rozan mi piel, y el sudor se me mete en los ojos. Jalo la sábana sobre mi cabeza hasta que mi mundo no es más que oscuridad negra y profunda.

William carraspea. Al bajar la sábana, veo que está sacando el chip de la máquina. Cruza la habitación, abre mi mano y me pone el chip en la palma. Lo miro desconcertada.

—Sé que estás en *shock* —me dice—. Pero necesitas escucharme con mucha atención. Recibiste un recuerdo atípico, en el que cometes un delito Clase A. Según la ley de la AgeREF, tengo que arrestarte.

—¿Arrestarme? —me enderezo y la sábana se cae al suelo—. Pero no he hecho nada malo.

—No lo has hecho, pero lo harás. La ley es clara. En la AgeREF no hay segundas oportunidades. No eres inocente hasta que cometas el crimen —camina hacia la puerta y voltea a verme. Noto una amabilidad que no había visto antes—. Voy a activar la alarma en un minuto exactamente. Tienes que salir de aquí. Ahora.

Mi mente grita llena de preguntas. *¿Por qué me estás ayudando? ¿Quién eres? ¿A dónde voy?* Pero ya se ha ido, y el tiempo corre.

¡Escapa!

Medio segundo después, estoy de pie y corriendo por el pasillo. Puedo escuchar el sonido de las voces mientras abro una pesada puerta, pero no miro hacia atrás. A la derecha, luego a la izquierda, y luego a la izquierda otra vez, paso la puerta del salón de conferencias, y... ¡Sí! Una multitud de personas ocupadas en sus asuntos. Muchas chicas en trajes de malla plateados, con el cabello cayendo sobre su espalda.

Dejo de correr y camino, y agacho la cabeza mientras cruzo el salón. Mis tenis negros rechinan sobre el mosaico, lanzándome el corazón hasta la garganta. ¿Ya activó la alarma? El mar de personas con pantalones en azul marino y negro circula a mi alrededor ininterrumpidamente. Sus pisadas tienen el ritmo normal de los empleados, no suenan como los implacables y duros golpes de los oficiales persiguiendo a alguien.

Estoy a punto de llegar a la salida cuando escucho una voz de hombre.

—¿Callie? ¿Eres tú?

Aumentando la velocidad, salgo rápidamente del edificio y corro hacia el bosque. El tren bala me llevaría más lejos y rápido, pero si me meto a uno de los compartimentos, lo cerrarán y entonces quedaré atrapada. Mi mejor opción es esconderme. Si tan sólo pudiera llegar a tiempo a los árboles.

Veinte metros.

Escucho fuertes pisadas detrás de mí. Y cada vez se oyen más cerca. Eso sólo puede significar una cosa: me están alcanzando, rápidamente.

Diez metros.

¡Vamos, Callie! ¡Corre!

Estoy a punto de lograrlo. Sólo tengo que llegar al bosque, y entonces tendré una oportunidad. Adentro está lleno de senderos. Un arbusto detrás del cual esconderse, un tronco a donde meterse. Sólo unos cuantos metros más. Puedes ganarles, Callie. Tienes que hacerlo.

Cinco metros, cuatro, tres...

Escucho el sonido del movimiento y me preparo para ser derribada. Pero no, alguien pasa rápidamente a mi lado y luego frena un poco, corriendo junto a mí.

¿Junto a mí? ¿Qué diablos?

Alcanzo a ver un rostro familiar, y después corro hacia el bosque.

—¿Logan? —casi me tropiezo con unas raíces expuestas—. ¿Qué haces aquí?

Sonríe, y aparecen dos hoyuelos en sus mejillas. El cierre de su traje está abierto unos cuantos centímetros, y huele a cloro, como si acabara de salir del entrenamiento de natación matutino.

—Sólo estoy siendo un buen ciudadano, reportándome a la AgeREF para mi chequeo post-recuerdo.

—No, o sea, ¿por qué me estás persiguiendo? ¿Trabajas para la AgeREF?

—Claro que no. Eso sería lo último que haría en este mundo.

El tono de su voz me hace recordar al chico que era mi amigo. El que tenía el cabello parado en la parte trasera de su cabeza, y que era mi defensor contra todas las ofensas, reales o imaginarias.

—Dije tu nombre y saliste corriendo. Quería asegurarme de que estuvieras bien.

¿Puedo confiar en él? Miro hacia atrás. El edificio de acero y cristal está a mi espalda. Mientras lo observo, una sirena taladra el aire, lanzando de un árbol a un par de aves graznando. El corazón se me detiene. La alarma.

Tomo una decisión instintiva. No hay tiempo para otra cosa.

—Estoy en problemas, Logan.

—No me digas que esa alarma es por ti.

—Iban a arrestarme, y corrí.

Sus cejas se fruncen al mismo tiempo, como si se arrepintiera de haber seguido a una fugitiva al bosque.

—¿Qué hiciste?

—¡Nada! —no debería indignarme. Voy a asesinar a mi hermana en el futuro. Mientras más pronto lo acepte, mejor—. Casi nada. Fue mi recuerdo.

—¿Te están persiguiendo por algo que hiciste en tu recuerdo?

Muevo la cabeza afirmativamente. Bajo el zumbido de la sirena, escucho a lo lejos ladridos de perros. ¡Ay, por el Destino! Los perros están entrenados para rastrear los olores. Las rodillas se me doblan, y me tropiezo con el suelo disparejo.

Logan me toma del brazo y me voltea hacia él.

—¿Qué tan malo fue tu recuerdo?

Parpadeo rápidamente. No voy a llorar. Si comienzo a llorar ahora, sería mejor que me lanzara a los perros.

—Fue malo —digo susurrando—. Muy malo.

—Está bien —me dice—. Sígueme.

Nos introducimos más profundamente en el bosque. Si Logan tiene algún camino trazado, yo no lo veo. Pero su paso es constante y seguro, así que debe de saber a dónde va.

Los árboles se vuelven más espesos, y una enramada se cierra sobre nuestras cabezas, así que corremos en las sombras a pesar del brillante sol matutino. El suelo está cubierto de rocas y plantas, y el aire se siente húmedo y frío. Cada cierto tiempo, escucho el ladrido de un perro, pero se oye tan lejano que comienzo a relajarme. No van a esforzarse mucho por encontrarme. Sólo soy una chica. No tengo ningún poder verdadero. No represento una amenaza real.

Excepto, quizá, para mi hermana pequeña.

Se me hace un nudo en la garganta. Mamá ya debe de haberse despertado. Probablemente está sentada con Jessa en la mesa para comer, mirando el reloj mientras sus tés de hierbabuena se enfrían. Se preocuparán si no llego a casa. Debería contarles lo que sucedió. Pero aunque pudiera enviarles un mensaje, ¿qué les diría? *Lo siento, Jessa, me encantaría regresar y comer el pan tostado que pediste para mí, pero resulta que voy a matarte en unos meses.*

La cara se me arruga, y los ojos me arden por las lágrimas contenidas. Me llevo la mano a la boca y la muerdo fuertemente. No puedo pensar en eso ahora. No *puedo* hacerlo. Una jauría me espera para atraparme. Tengo que controlarme si quiero escapar.

Miro la espalda de Logan. Tiene el clásico torso de un nadador: hombros anchos y cintura estrecha. A través de las lágrimas, puedo ver cómo se flexionan sus músculos debajo de su traje de malla plateado. Eso está mejor, piensa en su espalda. Piensa en cómo Marisa se babearía con esta vista.

Marisa. Se me detiene la respiración otra vez. Ya debe de haber obtenido su recuerdo. Seguramente se vio como una famosa actriz de teatro. Nunca la veré en el escenario. No volveré a verla nunca más.

Exhalo, lentamente. No puedo pensar en ella tampoco. Me concentro en escalar las rocas que están enfrente de mí. Aquí el suelo se convierte en una pendiente y los árboles son más delgados. Puedo ver el sol otra vez. Me quema los oídos, y el sudor se condensa en mi frente como las gotas en un vaso con agua. Siento que hemos caminado toda una eternidad, pero probablemente no han pasado más de diez minutos.

—¿A dónde vamos? —pregunto.

Logan voltea la cabeza, revisando el terreno bajo nuestros pies.

—No puedes quedarte aquí. Donde sea que te escondas, te encontrarán.

—¿A dónde sugieres que vaya?

Escalamos, subiendo cada vez más y más alto. Arriba sólo hay un acantilado que termina en un espacio vacío con un turbulento río debajo.

Me mira con los ojos entrecerrados por el sol excesivamente cálido. Entonces, de pronto, lo entiendo.

—No —susurro—. No voy a saltar al río. Eso sería un suicidio.

—No, si sabes dónde brincar, y tampoco si tienes un lugar a donde ir.

¿De qué diablos está hablando?

—Obviamente, no tengo a donde ir.

—Yo sí —dice.

Continúa escalando. Lo sigo, consciente del espacio que nos separa. Decidí confiar en él demasiado rápido, y tal vez me equivoqué. Quizá mi juicio estaba nublado. Tenía miedo y quería confiar en él otra vez. Pero en el transcurso de cinco años la gente cambia. Tal vez no esté muy cuerdo. Porque esto que me está proponiendo hacer, es una locura.

De pronto, un recuerdo me cruza la mente. Tenía once o doce años, y estábamos en un día de campo sobre los acantilados que están junto al edificio de cristal y acero, que mira hacia el río. Mamá estaba amamantando a Jessa, así que me acerqué a escondidas al borde, mucho más de lo permitido. Quería ver cómo chocaba el agua contras las piedras, para imaginar la majestuosa espuma blanca rociando mi piel. En vez de eso, vi a una mujer cruzar la barandilla de metal... y brincar al agua. Flotó en el aire durante un infinitesimal momento, capturado en los rayos del sol como por el flash de una cámara. Y luego se estrelló contra las piedras.

Desde ese día, he tenido pesadillas con caerme del acantilado y morir. Pero no voy a decirle eso a Logan.

Llegamos a la cima. El suelo tiene el mismo nivel hasta convertirse en un acantilado. Aquí, no hay barandilla de metal para proteger a la gente y evitar que se acerque. Sólo hay suelo duro hecho polvo y bultos granulosos de tierra.

Logan voltea a verme.

—Escucha, Callie. Hay un refugio seguro en el interior del bosque. Se llama Armonía, y es un lugar para todo el que quiere una nueva oportunidad en la vida. Para las personas con habilidades psíquicas que son perseguidas por la AgeINT y para los que, como tú, quieren escapar de sus futuros.

Aprieto las manos a los lados.

—¿Cómo sabes?

—Por mi hermano —dice—. Luego de que la AgeINT lo arrestó, mi familia se unió a la Resistencia, el grupo que construyó Armonía. Si planeaban llevarse a alguien más, nosotros lo sabíamos.

Lo miro fijamente, mientras un millón de preguntas quieren escapar de mi lengua. Pero todas desaparecen con sólo pensar en Armonía. Un lugar donde comenzar desde cero, donde hacer de cuenta que mi recuerdo nunca sucedió. ¿En serio es posible?

Todo lo que tendría que hacer es saltar del acantilado. Dejar atrás todo lo que conozco.

Sacudo la cabeza fuertemente.

—No sé en qué estaba pensando al escapar. No puedo escapar de mi futuro. Soy una criminal.

—¿Estás oyendo lo que dices? Lo único que has hecho fue sentarte en un sillón incómodo y recibir un recuerdo del futuro. Nada más ha cambiado. Sigues siendo la misma Callie que eras esta mañana.

—No entiendes. Mi recuerdo...

—¡Aún no sucede! —extiende los brazos intentando llegar a mis hombros, pero está muy lejos—. ¿Qué pasaría si pudieras cambiar tu futuro? ¿Si lograras que fuera físicamente imposible que tu recuerdo sucediera? Creo que tienes una muy buena oportunidad de hacerlo, si desapareces de la civilización.

—Pero la Presidenta dijo que era imposible.

—Estaba mintiendo —responde con seguridad—. Todo nuestro sistema socioeconómico está construido a base de recuerdos futuros que se convierten en realidad, así que, obviamente, tiene que decir eso. No será fácil, pues todo el Destino trabajará en tu contra. Se necesitará una enorme cantidad de fuerza de voluntad y firmeza, cosas que la mayoría de la gente no tiene. Pero sí ha sucedido. Yo lo he visto.

Lo miro fijamente. ¿Tiene razón? Ya no estoy segura de nada. Pero éste es el primer rayo de esperanza que tengo desde que recibí mi recuerdo. Si no vuelvo a ver a Jessa nunca más, entonces no puedo matarla, ¿verdad? O, ¿el Destino me llevará de regreso a mi hermana, sin importar lo que haga?

—Digamos que hay una mínima posibilidad de que tenga razón —dice—. ¿No crees que vale la pena arriesgarse?

¡Sí! ¡Mil veces sí! ¿Salvarle la vida a Jessa? Movería montañas por conseguirlo... o saltaría a ríos revueltos llenos de piedras.

Pero, no me atrevo.

—No soy tan fuerte —susurro—. Ni siquiera puedo enfrentarme a mis maestros en la escuela. ¿Cómo voy a ir en contra del Destino?

Me mira como si pudiera ver el fondo de mi alma.

—Si hay alguien que puede hacerlo, ésa eres tú.

Quiero creerle con todas las células de mi cuerpo. Pero, ¿qué sabe Logan Russell? No ha hablado conmigo en cinco años.

—Yo no puedo luchar contra el Destino. Pero sí sé quién puede hacerlo. La AgeREF. Voy a dejar que me arresten y me encierren para que *no* pueda llevar a cabo mi recuerdo. Aunque quiera hacerlo.

Se queda inmóvil.

—Pero entonces estarías en detención por el resto de tu vida.

Nunca volverás a ver el sol, susurra una voz en mi interior. *Nunca te casarás ni tendrás tu propia familia. Tu hogar será el interior de una celda hasta que mueras.*

No me importa. Siento cómo las lágrimas caen por mis mejillas; y las seco rápidamente con la mano. Estamos hablando de mi hermana. Mi hermana.

—No me imagino jamás haciendo lo que hizo mi yo futuro —trago saliva—. Pero pasó. Así que no puedo garantizar que no cambiaré de opinión —enderezo los hombros—. Lo más seguro que puedo hacer es quitarme de encima esa decisión. Y lo que la AgeREF me ofrece es precisamente eso.

Se acerca un poco más a mí.

—No puedes entregarte, Callie. Piensa en lo que estás diciendo.

—Tanto tú como la Presidenta lo dijeron: la mano del Destino es fuerte. Tengo que tomar medidas radicales para vencerlo. ¿Qué puede ser más radical que estar en detención?

Abre la boca, pero antes de que pueda decir algo, volteo y miro colina abajo.

—Ya vienen.

Un montón de rápidos sabuesos guían a un grupo de guardias vestidos con uniformes azul marino y blanco. Apenas están empezando a subir, pero los perros van corriendo cuesta arriba, como si tuvieran prisa por destrozarme. Tengo unos cuantos minutos, como mucho.

Tomo el chip negro y lo saco de mi bolsillo. Sin pensarlo dos veces, lo lanzo tan fuerte como puedo hacia el precipicio. Listo. Ya no existe. Que me entregue no significa que tengo que contarles sobre Jessa. No necesitan otra razón para investigarla.

Vuelvo a voltear hacia Logan. Sus ojos me perforan con una expresión de pesar profundo e indescriptible. ¿De verdad le importa? Debajo de todos esos años de silencio y traición, ¿existe todavía una semilla de amistad?

—Lo siento, Callie.

Hay tantas cosas que quisiera decir. Voy a irme muy lejos y por mucho tiempo. Ésta es mi última oportunidad para sanar las viejas heridas. La última vez que experimentaré una conexión humana real.

Mi última oportunidad de besar a alguien. ¡Cómo quisiera inclinarme hacia adelante y poner mis labios sobre los suyos! No quiero morir sin haber besado nunca a un chico.

Pero no hay tiempo. Los ladridos de los perros perforan el aire como el martilleo de una metralleta. Oímos el golpe de las pisadas contra la tierra. Los oficiales llegarán en cualquier momento.

—¡Vete! —le grito a Logan—. Vete de aquí, antes de que te arresten a ti también.

Vuelve a abrir la boca para decir algo, pero muevo la cabeza.

—No. No lo hagas más difícil de lo que ya es.

Con una expresión de tristeza, Logan asiente, me aprieta el brazo por última vez, y desaparece por el otro lado de la colina.

Ha llegado el momento. Mis últimos instantes de libertad.

Me doy la vuelta, y levanto las manos en señal de rendición. Respiro profundamente, disfrutando el aire fresco de la montaña. Es hora. Camino directamente hacia los oficiales.

5

—Tiene derecho a permanecer en silencio —dice un oficial—. Nada de lo que haga puede salvarla. Todo lo que diga podría ser usado en su contra.

Me colocan las muñecas en la espalda, y una descarga eléctrica me recorre los brazos. La corriente viaja por mi piel como una hilera de hormigas rojas. El oficial pone otro juego de esposas alrededor de mis tobillos, y las hormigas intensifican su ataque en mis piernas. Aprieto los dientes para no quejarme.

Me meten un trapo sucio en la boca. Mi lengua se retrae en busca de escape, pero no tiene a dónde ir. Siento el sabor de la saliva de otras personas, la bilis sube por mi garganta, pero la mordaza bloquea la única salida, así que tengo que volver a tragarla.

—No le será asignado un abogado —dice el oficial—. No será juzgada en un tribunal. Su recuerdo futuro servirá de acusación, juicio y sentencia.

Me llevan arrastrando colina abajo; mis pies levantan nubes de polvo que hacen que me ardan y lloren los ojos. Toso violentamente, pero no me quitan el trapo. Los oficiales me conducen de nuevo al edificio y entramos a una cápsula elevador. Salimos a un piso muy distinto del otro en donde recibí mi recuerdo.

Todo está hecho de cemento: los pisos y las paredes. El aire se siente estancado, como si estuviera atrapado debajo de la tierra y no tuviera a dónde ir. El aire está conformado por dos partes de orina y una de excremento.

Varios pares de manos sacuden mi cuerpo, quitándome las esposas de los tobillos y las muñecas. La electricidad se detiene, y escupo el trapo, desplomándome sobre el suelo de una estrecha sala de admisión.

Alguien me pincha en las costillas.

—¿Estás viva? —vuelvo a sentir unos dedos que me tocan, pero ahora en el estómago—. Vamos. Dame una señal. ¿Sientes algo?

Miro la cara de una gigantesca guardia de seguridad.

—Bien —dice—. Sobreviviste a las esposas eléctricas.

Me pone un casco en la cabeza, que conecta a una máquina con un montón de pantallas digitales. Me preparo para recibir otra descarga eléctrica, pero no pasa nada. Aparecen muchos números en las pantallas: 89... 37... 107... 234. No significan nada para mí.

Algunos minutos después, la guardia me quita el casco y me arrastra por los pies. Me desnuda y me empuja debajo de una regadera caliente. Me encorvo para cubrirme el cuerpo, y escucho su cruel risa.

—No tienes nada que no haya visto antes, niñita.

Me quedo encorvada de todas formas. Las agujas de agua me apuñalan la piel, y luego la guardia me saca de un tirón, empapada y chorreando, y me lanza un uniforme amarillo. Se parece mucho a mi uniforme escolar, pero está hecho de una tela más áspera. Apenas tengo tiempo para meter los brazos y piernas por los hoyos antes de ser empujada por un pasillo. El uniforme me roza la piel con cada movimiento de la tela, como si lijara cada una de mis células vivas y muertas.

La guardia me lanza dentro de una celda, y luego me quedo sola. Por primera vez en mi vida, estoy total y completamente sola.

Los minutos se convierten en horas. El vacío en mi estómago es sólo un indicador del tiempo.

En cierto punto, alguien empuja a través de una ranura en la puerta un tazón con agua turbia. Me acerco a rastras y la olfateo. Huele como a orina, pero aquí todo huele a orina. Sólo llevo unas horas en este lugar y mi piel ya ha absorbido el olor.

¿Qué es peor? ¿Oler a orina o ni siquiera percibir el olor? ¿Que te den agua de apariencia sospechosa o tener tanta sed que te la tomas de todas formas?

Bebo el agua. Sabe a rancio y a gis. Arrugo la nariz.

Pienso inmediatamente en mi hermana del recuerdo futuro, arrugando la nariz. "La comida es asquerosa —dijo—. Y nunca me dejan salir a jugar".

Todo el recuerdo pasa por mi mente, desde el inicio hasta el final, con cada detalle intenso y sutil. Es como si lo estuviera viviendo otra vez.

Reduzco la velocidad, pausando cada imagen y analizándola. Tiene que haber alguna pista, algo que me ayude a entender cómo pude haber hecho una cosa así.

En el recuerdo, Jessa tenía el cabello hasta los hombros. Cuando la dejé ayer, le llegaba a la barbilla. Eso significa que tengo tiempo. No mucho, porque su cara se ve igual. Pero, por lo menos, algunos meses. Tal vez un año.

Estaba en una cama de hospital. A lo mejor eso significa que va a enfermarse, y mi yo futuro la mata para evitarle un dolor inimaginable.

No. Detengo la imagen en su cara y hago un acercamiento, como si el ojo de mi mente fuera el lente de una cámara. Sus mejillas se ven algo pálidas, pero sus ojos están alerta. Aunque está acostada, su cuerpo irradia el tipo de energía que sólo irradian las personas sanas.

Giro la imagen, viéndola desde varios ángulos, pero no encuentro ningún indicio de enfermedad. Así que eso queda descartado. Entonces, ¿por qué está en una cama con cables conectados a su cabeza? ¿En dónde está?

Mi mente vuelve a recorrer el recuerdo, eligiendo distintas imágenes, como la placa dorada, con cuatro espirales decorando las esquinas. Todas las agencias tienen su propia insignia. Por ejemplo, la de la AgeREF es un reloj de arena. ¿A cuál pertenecen los adornos en forma de caracol?

Analizo el resto del recuerdo, en busca de pistas. Piso verde de linóleo. Un oso de peluche con moño rojo. Persianas y sábanas blancas...

Un minuto. Mi respiración se detiene y las imágenes desaparecen de mi mente. ¿Cómo estoy haciendo esto? No es... normal. El recuerdo está pasando por mi cabeza como si fuera una película. Lo estoy desmontando, manipulando cada pieza como si mi mente fuera una... *computadora*. No debería poder hacer esto.

Mi pulso corre como loco. ¿Qué está pasando? Esto nunca antes había sucedido. ¿Tendrá que ver con alguna cuestión rara de los recuerdos futuros? O, ¿hay algo raro... conmigo?

El corazón me late rápidamente, y de pronto, ya no puedo respirar. *No. Detente. Estoy bien*. No me pasa nada. Nunca en mi vida he tenido ni un miligramo de tendencias psíquicas. No van a empezar ahora.

Mi cuerpo está sobrecargado de emociones, eso es todo. No puedo seguir pensando en eso.

Me pongo a observar mi celda. Error. No hay nada que ver. Sólo un cuarto de tres por tres, con barras negras en una pared y bloques de concreto en todas partes. Sin ventanas. Sin sol.

¿Volveré a ver otra vez el sol? En este momento, me alegro tanto de haber llevado a Jessa al parque el veintisiete de octubre y haber sentido los cálidos rayos del sol en mi cara y cuerpo. Me siento feliz por haber compartido una última tarde con mi hermana, e incluso por haberme encontrado a Logan Russell porque ahora, por lo menos, tengo alguien con quien soñar. Me imagino que es más de lo que tienen la mayoría de los que están en detención.

El sentimiento de gratitud se desvanece, y comienza a faltarme el aire. Detenida. Estoy en detención. La locura que estaba intentando controlar regresa rápidamente. Trago aire y jadeo, como un motor que no quiere encender, pero no puedo llenar mis pulmones. Mis latidos se duplican... ¡se triplican! Hay un océano rugiendo en mis oídos. Ataque de pánico. Estoy teniendo un ataque de pánico, y tengo que detenerlo. Detenerlo. ¡Detente!

Una hoja roja. Llevo las rodillas hacia el pecho. Los dedos se me entumecen, los abro y cierro para hacer fluir el oxígeno. *Hojas de otoño volando en el viento.* Piensa en las hojas.

Mi respiración se calma un poco. Ya no siento como si el corazón se me fuera a salir del pecho. Y me pierdo en el pasado.

Sólo un movimiento más. Un giro de mi silla, un ligero empujón con los brazos, y mi escritorio se acerca chirriando unos centímetros más a la ventana. Unos centímetros más al sol.

Vista desde afuera, nuestra escuela parece una nave espacial: larga y aplanada, con ventanas circulares a los lados. El edificio ha ganado muchos premios. Lástima que el arquitecto no pensara en cómo se sentirían los estudiantes adentro: atrapados.

—¿Qué haces? —me pregunta el chico que está junto a mí. Tiene el mismo cabello corto que llevan todos los chicos de los grados inferiores. Todavía no hemos ido a la clase de Deportes, pero huele como a la alberca.

Miro hacia el frente del salón, donde la maestra del grupo T-menos cinco, la Señorita Astbury, escribe fracciones en la pantalla aérea.

—Estoy tratando de ver las hojas —le digo al chico.

—¿Por qué?

Presiono mi lengua contra mis dientes superiores, mientras pienso cómo explicarle.

—Cuando caen del árbol, pueden aterrizar en cualquier lugar. No están encerradas como nosotros. Sólo quiero ver a dónde van.

Asiente con la cabeza, como si lo que acabara de decir tuviera sentido.

—Soy Logan.

Las mejillas se me ponen rojas, y acerco mi escritorio un poco más a la ventana. Ya sé que su nombre es Logan. Siempre ha sido Logan, desde que empezamos la escuela hace ocho años.

Pero nunca antes había hablado realmente con él. Sé cuándo es su cumpleaños. Sé que está en el primer carril de nado durante la Clase de Deportes. Pero ésta es la primera vez que me da permiso de llamarlo por su nombre real.

—Me llamo Callie.

—Lo sé. He oído a algunas de las chicas decirte así —sonríe indeciso, como si se arrepintiera de lo que acaba de decir.

—Tal vez por eso te gustan las hojas. Porque te llamas como la flor calla lily.[1]

1 Se refiere a la flor llamada azucena en español.

De hecho, no me llamo como la flor. Mi papá era científico, y mi nombre es Calla Ann en honor a Tanner Callahan, el hombre que recibió el primer recuerdo futuro. Pero no corrijo a Logan. Mi papá pensó que era un nombre ingenioso, ¿pero yo? A mí me gusta más la idea de ser una flor. Nadie me había llamado así.

Ni tampoco me habían sonreído de esa manera. Una parte de mí quiere que me sonría para siempre. La otra parte no sabe qué hacer con los codos.

Meto las manos debajo de mis piernas y me inclino hacia atrás. Por un momento, mis pies flotan en el aire, mientras la silla de plástico se balancea sobre sus dos patas traseras. Al instante siguiente, la silla se desploma, y termino tumbada en el suelo.

La Señorita Astbury quita la pantalla aérea y camina rápidamente hasta donde estoy.

—¡Veintiocho de Octubre! ¿Qué significa esto?

Me levanto y aliso mi uniforme plateado, asegurándome de que el cierre esté derecho. Los codos me están punzando por la caída, pero los mantengo a los lados en un ángulo perfecto de noventa grados, y cruzo las manos frente a mí.

—Disculpe, Señorita. Quería asomarme por la ventana. Supongo que... me estiré demasiado.

Cruza uno de sus brazos sobre su cintura, y apoya el otro codo sobre él. Sus uñas, afiladas como garras, golpetean sus mejillas.

—Como la ventana es una distracción tan grande para usted, Veintiocho de Octubre, será mejor que la movamos hacia un lugar menos tentador —la señorita señala con su dedo hacia la otra esquina del salón—. Guarde sus cosas, tome su pantalla-escritorio y siéntese ahí por el resto del día.

El corazón se me rompe. El nuevo escritorio está tan lejos de las ventanas que los rayos del sol ni siquiera llegan ahí. No hay espe-

ranza de ver el sol, y mucho menos de seguir el camino de las hojas.

—Señorita, yo... —las palabras se mueren. Igual que me pasará a mí si tengo que sentarme en esa esquina.

—Hará lo que le ordené, Veintiocho de Octubre, o la reportaré con el director de la EdA.

Obedezco. No tengo alternativa. Durante la siguiente hora, me muevo inquietamente en mi escritorio, volteando una y otra vez hacia la ventana ahora tan lejana. No me relajo hasta que llega la clase al aire libre.

Corro por el patio de la escuela cubierto de pasto, respirando el aire que no está encerrado dentro de un edificio. Absorbiendo la luz del sol real y natural. Observando cómo bailan las hojas alocadas en la brisa. No dejo de correr hasta que suena una bocina en el patio, indicando que la clase se terminó.

Soy la última estudiante en el patio. Cada paso que doy hace que mi cuerpo se sienta más pesado, como si la gravedad aumentara mientras más me acerco al salón de clases. Cuando llego a mi escritorio, me extraña no haberme caído desplomada al suelo.

Y entonces la veo. Ahí, en medio de mi escritorio-pantalla, hay una hoja de color rojo brillante. La tomo y miro a mi alrededor.

Nada. Sólo veo chicas probándose tintes para ojos, chicos peleando sobre sus escritorios-pantalla, pero nadie me saluda ni me hace algún gesto.

Miro al otro lado del salón, hacia el escritorio que era mío hasta esta mañana. Al chico que se sentaba junto a mí y que nunca me había hablado.

Pero Logan no me está viendo. Está encorvado con los dedos tecleando en su escritorio cubierto de cristal.

Respiro nerviosamente y me hundo en mi silla. Logan no tuvo nada que ver con la hoja. No es un regalo. Seguramente alguien la dejó en mi escritorio por accidente. Debería ponerla en el cesto de la composta para que puedan reciclarla.

Pero no lo hago. Pongo la hoja sobre mis piernas, pasando mis dedos por sus nervaduras levantadas.

Mi escritorio-pantalla vibra una vez, y aparece un nuevo mensaje en mi página principal.

—Una hoja para una flor —dice el mensaje—. Para que te acuerdes del sol.

No tiene firma, pero cuando levanto la cabeza, Logan me está viendo. Me da una sonrisa tan grande y brillante que, por un instante, me pregunto si podría rivalizar con esos rayos dorados.

6

—Veintiocho de Octubre. Oye, Veintiocho de Octubre.

Una voz me saca de mi sueño. Parpadeo en la oscuridad. He estado soñando con hojas otoñales y chicos dulces, y no quiero irme todavía de ese lugar. Quiero quedarme ahí donde lo más complicado en mi vida era estar muy lejos de la ventana.

Me doy la vuelta sobre el duro cemento, decidida a regresar a mi sueño. Pero la voz no me deja en paz. Peor aún: junto con la voz hay un par de manos que me sacuden por los hombros.

—Oye, Veintiocho de Octubre. Despierta. Tienes el resto de tu vida para dormir.

Abro los ojos. Las paredes de mi celda se han oscurecido, y todo está en silencio. No se oyen los gruñidos, pisadas ni rechinidos que se escuchaban antes. Debe de ser de noche, o por lo menos la hora en que la AgeREF decide que es de noche. Somos como peces en un acuario, nuestros días y noches están sujetos a los caprichos de nuestros cuidadores.

Ya controlan todas las otras partes de mi vida. No van a interrumpir la única cosa que me da un poco de paz. Volteo a ver hoscamente al guardia que no me deja seguir durmiendo.

Me incorporo rápidamente cuando veo que no se trata de cualquier guardia. Su cabello rojizo se ha vuelto negro bajo la débil luz, pero su cara es la misma. William. El guardia que administró mi recuerdo.

—¿Qué haces aquí?

Pone un dedo sobre sus labios.

—Le pedí un favor a un amigo. Van a interrogarme, y necesitamos ponernos de acuerdo con la historia. ¿A dónde está el chip negro?

—Me deshice de él.

Asiente con la cabeza.

—Muy bien. Como no hay chip, van a interrogarme sobre tu recuerdo. ¿Qué les digo?

Me tallo los ojos, eliminando los últimos rastros de sueño.

—Quisiera dejar a mi hermana fuera de esto —tengo un mal presentimiento. Sé muy bien por qué estaba Jessa en esa cama de hospital. No tiene nada que ver con una enfermedad, sino con sus habilidades psíquicas—. Será la misma escena, pero diremos que maté a un hombre. A mi futuro esposo. Probablemente porque me engañaba.

William arruga la frente, como si estuviera tomando notas mentales.

—¿Cómo es ese hombre?

—Tiene cabello castaño y ojos cafés —digo, inventándolo al momento—. Nariz respingada. Un lunar en la barbilla y dientes chuecos que decidió no arreglarse.

—Dientes chuecos, muy bien —mira sobre su hombro, a través de los barrotes negros. El pasillo sigue estando vacío, pero se levanta para marcharse—. No puedo quedarme. Es demasiado arriesgado.

—¡Espera! —lo tomo del brazo, desesperada por sentir contacto humano—. No entiendo. ¿Por qué me ayudaste?

—Fue un momento de debilidad —me sonríe y retira suavemente su brazo—. Yo también estaba ahí, ¿sabes? A través de las pantallas pude vivir tu recuerdo junto contigo. Vi lo mucho que amas a tu hermana, y que el recuerdo haya terminado así... Bueno, sentí pena por ti —me da una palmada en el hombro—. Lo siento mucho.

Quiero darle las gracias. Yo también siento pena por mí. Pero antes de que pueda decir nada, ya se ha ido, como un fantasma en un sueño.

No estoy segura de si dormí durante la noche, pero me despierto de un tirón cuando mis paredes empiezan a parpadear, es decir, el equivalente al despertador de la AgeREF.

El estómago me gruñe, y me obligo a comer algunas cucharadas del engrudo que me dieron como cena ayer en la noche. Sabe a aserrín húmedo y me dan ganas de vomitar.

Vacío la vejiga en una de las dos cubetas que hay en la esquina. Una para la orina, otra para las heces. Qué encantador. Luego me pongo a caminar en círculos junto a las paredes de la celda. Quiero pensar en mi recuerdo futuro, pero tengo miedo de que mi mente vuelva a convertirse en un extraño aparato de reproducción. Útil, sin duda alguna. Pero raro. Muy raro.

Entonces me pongo a pensar en el recuerdo que William y yo inventamos. Un hombre con nariz respingada, un lunar en la barbilla y dientes chuecos. Estaré lista cuando vengan por mí. Diré esta versión de mi recuerdo futuro hasta en sueños.

Sólo hay un problema. No vienen por mí. Doy 1028 vueltas dentro de mi celda. Cubro todos los detalles de mi recuerdo inventado, hasta llegar al fino vello negro y rizado en el pecho de mi supuesto esposo. Mi estómago me suplica por otra ración de engrudo. Pero nadie viene.

Paso los brazos a través de los barrotes negros y miro hacia el pasillo. Frente a mi celda hay una pared de cemento, y si estiro el cuello a la izquierda o a la derecha, puedo ver la piel pálida de los otros brazos que están en la misma posición que los míos.

Escucho claramente a las otras prisioneras. Chiflando, aullando y gritando nombres desconocidos.

Llevo dos días en detención. Nadie ha venido a interrogarme, nadie me ha dicho cuánto tiempo durará mi sentencia. Hasta donde sé, bien podrían dejarme aquí para siempre, sin darme más explicaciones.

No tengo ganas de seguir esperando.

—¡Quiero hablar con la Presidenta Dresden! —grito encima de todo el ruido.

Por un instante, se oye un silencio absoluto. Luego vuelve a escucharse el parloteo.

—Pues yo quiero que me atiendan como reina —grita una de las chicas.

—¡Y yo quiero mis lentes inteligentes para poder ver películas en mi celda!

—¡Yo quiero un baño caliente con agua de pétalos de rosa!

—Pero yo no tengo chip negro —mis palabras resuenan por el pasillo y el eco las trae de vuelta. Por primera vez desde que me pusieron las esposas eléctricas en las muñecas, siento que tengo el control de mí y de mis emociones. De mi propio destino—. Me tienen aquí encerrada, pero ni siquiera conocen mi recuerdo.

Los murmullos se extienden por la hilera de celdas. No sé si las prisioneras están hablando solas o entre ellas. Ni siquiera sé si hablan de mí, o si mis palabras cayeron en oídos indiferentes. Y entonces una chica grita.

—No tienen su recuerdo. Está detenida sin razón.

Algunas de las otras presas comienzan a gritar lo mismo, y el volumen aumenta hasta llenar completamente el pasillo.

—¡No tiene chip! ¡No tiene chip! ¡No tiene chip!

No puedo adjudicarme el crédito de esto. Dudo que este grupo necesite mucha provocación para encenderse, porque ya están furiosas con la AgeREF. Pero cuando oigo a esas completas desconocidas repetir mis palabras, una sonrisa se dibuja en mi cara. Tal vez no esté tan sola después de todo.

Un guardia aparece al final del pasillo y golpea un látigo eléctrico contra la pared. Salen chispas de uno de los extremos, y puedo oír desde mi celda el sonido del arma cuando atraviesa el aire.

—¡Silencio! —grita.

Debajo del uniforme azul marino, sobresalen unos hombros que son el doble de los míos. Una fea cicatriz serpentea a un lado de su cara. Hubiera podido arreglarse esa imperfección muy rápido, lo que significa que eligió deliberadamente dejarla así, o que pagó para que lo hicieran ver tan amenazador.

Los gritos se detienen. Un par de botas negras y pesadas caminan por el pasillo, y el guardia se detiene frente a mi celda. La reja se abre.

—Tú —el guardia hace una mueca, y parece que su cicatriz se dobla sobre sí misma—. ¿Tú empezaste esto?

Asiento con la cabeza.

—Acabas de obtener lo que quieres. Sígueme.

Trago saliva. Esto fue un plan estúpido. ¿Qué son unos cuantos días de espera, o incluso algunas semanas, cuando voy a pasar toda mi vida en este lugar?

Cara Cortada me saca a empujones de mi celda, y aunque estoy en problemas, ansío el cambio de escena. He visto los mismos bloques grises por tanto tiempo, que casi puedo sentir cómo se mueren los fotorreceptores de mis ojos.

Las celdas de detención están alineadas a ambos lados del pasillo, pero en distintos niveles para minimizar el contacto visual entre las presas. Sin embargo, la mayoría de las chicas están de pie junto a los barrotes, así que puedo verlas bien cuando paso caminando junto a ellas.

Podríamos ser gemelas. Cabello sucio y uniformes amarillos. Un tono cenizo en la piel como si nos faltara algún nutriente esencial. La única diferencia es que todas tienen tatuado un reloj de arena en la muñeca izquierda. Y yo no.

Me fijo en sus ojos. Ahí está toda la personalidad. Ojos azules, cafés y verdes. Sólo los colores normales, ya que no tenemos acceso a nuestros tintes oculares. Ojos parpadeando, entrecerrados, totalmente abiertos y temerosos.

Nadie dice nada. O no les caigo bien, o tienen miedo del látigo eléctrico que tengo a mi espalda.

Nos detenemos a la entrada del pabellón. La puerta es de metal grueso y reforzado, parece casi impenetrable. A la derecha, hay una oficina con paredes de cristal llena de maquinaria. A la izquierda, una habitación cerrada con paredes reales. A lo mejor ahí comen los guardias su almuerzo o toman siestas cuando no están ocupados agitando sus látigos.

Cara Cortada no parece estar de humor para responder preguntas. Presiona su mano, con la palma hacia afuera, contra un sensor que hay en la puerta. Mete su dedo índice en una ranura, donde le toman una muestra de sangre con un pequeño pinchazo. Escanean sus retinas e introduce un código de diez dígitos en un teclado numérico. Entonces, y sólo entonces, las puertas se abren.

Estamos más encerrados que un cohete espacial sellado herméticamente para protegerlo del vacío. No veo posibilidad alguna de escape.

Me lleva a una cápsula elevador, que nos lanza hacia otro pabellón. Estoy tan distraída que apenas siento cómo mi estómago da un vuelco. Pero en cuanto entramos al nuevo piso, tengo un *déjà vu* tan fuerte que casi me hace caer.

Ya he estado aquí antes. Paredes excesivamente brillantes. Piso verde de linóleo con computadoras incrustadas en los mosaicos a pocos pasos de distancia.

¡Ay, Madre del Destino! Es el pasillo de mi recuerdo futuro. ¿Será que mi recuerdo está a punto de convertirse en realidad?

No. No hay ninguna maceta de cerámica rota en el suelo, ni un penetrante olor a antiséptico. No es el mismo pasillo. Sólo se parece.

Pero éste podría ser el lugar donde ocurrirá mi recuerdo. Dentro de poco tiempo mi hermana podría estar aquí en una cama. Tengo que saber. Necesito estar segura.

Damos vuelta en una esquina. El mango del látigo se me clava en la espalda, y Cara Cortada me sujeta ligeramente por el bíceps. Volteo a verlo por encima de mi hombro. Ni siquiera me está viendo. La cicatriz en su cara le tiembla; sus ojos están nublados como si le aburriera tener que escoltarme.

Respiro profundamente. Es ahora o nunca. Tal vez no vuelva a tener una oportunidad así.

En la siguiente esquina, me libero de sus brazos y corro hacia un pasillo lateral.

—¡Oye! ¡Detente! —grita Cara Cortada.

Corro más rápido todavía. No necesito ir muy lejos. Sólo tengo que encontrar un cuarto con pasillo. Sólo necesito ver...

—¡Dije que te detuvieras! —el látigo eléctrico cruje, y el aire huele a humo.

Doy vuelta en una esquina. ¡Ahí está! Un pasillo...

El látigo se enrolla alrededor de mis piernas, y caigo hacia delante. Una corriente eléctrica atraviesa mi cuerpo durante un cegador y terrible segundo. Todas y cada una de las células de mi cuerpo explotan, dejándome débil, frita y jadeando.

Antes de que pueda recuperar el aliento, la luz vuelve a encenderse. Y luego, otra vez.

Supongo que Cara Cortada no está feliz con mi intento de escape.

Pero no importa. Mi espalda se arquea cuando me golpea otra descarga. Un dolor como nunca antes había sentido se extiende por todo mi cuerpo, llegando a todos los rincones y grietas. Siento que la piel se me hace pedazos y que mis venas están siendo cortadas en confeti.

Da igual. Cara Cortada puede azotarme todo lo que quiera, porque antes de que me derribara, encontré mi respuesta. Junto a la puerta donde me caí, hay una placa en forma de rectángulo dorado con cuatro adornos en forma de caracol decorando cada esquina.

El número del cuarto es distinto, pero no importa. Ya sé en dónde matará a mi hermana mi yo futuro: en el cuarto 522...

En algún lugar de este mismo pabellón.

7

Unos minutos después, estoy encorvada en una silla frente a una mesa plegable. Mi uniforme está empapado de sudor y siento el corazón en el pecho como si fuera un juguete desgastado. Mis dedos siguen cerrándose y contrayéndose, luchando todavía con los fantasmas del látigo eléctrico.

Cara Cortada está parado detrás de mí, con el mango del látigo clavado en mi espalda, como si yo fuera una amenaza latente.

Volteo a verlo, aunque mi cuerpo grita de dolor, y le doy mi mejor sonrisa.

—Espero no haberte hecho quedar mal. No quiero que piensen que fue fácil escapar, especialmente cuando tienes en la mano ese látigo tan grande y aterrador.

Aprieta los labios, como si quisiera lastimarme por haber dicho eso. Pero no puede hacer nada porque la Presidenta viene en camino.

—La cara hacia el frente. Ahora.

—Ten por seguro que te avisaré si intento escapar nuevamente. Por eso tuviste que azotarme tantas veces, ¿no? Porque tenías miedo de no poder atraparme si me iba arrastrando.

Su respuesta es empujar el mango más profundamente en mi espalda.

La puerta se abre, y la Presidenta Dresden, directora de la Agencia del Recuerdo Futuro entra en el cuarto. Aunque esto era lo que quería, no entiendo por qué enviaron a la persona más importante de la agencia para reunirse conmigo. ¿Qué no hay muchos casos iguales al mío?

Se ve igual que el día de mi cumpleaños. Cabello plateado cortado casi al ras de la cabeza y uniforme azul marino impecable. Sus facciones son tan hermosas y frías como las de una escultura de hielo.

Le hace una seña con desdén al guardia.

—Puedes esperar afuera. Yo me haré cargo.

La presión del mango disminuye en mi espalda, y el guardia sale del cuarto.

La Presidenta voltea a verme.

—Encantada de verte otra vez, Veintiocho de Octubre —dice, como si me conociera—. Lamento que este encuentro no sea en circunstancias más agradables.

Me rompo la cabeza tratando de decir algo mordaz, pero parece que mi valentía huyó con el guardia.

—Me has complicado la vida, Veintiocho de Octubre. Me la has complicado mucho —golpetea la mesa con las uñas, que son largas, estrechas y de color plateado transparente, lo que hace que parezcan picahielos. Una palabra equivocada y podría encajar una de esas uñas en mi ojo.

—No te ves convencida —dice—. Veo que tienes la palabra *incredulidad* escrita en la frente. Pero no tienes idea de lo que nos ha costado tu pequeño espectáculo de rebeldía.

Se levanta y camina alrededor del cuarto en sus tacones de diez centímetros de alto. Si sus uñas fallan, esos tacones bien pueden funcionar como un arma.

—Estaba a punto de perdonarte. Tenemos el informe de tu guardia administrador sobre lo que sucedió en tu recuerdo. Iba a dejar que te consumieras en el Limbo por el resto de tu vida, como una fracasada más del sistema. Pero tu pequeña hazaña de hoy cambia las cosas.

Se detiene frente a mí, y escondo mis pies desnudos bajo la silla, alejándolos de sus tacones.

—Hemos construido nuestra sociedad con base en un sistema de recuerdos futuros. Este sistema es eficaz, productivo y muy, muy próspero. Pero también es delicado. Depende completamente de la hipótesis de que los recuerdos se vuelven realidad. El más mínimo cambio en la vida de una persona puede crear ondas que se extienden a toda la sociedad, ondas que no podemos predecir y para las cuales no podemos prepararnos.

Coloca la palma de su mano sobre el escritorio.

—Por lo tanto, ya comprenderás el dilema al que nos enfrentamos cuando encontramos el recuerdo de un crimen. Aunque nos interesa proteger a la sociedad, también estamos muy interesados en asegurarnos de que estos recuerdos ocasionen las menores ondas posibles.

Asiento, sin poder decir una palabra.

Vuelve a sentarse en su silla, cruzando los tobillos hacia un lado.

—La mayoría de las ondas no son importantes. Afectan únicamente a un pequeño círculo de vidas. Pero de vez en cuando nos topamos con un criminal cuya personalidad es tan agresiva, que podemos predecir que sus ondas serán más fuertes que las demás. Tal vez hasta podrían tener un impacto general en la sociedad.

—No soy agresiva —digo estallando—. No he dicho ni una palabra desde que entró.

—Estás fingiendo ser dócil. Eso me agrada. Aprecio la inteligencia tanto como cualquier otro. Pero no te servirá de nada, Veintiocho de Octubre —se inclina hacia delante, con los ojos brillándole—. Escaneamos tu cerebro cuando te arrestamos y nuestras computadoras han analizado los videos de tu comportamiento. Vi la forma en que levantaste las manos y caminaste directo hacia nuestros oficiales. El alboroto que creaste en las celdas de detención. Pero el factor decisivo fue ver cómo te arriesgaste y recibiste numerosos latigazos eléctricos sólo para correr por un pasillo. No ibas a escapar. Lo sabías bien. Pero lo intentaste de todas formas. Ésa es la señal de una chica que no se detendrá ante nada para ganar. Las computadoras nos han dado una respuesta definitiva. Tú, mi querida niña, eres considerada agresiva.

¡No! Quiero gritar. Todo es un error. No quería escapar. Estaba buscando la placa. Tratando de averiguar dónde será asesinada mi hermana. Eso es todo.

Pero no sé cómo explicarlo sin revelar mi recuerdo.

—Éste es nuestro compromiso —dice la Presidenta mientras yo sigo en silencio—. Aunque hemos cambiado el curso del futuro al arrestarte, nos esforzaremos por lograr que algunas partes de tu recuerdo se vuelvan realidad. ¿En dónde está el chip negro, Veintiocho de Octubre?

Me paso la lengua por los labios. En serio no creo que saber el color de mi playera o que mi hermana tenga el peinado correcto marcará la diferencia.

—Se me debe haber caído en el bosque, antes de que los oficiales me arrestaran.

Levanta las cejas, que están teñidas de plateado para hacer juego con su cabello.

—Registramos el lugar y no encontramos nada.

—Yo no lo tengo —con suerte, se destrozó con las piedras del río o se fue con la corriente y quedó perdido para siempre—. ¿Por qué no le cuento lo que sucedió? Puedo explicar cada detalle, con mucho gusto, hasta que usted esté satisfecha.

—No, no será necesario —dice, provocándome, esperando a que diga algo equivocado—. Ya tenemos la declaración de William. Lo que necesitamos de ti es una imagen más exacta del futuro, así que tendremos que recurrir a... otros métodos para obtener información.

La boca se me seca.

—¿Cuáles otros métodos?

No me responde. Sólo levanta las cejas como si dijera: "¿Tú qué crees?"

Tortura. Van a torturarme para sacarme la información.

Mis dientes chocan tan fuerte que podrían astillarse. Como si los latigazos no fueran suficiente. No sé si pueda seguir soportando esto. Navajas cortándome las mejillas. Ser ahogada en una cubeta con agua. Mis dedos siendo quebrados uno por uno.

Cierro los ojos fuertemente. Tengo que ser valiente. Pero no soy valiente. La verdad es que no lo soy. No soy nada. Sólo soy una chica. Una simple chica. Nada más que una chica.

No, no es verdad. Soy una chica que en el futuro matará a mi hermana.

Mis dientes dejan de temblar, y respiro profundamente. Es verdad. Voy a matar a mi hermana. Lo peor ya va a suceder. Nada de lo que me hagan podría lastimarme más que eso. En todo caso, merezco que me torturen.

Abro los ojos. La Presidenta Dresden me observa de la misma forma en que se observa una hilera de hormigas cargando pedazos de

comida diez veces más grandes que ellas, con curiosidad, pero al fin y al cabo sin importarle si me aplasta bajo la plataforma de sus zancos.

Sin quitarme la vista de encima, levanta la mano y chasquea los dedos. Un instante después, el guardia se acerca a la puerta.

—Lleve a Veintiocho de Octubre al final del pasillo, por favor —dice—. El Dr. Bellows la está esperando para examinarla.

La voz me regresa. La insignia de la AgeREF es el reloj de arena. Entonces, ¿la insignia con los pergaminos en forma de caracol a qué agencia pertenece?

—¿Dónde estamos?

La Presidenta sonríe.

—En el laboratorio, por supuesto.

Un pánico helado llega hasta mi estómago. Lo sabía. La AgeINT. He pasado los últimos seis años protegiendo a mi hermana de estas personas, haciendo todo lo posible para que no traten su cerebro como si fuera un experimento científico.

Nunca me preocupé por mí. Pero tal vez debí haberlo hecho. Porque estoy a punto de sufrir exactamente el mismo destino del que tanto quería proteger a Jessa.

8

En medio de la sala, hay un sillón de plástico duro reclinado tan atrás que prácticamente está en posición horizontal. Se parece al sillón de un dentista, pero peor, porque de los brazos salen miles de cables distintos que rodean las máquinas cercanas como si fueran serpientes. En el dentista, lo único que peligra son mis dientes. Aquí, esos pequeños cables podrían introducirse hasta las regiones más profundas de mi cerebro.

Un hombre, que supongo es el Dr. Bellows, está sentado en un escritorio junto al sillón, moviendo rápidamente las manos sobre un teclado esférico. Tiene cabello y barba negros, similares al asfalto pegajoso antes de que endurezca, y detrás de su oreja hay un pequeño bastón amarillo.

Un lápiz. Ya nadie usa lápices. Probablemente ni siquiera hubiera sabido qué es, de no ser porque papá hacía exactamente lo mismo.

El recuerdo me golpea en pleno estómago.

Estoy tratando de subirme a las piernas de papá. El olor a alcohol desinfectante me rodea, y su barba rasposa como lija roza mi mejilla. Rápida como un colibrí, extiendo el brazo y tomo el premio detrás de la oreja de mi padre.

—¿Qué es esto? —examino el cilindro amarillo en mis manos.

—Un lápiz. Una herramienta que nuestros ancestros utilizaban para documentar cosas —papá pone su enorme mano alrededor de la mía y me enseña a escribir las letras que hay en mi pantalla-escritorio—. Estamos rodeados de la tecnología más avanzada que la civilización puede ofrecer. Pero los mejores inventos no tienen que ser complejos —pone su mano extendida sobre su pecho—, porque vienen de aquí, del corazón.

—¿Por eso utilizas el lápiz? ¿Para no olvidar?

—No —los ojos almendrados de papá resplandecen—. Lo utilizo para recordar.

En ese entonces era demasiado chica para comprender la diferencia. Y cuando fui lo suficientemente mayor para preguntar, ya se había ido.

Bellows se aleja del escritorio, despide al guardia y señala con su dedo pulgar hacia la silla llena de cables.

—Siéntate.

Voy cojeando hasta la silla, sintiendo que un escalofrío me recorre el cuerpo. Puede ser que el Dr. Bellows se dedique a lo mismo que mi ausente padre, pero eso no significa que confío en él. Todo lo contrario, de hecho.

Se me queda viendo, y chasquea la lengua.

—¿Qué te hicieron?

—Unos cuantos latigazos eléctricos.

Suspira, como si mi dolor le causara un gran inconveniente.

—Ya saben que necesito que mis pacientes estén en excelentes condiciones físicas. Así se absorbe mejor la formula. Pero no importa. Lo intentaremos. Si no funciona, volveremos a probar en un par de días. Lo bueno es que las heridas del látigo eléctrico no duran mucho. Estarás como si nada en unas cuantas horas.

—¿Intentar *qué*?

Abrocha tres gruesos arneses alrededor de mi cuerpo.

—Me dicen que el chip negro que contiene tu recuerdo del futuro se... ¿perdió?

Asiento con la cabeza.

—Pues bueno, tu recuerdo del futuro no ha desaparecido. Está guardado en una zona de tu cerebro llamada hipocampo —se señala un costado de la cabeza—. Voy a buscar dentro de tu cerebro e induciré el recuerdo. Lo volverás a vivir, para que podamos grabarlo de nuevo.

La respiración se me detiene en la garganta.

—¿Qué quiere decir?

Parpadea, como si fuera una cámara tomando varias fotos al mismo tiempo.

—El recuerdo te llegará nuevamente. Como sucedió la primera vez. Sólo que ahora, nos aseguraremos de que el chip negro no se pierda.

No. *No.* En el futuro, Jessa quedará en manos de la AgeINT. En el instante en que Bellows vea mi recuerdo verdadero, reconocerá los pasillos y la placa. Sabrá que mi hermana será una paciente en estos laboratorios.

Mi recuerdo le dará la evidencia que necesita para arrestar a Jessa, ahora, en el mundo presente.

No puedo permitir que eso pase. Ya voy a traicionar a mi hermana en el futuro. Me niego a hacerlo también en el presente.

—¿Va a dolerme? —pregunto para hacer tiempo.

—Sólo si te resistes.

Así que es posible resistirme. Pero, ¿cómo?

El Dr. Bellows rocía un poco de gel en unos sensores ovalados del tamaño de mi dedo pulgar y los coloca por toda mi cabeza. El gel se siente frío y pegajoso en mi cuero cabelludo.

Conecta a cada sensor los cables que salen de la silla.

—Abre tu mente, igual que lo hiciste la vez pasada. El recuerdo llegará solo —reclina el sillón y sale del cuarto.

No necesito abrir mi mente. Puedo hacer que el recuerdo venga cuando yo quiera y correrlo en mi mente como si fuera una película. Congelar las imágenes y hacer acercamientos. Puedo hacer todo lo que hace su grabadora.

Escucho un suave silbido, y la habitación se llena de un gas que sale de los difusores que hay en el techo. El humo desaparece inmediatamente, pero puedo sentir cómo me oprimen los químicos en el aire.

Cierro fuertemente la boca. El gas hará que mi recuerdo se eleve hacia la superficie, aunque yo no quiera. No puedo permitirlo.

El arnés me sujeta contra la silla. ¡Piensa! No voy a poder liberarme. ¿Cómo puedo evitar que salga el recuerdo? Bellows dijo que abriera mi mente. Tal vez lo que tengo que hacer es cerrarla.

Ya no puedo seguir conteniendo la respiración. Tomo una bocanada de aire, pero en cuanto lo hago, quiero tomar otra. El aire me hace sentir en paz y relajada. De pronto, la silla ya no se siente tan dura. El plástico es fresco y acogedor. Es el tipo de superficie sobre la que quisieras estirarte y tomar una siesta.

No. No soy yo la que habla, son los gases. Necesito cerrar mi mente. Cerrarla. Pienso en una puerta hecha de madera sólida y gruesa. La cierro con un montón de candados y deslizo un pasador de seguridad. La impermeabilizo, le agrego aislante, la refuerzo con cemento y pongo capas de otros metales: oro, plata, platino, bronce. Y luego vuelvo a repetir el proceso.

Miles de espadas pequeñas comienzan a pinchar la puerta, tratando de perforar un hoyo a través de mi cráneo. Cada momento es tolerable por separado. Pero las espadas no paran. Pican y pinchan, cortando y mordiendo, buscando una ventana por donde entrar en cuanto baje la guardia.

Es doloroso e interminable. Eso es lo que me está matando, las puñaladas incesantes de las espadas. Sólo necesito un segundo. Un pequeño segundo para detener el dolor, un instante para recuperar el aliento y reunir fuerzas...

Voy caminando por un pasillo con piso verde de linóleo, y pantallas de computadora incrustadas en los mosaicos. Las iluminadas paredes brillan tan intensamente que puedo distinguir lo que parece una huella de zapato en el suelo.

¡No! Me muerdo el labio hasta que el sabor metálico de la sangre llena mi boca. Las espadas vuelven a la carga. Esta vez más afiladas. Cortan y cortan mi autocontrol. Pero no puedo rendirme. Esto es lo único que me queda. Lo último que puedo hacer por mi hermana.

Grito dentro de mi mente. Araño, jalo y arranco. Lucho, doy codazos y empujones. Pero no dejo que salga el recuerdo.

Por fin se detiene. Por fin. Las espadas se van, y me desplomo contra el sillón. Debería estar agradecida. Debería sentir alivio. Pero estoy tan cansada que no puedo sentir nada.

Bellows entra a la sala acompañado de otro guardia. El científico mueve la cabeza.

—Lo sabía. La fórmula no está funcionando al máximo nivel por las lesiones.

Dejo caer la cabeza hacia atrás y miro el techo. ¿Eso no fue el máximo nivel? No me gustaría encontrarme con esas espadas en un día bueno. Trato de responder, pero no puedo abrir la boca. Lo único que puedo hacer es ver cómo salen chorros de agua de los difusores y comienza a llover sobre nosotros.

Bueno, “llover” en el sentido de las tormentas furiosas de verano que inundan los ríos. El agua ya comienza a acumularse en el suelo.

El respaldo de mi sillón reclinado comienza a elevarse hasta que puedo ver a Bellows. Hay charcos de agua alrededor de sus tobillos y su barba gotea como si fuera musgo enmarañado.

—No te preocupes. Tarde o temprano, la fórmula entrará a tu mente.

Nos miramos fijamente. El agua se eleva hasta sus rodillas, y su delgada camisa de algodón se le pega al pecho de forma poco atractiva. Pero Bellows ni siquiera parpadea.

El agua ya me llega a las piernas y aumenta de nivel a cada segundo. Logrando abrir la mandíbula digo:

—Mmm... ¿no deberíamos salir de aquí? Vamos a ahogarnos en cualquier momento.

Bellows suspira y se pellizca el puente de la nariz. Aprieta un botón y el arnés se desprende de mi cuerpo, dejándome en libertad.

—Llévela de regreso a su celda —le dice a la nueva guardia, que es joven, bonita y tiene una hilera de *piercings* en ambas cejas—. Hablaré con ella más tarde, cuando el efecto del gas haya desaparecido.

—Pero, ¿señor? —me observa mientras me subo al respaldo del sillón y me acurruco ahí—. ¿Estará bien?

—Sí, no le pasa nada —dice Bellows—. Está alucinando, eso es todo. Es un efecto secundario de la fórmula.

Alucinando. Esto no es real. Ahora que lo pienso, el agua no se siente mojada. O fría. De hecho, ni siquiera la siento. Miro a Bellows y a la guardia. La inundación ha llegado hasta sus bocas, pero siguen hablando como si el líquido no afectara las ondas sonoras.

Supongo que en mi alucinación no las afecta, porque escucho fuerte y claro las siguientes palabras que dice Bellows.

—Le daremos un par de días para que se recupere, y luego volveremos a intentarlo. Seguiremos haciéndolo hasta que nos entregue ese recuerdo. Hasta que haya inhalado tanta fórmula que no sepa qué es real y qué no.

La guardia me ayuda a bajar de mi percha, y juntas nadamos hacia la salida.

9

Estoy soñando. O, al menos, creo que es un sueño. No es una alucinación porque recuerdo que esto sí pasó realmente. Sólo que no es un recuerdo normal. Vivo el momento, sintiendo cada sensación, cada textura, cada detalle, igual que me sucedió en mi recuerdo del futuro.

Quisiera que fuera real. Ay, cómo quisiera poder regresar a esa época.

Entonces, sí, supongo que la mejor palabra para describirlo es "sueño".

Apoyo la frente sobre el frío sensor de cristal de la puerta de mi casillero. Mis ojos se sienten supercalientes, pero no voy a llorar. Eso sería estúpido. Digo, mamá hubiera podido saltarse la siesta de la bebé por una mañana. No todos los días eligen mi estofado para el Espectáculo de Arte de la escuela. Pero está bien. Como sea. La bebé necesita dormir y una rutina estable. Lo que sea por ella.

Suena una alarma en el casillero. "Acceso denegado. Huellas no detectadas". Suspirando, reemplazo mi frente con la palma de mi mano. Un segundo después, la cerradura se abre, y veo, entre el desorden de tazas medidoras y tintes para la piel, una hoja de árbol naranja.

La respiración se me detiene por un instante. No sé cómo lo hace. Se supone que estos casilleros son a prueba de vándalos, pero no hay día que no encuentre una nueva hoja dentro de mi casillero.

Como todos los días, tomo la hoja y giro el tallo entre mis dedos.

—Me encanta tu platillo para el Espectáculo de Arte —dice una voz detrás de mí—. Sabe tan distinto de la versión fabricada.

Dejo caer la hoja como si no la hubiera estado acariciando y volteo a ver a Logan. Su cabello está mojado, como si hubiera tratado de alisarlo, pero unos cuantos mechones se rebelan en la parte trasera de su cabeza. Mi corazón tartamudea.

—Sí —digo, intentando sonar indiferente—. Es una de las comidas favoritas de mi familia.

Lo que no le diré a nadie, especialmente a mamá, es que preparé el estofado porque es uno de los pocos platillos que Jessa puede comer. Las zanahorias y papas son lo suficientemente blandas para machacarlas, y siempre que pongo un poco en su boca, mi hermana aplaude con las manos y me pide más. En esos momentos no importa que mamá se haya olvidado de mí desde que la bebé nació. Somos Jessa y yo juntas contra el resto del mundo.

—¿Entonces lo preparaste para tu mamá? —me pregunta Logan.

Tal vez sí, pero ni siquiera se tomó la molestia de venir a la escuela para probarlo. Un arrebato de enojo me recorre el cuerpo.

—No. Lo hice para mi papá.

—Pensé que se había ido.

Irse. Era una forma de describirlo. Hace ocho años, papá salió a trabajar, y ya no regresó a casa. Mamá nunca me ha dicho a dónde fue.

Cierro de un golpe mi casillero.

—Va a regresar.

Logan parpadea. Sin duda, ha escuchado su propia versión de lo que le pasó a papá.

—¿Cómo lo sabes?

Antes sólo era una esperanza lejana. Algo que deseaba y por lo que cruzaba los dedos cuando oía a mamá llorar por las noches. Pero ahora, al decírselo a Logan, sé que es verdad. Lo siento hasta lo más profundo de mi ser.

Mamá ama demasiado a papá como para tener un bebé con alguien más. Y las fotos de bebé de Jessa se ven iguales a las mías. Somos el resultado de una herencia mixta. Tenemos los ojos de papá, que se estrechan en las comisuras, y la piel color concha nácar de mamá.

—Papá sí regresó —digo lentamente, asimilándolo en mi cabeza—. A lo mejor tuvo que irse otra vez a trabajar o algo así, pero ahora que Jessa está aquí, va a regresar a cuidarnos —miro a Logan, casi suplicándole—. ¿No lo harías tú? Si tuvieras una bebé como Jessa, ¿no querrías estar con ella?

—Si tuviera alguien como tú en mi vida, jamás pensaría en irme —dice con voz firme y segura.

Pero sí se fue.

Algunas semanas después, su hermano Mikey hizo flotar una pelota de frontón sobre la cancha, y Logan dejó de ser mi amigo. Guardé en mi casillero la última hoja que me dio hasta que se desmoronó. Hasta dejé algunas veces la puerta abierta para facilitarle las cosas.

Pero nunca más apareció otra hoja. Y tampoco lo hizo mi padre.

Cuando despierto mi cerebro se siente aletargado, como si tuviera que pasar todos los pensamientos a través de un colador antes de que se registre. Ha pasado mucho tiempo desde que sentí un resentimiento así hacia mi hermana. ¿Podría ser esa la razón por la que la mato en el futuro? ¿Por qué estoy tan celosa de Jessa que ni siquiera puedo admitirlo?

No. En mi memoria no sentí celos ni resentimiento. Sólo sentí... terror. Me levanto y llevo las piernas hacia mi pecho. Jessa es la buena, la dulce. No discute con mamá, no se olvida de sus deberes. Jamás he visto a mamá agarrarse las sienes y quejarse por culpa de Jessa. Entonces, ¿qué importa si mamá la quiere más? Yo también la querría más.

Al menos una cosa está clara: mi mente puede manipular más cosas que mi recuerdo del futuro. Puedo "vivir" otros recuerdos también.

Para comprobar la teoría, extraigo la imagen de la cara de Logan, justo cuando me dice que jamás va a abandonarme. Hago un acercamiento hasta que lo único que puedo ver es el borde afilado de su pómulo. Y, sí, ahí sobre su mejilla hay una pestaña perdida.

Exhalo profundamente. Aquí está mi respuesta. Mi cerebro puede hacer acercamientos como si fuera una cámara de video. No es un fenómeno raro de los recuerdos futuros. Soy yo quien lo está haciendo.

Esta habilidad empezó el día que recibí mi recuerdo. ¿Tuvo algo que ver eso con estos poderes?

Poderes es una palabra demasiado fuerte. No es como si pudiera ver el futuro o hacer flotar cosas. A lo mucho soy una cámara digital magnífica. ¿Eso realmente cuenta como una habilidad psíquica? Si lo es, entonces no se parece a ninguna otra habilidad de la que haya oído antes.

Me levanto y camino alrededor de la celda, balanceando mis brazos hacia adelante y hacia atrás. Ahora que me estoy acostumbrando a la idea, no suena tan mal. Lo peor de tener una habilidad psíquica es que la AgeINT te perseguirá. Pero ya me encerraron. Y lo mejor de todo es que a lo mejor puedo encontrar el modo de usarla en su contra.

—Polluela. Oye, polluela.

Me detengo. ¿Quién habla? Parece como si la voz viniera de alguien junto a mí, pero estoy sola en mi celda. Tampoco hay nadie afuera de los barrotes. Debo estar oyendo cosas.

—Oye, polluela. ¿Por qué no vienes a hablar conmigo cuando termines la clase de Gimnasia?

¿Gimnasia? Me doy cuenta de que mis brazos siguen moviéndose. Los escondo rápidamente detrás de mi espalda.

—Por aquí. En la esquina hay un ladrillo suelto.

Cruzo la celda siguiendo la voz. Arrodillándome, muevo las manos por la pared. Los dedos se me llenan de polvo cuando los meto entre el cemento. En la parte de abajo, siento un espacio vacío donde falta un ladrillo.

Me acuesto en el suelo, poniendo mi cara frente al hoyo.

Un ojo me devuelve la mirada.

El pulso me brinca. El ojo es redondo y tiene pestañas largas y negras que sobresalen hacia afuera. En la escuela, esas pestañas hubieran sido la envidia de todas las chicas. Se las hubiera rizado, incluso les hubiera podido poner algunas perlas pequeñas. Pero aquí en detención, sin las herramientas de belleza necesarias, se ven descuidadas, igual que la hierba en un jardín cubierto de maleza.

—¿Por qué no había visto este hoyo antes? —pregunto.

—Eso es, polluela —dice la voz como si yo fuera estúpida—, porque no había quitado el ladrillo. No tenía ganas de escuchar a una cobarde llorona quejarse porque extraña a su mamá. Pero después de que encendiste a las chicas ayer, pensé que a lo mejor podrías divertirme.

Ésta es la segunda persona que toma mis acciones como algo que no son. No grité esas cosas porque soy agresiva o interesante. Sólo me sentía... impaciente.

—¿Por qué me llamas *polluela*? —pregunto.

—Porque eres como una polluela, que está a punto de caerse de una rama y morir. Así llamo a todas las chicas nuevas.

—¿Quién eres?

El ojo parpadea.

—Puedes decirme Melan.

—¿Mely?

—No. Melan. Por alguna de estas dos razones, porque soy melancólica o porque todo lo vuelvo sombrío. Tú elige.

La voz suena joven, lo que quiere decir que no hace mucho ella también fue una novata. Pero su timbre es pesado, combinado con el tipo de complejidad que solamente da la experiencia.

—Melan, ¿cuándo me dejarán ver a mi madre? —no quiero ver a Jessa. Es muy peligroso. Pero a lo mejor puedo avisarle a mamá. Decirle que vi a Jessa como una paciente del laboratorio en un mundo futuro, para que pueda estar precavida e impedir que suceda.

El ojo se pone en blanco.

—No verás a tu familia, polluela. Aquí no es como estar en detención, ¿sabes? En el Limbo no tienes derecho a visitas.

¿Qué? Mi piel está en carne viva por el uniforme tan áspero, y vivo en una celda con baldes para orina y heces que llevan días pudriéndose. Claro que estamos en el área de detención.

—¿De qué hablas? ¿Qué es el Limbo? —cuando hago la pregunta, me doy cuenta de que ya había oído antes ese término, cuando lo dijo la Presidenta Dresden.

Melan cierra el ojo y puedo ver unas líneas grabadas en el párpado, demasiado exactas para ser venas. Debe tener una imagen tatuada. Me acerco un poco más, pero mi cabeza bloquea la luz, ya de por sí débil, así que me hago para atrás otra vez.

El ojo se abre.

—Estás en el Limbo porque todavía no haces nada malo, entonces no pueden acusarte de nada. Pero tampoco pueden liberarte, porque *cometerás* un crimen. Así que te mantienen aquí hasta que algo cambie.

—Pero, ¿qué podría cambiar? —pregunto—. No puedo cometer el crimen si me tienen aquí encerrada, ¿no?

El ojo parpadea.

—Tal vez sí, polluela. Tal vez no.

—¿Qué significa eso?

No me responde. Espero un minuto entero, pero el ojo sólo se me queda viendo.

Cambio la pregunta.

—Melan, ¿alguna vez has visto a alguien de aquí utilizar jeringas? ¿Una jeringa más o menos del tamaño de mi palma y cilíndrica?

Una emoción que no puedo descifrar cruza a través del ojo.

—Sí.

Contengo la respiración.

—¿Cuándo fue? ¿Qué sabes sobre eso?

Me analiza durante varios minutos. Parpadea. Parpadea. Parpadea.

—¿Qué gano yo con esto?

No soy tan novata como para saber que la información no es gratis. Sólo que hay un problema. No tengo mucho con qué negociar.

—¿Quieres mi engrudo? —pregunto.

Resopla irónicamente.

—Por favor.

—Soy buena escuchando. Puedo escucharte siempre que quieras.

—Eso es todavía más patético. Nunca dije que necesitaba una amiga, polli. Y si así fuera, no serías tú.

Quiero golpear mi cabeza contra la pared.

—¿Qué quieres de mí?

—Ése el problema, ¿no? —dice riendo—. No tienes nada que yo quiera.

Tarareando una canción que no reconozco, vuelve a poner el ladrillo en la pared.

—Espera... —digo, pero ya es muy tarde. La plática se terminó.

Recorro la pared con los dedos. El ladrillo suelto no sobresale tanto como los demás. Lo empujo, pero no se mueve. Debe haber puesto algo frente a él.

Es una chica lista esa Melan. El centímetro de diferencia no me deja agarrar el ladrillo, dándole así el control absoluto para decidir cuándo iniciar una conversación.

Suspirando, retrocedo hasta la pared opuesta. Tengo que averiguar sobre esa jeringa y descubrir cómo es que mi yo futuro la consigue, tan sólo para asegurarme de que mi yo presente *no* lo haga.

Pero lo que sabe Melan está fuera de mi alcance. Al menos hasta que descubra qué es lo que quiere.

10

Me acuesto sobre mi espalda viendo hacia el techo, y trato de recordar todo lo que aprendí en la Clase de Meditación.

Inhalo por la nariz. Exhalo por la boca. Me concentro en una imagen fija de mi recuerdo futuro. El cabello de Jessa le llega a los hombros, está enredado y suelto.

Hasta los hombros. ¿Cuánto tiempo tarda el cabello en crecer ocho centímetros?

El tiempo suficiente, así que no hay que entrar en pánico. Todavía no. Puedo descifrar mi recuerdo. Puedo evitar que suceda.

Inhalo. Exhalo. Intento entrar en una especie de zona especial. Investigo mi cerebro, alargando y distorsionando el recuerdo. Mientras recorro la escena de nuevo, me concentro en un detalle específico: el oso de peluche con moño rojo. Hago un acercamiento hasta que lo único que veo es el oso: el peluche es esponjoso y blanco; los ojos negros y brillantes; el listón rojo y deshilachado. Y entonces cambio la visión. Concentro todo mi poder mental en una sola imagen: un listón azul y nuevo. Por un instante, el color cambia de rojo a azul, pero no tengo tiempo de ver qué color gana antes de salir de la visión.

¡Por el Destino! Siento los brazos y las piernas como si fueran tiras de espagueti que se quedaron en el ensamblador de alimentos mucho tiempo. Tal vez me desmaye.

Pero los guardias de la AgeREF tienen otra cosa en mente. Suena una alarma en todo el pabellón. Me levanto de golpe, justo a tiempo para ver cómo se abre mi reja.

Abierta. Me muevo hacia la puerta y me asomo. ¿Podemos salir?

Qué optimista. Dos guardias gigantescos están de pie al final del pasillo, con barras de metal en las manos. Puede ser que los bastones se vean menos amenazadores que el látigo, pero he visto los noticieros que aparecen en nuestros escritorios-pantalla. Esas barras tienen tanta energía que pueden mandarte volando hasta cinco metros.

Se oyen pies que se arrastran sobre el cemento, y las chicas comienzan a salir de sus celdas. Cuando una de mis compañeras pasa tambaleándose junto a mí, la tomo por el brazo. Tiene ojos claros y pestañas transparentes. No es Melan.

—¿Qué está pasando?

Se encoge de hombros, y desprende su brazo de mi mano.

—Es la hora al aire libre. Hoy salimos la mitad, y la próxima vez sale la otra mitad, porque sólo necesitamos quince minutos a la semana para maximizar nuestro potencial.

Mi corazón da un vuelco. Vamos a salir. ¡El sol! Me formo detrás de las demás, saltando sobre los dedos de mis pies. La chica que está enfrente de mí mueve la cabeza, y yo le sonrío. ¡Quince minutos! Quince minutos enteros para disfrutar de una luz que pensé no volvería a ver jamás.

En la oficina de admisión, que tiene paredes de cristal, las máquinas encienden sus luces. La puerta que lleva hacia la otra sala está cerrada igual que la vez pasada. Uno de los guardias va hacia la entrada. Escanea su cuerpo, teclea un código numérico, y podemos salir.

Nos lleva a un patio pequeño, que está rodeado por edificios a los cuatro lados, pero hay pasto, cielo azul y un ligero viento. De dos grandes árboles caen hojas de colores brillantes, y el sol está muy arriba en las nubes.

Es mucho mejor de lo que imaginé. Los rayos se sienten cálidos sobre mi cuello, y el aire huele a madreselva. Inclino la cara hacia arriba, absorbiendo cada pizca de sol.

—Parece como si nunca antes hubieras salido —dice una voz.

Hay una chica de pie frente a mí. Tiene ojos amistosos y vello negro sobre su cuero cabelludo. Si tuviera cabello, tal vez sería del mismo tono que el de Marisa, como chocolate mezclado con mantequilla mientras se cocina en la estufa.

—Parece como si hubieran pasado años desde la última vez que salí.

Me agacho y tomo una hoja. Pero mis manos no se detienen. Tomo otra y otra hasta que tengo un montoncito en las manos. Rojas, amarillas, anaranjadas, cafés; los colores me recuerdan a Jessa.

Una ligera brisa sopla entre mi cabello y cierro los ojos. *La siguiente hoja que caiga será amarilla*. Abro los ojos y me concentro en el follaje que cae: café oscuro. Me equivoqué totalmente. Sonrío un poco, sintiéndome más cerca de casa sólo por imitar el juego de Jessa.

—Mi abuela hacía flores doblando las hojas y amarrándolas juntas —dice la chica—. Claro que eso fue cuando era niña y había parques y árboles en cada esquina. ¿Eso es lo que estás haciendo? ¿Formando rosas con las hojas caídas?

Miro a la chica y el corazón me late rápidamente. Tal vez esto sea lo que estoy buscando. No sé si a las chicas melancólicas les sirven de algo las flores de imitación, pero vale la pena intentarlo.

—Mi hermana hace lo mismo —me muevo hacia otro montón de hojas—. Y, sí, eso es exactamente lo que estoy haciendo.

Se arrodilla junto a mí y comienza a recoger hojas también. Un par de chicas que se persiguen por el patio saltan sobre nosotras.

—Por cierto, me llamo Beks. ¿Eres nueva? Creo que no te había visto.

—Soy Callie. Mi celda está junto a la de Melan —no tiene por qué saber que soy la chica sin chip negro.

—Qué suerte. Melan no es precisamente dulce, pero tiene un ladrillo suelto en su pared. Algo de compañía es mejor que nada, ¿no?

Señala hacia atrás. La mayoría de las chicas están en grupos de dos o tres, tratando de aprovechar esos quince minutos para platicar de todo lo que no pudieron en una semana. Pero hay una chica solitaria que está encorvada contra la pared sin mirar a nadie. Su piel se ve estirada y tensa sobre los huesos, y tiene marcas horizontales que decoran sus brazos desde la muñeca hasta el codo.

—¿Ella es Melan? —pregunto.

—Así es como se hace llamar. Nosotras la llamamos *la Chica Calendario*.

—¿Por qué?

Beks suelta las hojas y extiende los antebrazos.

—Cada vez que salimos se corta los brazos para no perder la noción del tiempo. Es bastante horrible. Y nosotras, en vez de cortarnos, la utilizamos a ella como nuestro calendario.

Mientras la observo, un par de chicas se acercan a ella y cuentan las marcas en sus brazos. Ellas no le hablan, y Melan parece no darse cuenta de que están ahí.

De pronto se me viene a la mente el árbol que crece en medio del vestíbulo de nuestra escuela. Los estudiantes pintan en la corteza sus iniciales y dibujos. Es el único lugar en la escuela donde está permitido el grafiti, y de hecho, es el único lugar donde se puede hacer, porque todo lo demás está hecho de metal y plástico.

Por lo visto, las cosas vivas se pueden desfigurar más fácilmente.

—¿Cómo lo hace? —pregunto susurrando—. ¿Tiene un cuchillo?

Beks mueve los dedos.

—Se podría pensar que alguien contrabandea tintes para uñas. Pero lo que tiene en las uñas no es tinte. Es sangre seca.

El estómago se me revuelve como si hubiera comido demasiado engrudo.

—Cuando llegué aquí, solamente tenía cinco marcas en los brazos —dice Beks—. Y Gia, la que está por allá, llegó cuando tenía doce. Deberías contar sus marcas, para que también sea tu calendario.

—Mmm... no, así está bien —vuelvo a jugar con las hojas. Mis dedos se irritan al tocar sus superficies que se deshacen, y la boca se me seca cuando pienso en una chica que se corta los brazos para no perder la noción del tiempo—. Beks, ¿alguna vez has visto a alguien de aquí usar jeringas?

Puede ser que no tenga que ganarme a Melan. A lo mejor puedo quedarme con las rosas de imitación.

Mueve la cabeza negativamente.

—¿Usarlas como un arma? Nunca he visto a los guardias con algo tan sutil. ¿Por qué la pregunta?

La decepción crece en mi pecho, y arranco un poco de pasto junto con las hojas.

—No, por nada.

Trabajamos en silencio hasta que suena la alarma, indicando que los quince minutos se han terminado. Mientras guardo cuidadosamente las hojas en mi bolsillo, Beks me entrega su montón de flores.

—¿Para mí? —pregunto, sorprendida.

—A mí no me sirven de nada —se encoge de hombros—. Fue divertido sentirme cerca de mi abuela por un rato.

Tomo las hojas, y nos formamos atrás de las otras chicas. Antes de entrar, me volteo con Beks y saco una hoja roja de mi bolsillo.

Se la doy.

—Para que te acuerdes del sol —le digo, esperando que le dé un poco del consuelo que la hoja de Logan me dio a mí.

Doblo una de las hojas por la mitad y la enrollo hasta convertirla en un cilindro. Tomo otra hoja, y la envuelvo alrededor del cilindro. Doblo y enrollo, una y otra vez, hasta que los pliegues se parecen a los pétalos de una rosa. Amarro la parte inferior con un tallo grueso, repitiendo el proceso hasta que tengo suficientes "rosas" para formar un ramo.

Mordiéndome el labio, examino mi trabajo. Las hojas caídas son frágiles por naturaleza. Tomo el ramo suavemente, rezando para que no se deshaga. Hacer esto desata un torrente de preguntas, que llegan al mismo tiempo unas encima de otras. ¿Ya le avisaron a mamá? ¿Jessa me extraña? ¿Con quién bromea Marisa en clase?

No debería importarme. Lo más seguro es que no vuelva a verlas nunca. Ésta es mi vida ahora. Estas paredes. Una bandeja con engrudo. Un ladrillo suelto con un ojo del otro lado. Mientras más rápido me acostumbre, mejor.

—¡Noooooo!

Aprieto las rosas con la mano, y me detengo en el último instante antes de aplastarlas. Ese ruido. Un lamento agudo. El gemido de un alma que es separada de su cuerpo.

Vuelvo a escucharlo, pero esta vez más fuerte. Viene del pasillo.

—¡No pueden obligarme!

Me acerco a la parte frontal de mi celda y aprieto la cara contra los barrotes.

Es Beks. Un corpulento guardia con bigote la está empujando por el pasillo.Tiene las manos en la espalda amarradas con un par de esposas eléctricas. El guardia la empuja con el puño de su porra. Ella se jala hacia delante, y él la jala de regreso. Todo el proceso comienza de nuevo.

—¡No lo haré! —se pone en posición fetal sobre el suelo—. ¡No!

El guardia la levanta por el brazo, y su cuerpo se desenvuelve. Por todo el pasillo se ven codos que sobresalen de las celdas. Me imagino a las chicas del patio, con las caras pegadas a los barrotes y las manos presionadas contra el pecho.

El guardia golpea con la porra a Beks, que sale volando hacia adelante, aterrizando sobre su abdomen frente a mi celda.

Voltea alrededor violentamente antes de mirarme a la cara. No sé si me reconoce, pero mete los brazos a través de los barrotes y me toma de los tobillos.

—Tienes que detenerlos —dice con voz ronca—. No puedes permitir que hagan esto. Ni a mí ni a nadie. ¡Tienes que detenerlos!

Me agacho. Quiero tocar su cara, pero no la alcanzo.

—Por favor —sus ojos atraviesan hasta lo más profundo de mi ser y se apartan rápidamente—. Ayúdame.

Antes de que pueda responderle, el guardia la toma por el estómago y la levanta. La pasa por encima de su hombro y la lleva cargando el resto del pasillo. Se detiene frente a la puerta misteriosa que hay al final, la que ha permanecido cerrada hasta este momento.

—Lo siento —dice bruscamente—. Pero no tienes alternativa.

La lanza dentro del cuarto. Los siguientes minutos son confusos. Escucho pisadas fuertes. El rechinar de una mesa que se arrastra. Un hombre grita "¡No!"

Y luego, se oye un disparo.

11

Retrocedo sobre mis talones. ¿Qué acaba de pasar? ¿Le... dispararon a Beks? ¿Por qué?

El estómago se me revuelve. Quiero arrastrarme hasta la esquina más oscura de mi celda, hacerme un ovillo, igual que lo hizo Beks, y quedarme ahí hasta que desaparezca el zumbido en mis oídos, hasta que la imagen de su mirada salvaje se vaya de mi mente. Hasta que olvide todo lo que acaba de pasar.

Pero no puedo. Presiono mi cuerpo contra los barrotes, intentando ver algo. Los codos comienzan a desaparecer. Una a una, las otras chicas regresan a sus celdas, a tomar una siesta, dormir profundamente o llorar. A encajarse las uñas en los brazos hasta romperse la piel. A hacer lo que hacen para convertir esta farsa en una vida.

Yo no. Yo me quedo junto a la puerta. Porque ella me pidió ayuda.

A mí. Pobre Beks. Elegiste a la chica equivocada. ¿Qué podría haber hecho yo?

Pasan las horas... o tal vez sólo algunos minutos o incluso segundos. El tiempo ya no tiene sentido. ¿Qué es el futuro y qué es el pasado? ¿Maté a mi hermana o no? ¿Todavía puedo salvarla? ¿Así como no pude salvar a Beks?

Finalmente se abre la puerta de la sala de interrogatorios. El guardia gigante de bigote sale caminando, y Beks lo sigue. Sus manos y pies están atados con esposas eléctricas. Pero antes de que el suspiro contenido salga de mis pulmones, sale otro guardia de la sala. Lleva cargando una bolsa negra para cadáveres. El cadáver.

Así que sí le dispararon a alguien. Sólo que no fue a Beks.

El Gigante Bigotón va hacia la entrada y lleva a cabo toda la rutina. Huella dactilar, muestra de sangre, escaneo de retina, código numérico. Toda la comitiva se va. Y no regresa.

¿A dónde fueron? ¿Qué le hicieron a Beks?

Los barrotes negros comienzan a dejar marcas lineales en mi frente y mejillas, pero sin importar cuanto tiempo espero, no obtengo ninguna respuesta.

Me vienen a la mente las palabras de Melan. *Te mantienen aquí hasta que algo cambia*.

Hablaba de este cambio. El cambio que te saca del Limbo y te lleva a otro lugar.

Y eso sólo puede significar una cosa: Melan sabe algo. Ella tiene la respuesta de lo que le sucedió a Beks. Melan tiene la respuesta...

Cuando quita el ladrillo, yo ya estoy esperándola. Nos miramos fijamente, parpadeando sorprendidas ante el polvo que soltó el movimiento del ladrillo.

—Cuéntamelo todo.

—¿De Beks o de las jeringas?

—Todo —digo—. Primero quiero saber sobre Beks.

Melan entrecierra los ojos.

—Qué exigente, polluela. ¿No has aprendido nada? Aquí la que tiene el poder soy yo, no tú.

Si pudiera meter los dedos por el hoyo, traspasaría la pared y la sacudiría.

—Esto no es un juego, Melan. Alguien acaba de morir.

—Tú quieres algo de mí. Yo necesito algo de ti.

Empujo el ramo de "rosas" a través del hoyo en la pared.

Su ojo desaparece mientras analiza el regalo. Un instante después, regresa.

—¿Qué es esto? ¿Un montón de hojas? ¿Yo para qué quiero hojas muertas?

—No son solamente hojas, Melan. Ésta era la manualidad favorita de mi hermana. Y cuando me sentía atrapada en la escuela, el chico que me gustaba me regalaba una hoja roja.

Su ojo se pone en blanco.

—Me estás superaburriendo, polli. ¿A quién le importa?

Respiro profundamente.

—En un libro viejo de poemas que mi mamá me regaló, hay un pensamiento escrito por Emily Brontë, que dice: "Cada hoja que se agita en los árboles de otoño me habla de gozo" —me paso la lengua por los labios—. Esperaba que estas hojas te hicieran sentir del mismo modo. Podemos estar encerradas aquí adentro, lejos del sol, pero quería que las hojas te recordaran lo que se siente ser libre. Poder tomar el camino que queramos y aterrizar donde elijamos.

Espero, preparándome para oír cómo se ríe y se burla de mí. El ojo parpadea. Parpadea. Parpadea. Parpadea. Y luego, se arruga un poco en la comisura.

—Me caes bien, polluela.

Dejo salir un suspiro.

—Entonces, ¿vas a decirme?

Melan desaparece, como si estuviera poniendo las rosas en un lugar seguro, y regresa al poco tiempo.

—¿Qué sabes sobre la historia de Beks?

—Nada. Me dijo algo sobre su abuela —digo—. Parecía que se amaban.

—Cuando Beks era niña, arrestaron a sus padres. Se sospechaba que tenían habilidades psíquicas. Beks vivía con su abuela hasta que obtuvo su recuerdo del futuro —la voz de Melan se suaviza y adquiere un tono que no me esperaba. Algo que suena casi como a dolor.

Trago saliva sintiendo un nudo en la garganta. Si Beks terminó aquí, entonces el recuerdo no puede haber sido bueno. Y menos si la voz de Melan suena así.

—¿Qué pasó?

—En el futuro, un ladrón entra a su casa. La abuela trata de impedirlo, y le dispara en el pecho. En un ataque de ira, Beks derriba al ladrón, le quita la pistola de las manos, y lo mata.

La suavidad desaparece de su voz.

—La AgeREF arrestó a Beks, y ha estado en el Limbo desde entonces, esperando para ver si es considerada agresiva.

Me quedo congelada. La conversación con la Presidenta Dresden se reproduce en mi mente. *Tú, mi querida niña, eres considerada agresiva. Agresiva. Agresiva.*

—¿De qué hablas? —pregunto débilmente.

—Normalmente, la AgeREF nos deja en paz a la mayoría. Pero de vez en cuando, deciden que algunas somos demasiado agresivas. Que nuestras ondas son muy potentes como para dejarlas sin control. Por eso Beks estaba histérica. Porque sabía que su abuela está muerta.

—No entiendo —sin importar cuánto intente acomodar las piezas, no encajan—. ¿Por qué está muerta su abuela? La AgeREF sabía del ladrón. ¿Por qué no impidieron que sucediera el crimen?

Melan se ríe cruelmente.

—¿En dónde estamos, polluela?

—Dijiste que estábamos en el Limbo.

—Así es. Pero, ¿en qué agencia? ¿Estamos en las instalaciones de la AgeSEP, con el resto de los criminales?

—No —digo susurrando—. Estamos en el edificio de la AgeREF.

—Si fuéramos criminales de verdad, o futuras criminales, nos hubieran mandado a la Agencia de Seguridad Pública. ¿Ya entendiste? —sus palabras se escuchan cansadas. No es un cansancio normal, ni siquiera agotamiento. Es el tipo de cansancio que no se puede curar, ni durmiendo toda la vida.

—El objetivo de la AgeREF no es impedir los crímenes, sino facilitar la recepción y ejecución del recuerdo del futuro. La ejecución, polluela. El objetivo de la AgeREF es asegurarse de que nuestros recuerdos se vuelvan realidad.

Entiendo todo de un golpe. Las palabras de la Presidenta fueron: *Nos esforzaremos para volver realidad tantos detalles como nos sea posible.* Pensé que hablaba de detalles complementarios, como el color de mi playera.

No. No quiero tener la razón. No podría soportarlo.

—Entonces, ¿a quién le dispararon en la sala de interrogatorios? ¿Estás diciendo que fue... al ladrón?

—No debía vivir, polluela —dice con una voz tan gris como los bloques de cemento—. Cuando la AgeREF arrestó a Beks, estropeó la cadena de eventos, y cuando decidieron que era agresiva, tenían que corregir sus ondas. La única manera de hacerlo era trayendo aquí al ladrón y haciendo que Beks lo matara. Igual que en su recuerdo.

Me alejo del hoyo para no tener que seguir viendo el ojo de Melan. Para dejar de escucharla.

Pero ella sigue hablando.

—Ahora que Beks ha llevado a cabo su recuerdo, porque la obligaron a hacerlo, la trasladarán a la AgeSEP. Ahora ya es una criminal de verdad. Justo como lo predijo su recuerdo.

Me alejo de la pared y llevo mis rodillas hacia el pecho. Me equivoqué terriblemente. El peor error de cálculo de mi vida.

La Presidenta dijo que yo era agresiva. Y cuando el científico descubra mi verdadero recuerdo, la AgeREF se asegurará de que se vuelva realidad.

Van a obligarme a matar a mi hermana.

12

La voz de Melan pasa flotando junto a mí.

—¿Sigues ahí?

Nuestra transacción ha terminado. Le di las rosas, y ella me contó lo que le pasó a Beks. Entonces, ¿por qué me sigue hablando?

—No, ya no.

Me mantengo de espaldas contra la pared, pero Melan no se va.

—Ni siquiera te he contado lo de las jeringas —me dice—. ¿Ya no quieres saber?

Un montón de lágrimas calientes golpean con dureza mis párpados, pero me niego a dejarlas salir. Todo está en mi contra. La AgeREF, y hasta el mismo Destino. ¿Por qué creí que podría luchar contra ellos?

—Escucha, polluela. Sé que son muchas cosas para procesar. Todavía me acuerdo cuando supe esto por primera vez. Estuve en estado catatónico por una semana.

Tengo que intentarlo. Mi hermana depende de mí, y no puedo desaparecer. Tengo que seguir luchando. Por ella.

Reuniendo todas mis fuerzas, me arrastro de nuevo hacia la pared.

—Cuéntame sobre las jeringas.

—Antes de que tú llegaras, una chica llamada Jules vivía en tu celda. Estaba loca de remate. Se la pasaba gritando insultos desde la mañana hasta la noche. Molestaba a los guardias cuando pasaban junto a su celda. Una vez, hasta les lanzó su balde de orina en la cara. Nadie se sorprendió cuando la calificaron como agresiva.

Mis labios sonríen. Me hubiera gustado ver cómo caía la orina por la mejilla de Cara Cortada.

—Hace algunas semanas, la obligaron a llevar a cabo su recuerdo —Melan hace una pausa—. O al menos, creo que lo hicieron. Su ejecución fue distinta a todo lo que yo he visto. Generalmente, escuchamos disparos o vemos cuerpos tirados. Pero la suya fue muy silenciosa. Entró en el cuarto con un guardia, y detrás de ellos iba un científico con una rejilla llena de jeringas. Una hilera tenía un líquido transparente, y la otra rojo. Unos minutos después, todos salieron del cuarto, aparentemente ilesos. Y eso fue todo.

Levanto las cejas, sorprendida.

—¿Cuál era su recuerdo?

—Intento de homicidio. Creo que atacó a su papá. Pero, ¿dónde estaba su papá? Y, ¿qué pasó con el ataque?

—Tal vez su papá era el científico —digo.

—Puede ser. O a lo mejor no estaban ejecutando su recuerdo. Tal vez estaban realizando un experimento del que no sabemos nada.

No sé qué pensar de esta historia. No estoy segura de si tiene que ver con mi propio recuerdo o cómo se relaciona. Mi jeringa tenía líquido transparente en el cilindro, no rojo. ¿Qué significa el líquido rojo? ¿Estamos hablando de la misma sustancia?

Melan dice algo que no alcanzo a escuchar. Me volteo y miro a través del hoyo. Su ojo no está ahí. Está sentada a unos cuantos metros de la pared, y por fin puedo ver su cara.

Ah, ya la había visto en el patio. Pero a veinte metros de distancia, y con sus facciones ensombrecidas por el edificio. Por primera vez, veo sus pómulos afilados, y su boca en forma de un corazón perfecto, que ahora está temblando, pero sus ojos están tan tranquilos como siempre.

Miro boquiabierta. ¿Cuántas veces vi su ojo inexpresivo y di por hecho que no tenía sentimientos? Si tan sólo la hubiera podido ver, su boca la hubiera delatado desde hace mucho.

—¿Qué dijiste? —pregunto.

Levanta la cabeza y voltea hacia el hoyo, aunque sé que no me puede ver desde ese ángulo.

—¿Ahora entiendes por qué soy reservada? Mis escáneres cerebrales muestran que yo no soy agresiva. Puedo estar a salvo aquí en el Limbo, por el resto de mi vida. Pero quiero asegurarme de que así sea.

—Cortarte los brazos te hace agresiva —digo—. Hace que sobresalgas.

—Cortarme es mi plan B —extiende los brazos y me los muestra. Vaya que se ha cortado los brazos. Pero los cortes no son de tipo quirúrgico, sino irregulares y torcidos, como si se rasgara la piel con un gancho de ropa. O con las uñas.

—Las chicas creen que me corto para llevar la cuenta del tiempo. Es más fácil dejar que piensen eso. Convertirme en su calendario humano. Pero la verdad es que no soporto hacerlo más de una vez a la semana.

—Entonces, ¿por qué lo haces?

—En el futuro, mato a un hombre, polluela. Pero antes de matarlo, él me viola —aprieta los labios—. Sé cómo piensa la AgeREF. Si llegaran a decidir que soy agresiva, no será suficiente con convertirme en una asesina. Necesitan volver realidad cada detalle, por temor a que las ondas arruinen su valioso sistema.

—Pero les daré una lección —su voz se endurece—. La violación es un crimen que no pueden forzar. Si me corto el cuerpo y dejo de comer hasta convertirme en un montón de piel y huesos, entonces ese desgraciado estará tan asqueado que no podrá violarme, ¿cierto?

La violación está relacionada con el poder, no con el sexo. Y además, hay pastillas para la disfunción eréctil. Pueden arreglarle los brazos a Melan con láser en un instante. Si la AgeREF puede hurgar en nuestros cerebros y sacar los recuerdos a la superficie, dudo que una ligera deformidad les impida conseguir sus objetivos.

Pero no digo nada de esto en voz alta, porque la esperanza es muy poderosa, sin importar cuán irracional sea. Cuando las probabilidades están en nuestra contra, cuando la batalla parece imposible de ganar, la esperanza puede ser lo único que nos mantiene vivos.

No voy a quitarle la esperanza a Melan. No destruiré la única cosa que le permite sobrevivir.

Presiono mi ojo contra el hoyo.

—Tienes razón. No podrá violarte. Aquí estarás a salvo.

Se da la vuelta sin responder, y después de algunos minutos, yo hago lo mismo. Regresando a la esquina de mi celda, permito que ruede por mi mejilla una sola lágrima. No puedo darles mi recuerdo. No lo haré.

Cierro fuertemente los ojos y vuelvo a mi recuerdo del futuro. Esta vez, voy arrastrando los pies mientras camino por el pasillo, temiendo lo que encontraré en el cuarto 522. Abro la puerta y trato de no ver a mi hermana, sino que me concentro en lo que hay alrededor. Mis ojos se detienen en el oso de peluche, específicamente en el listón azul.

¡Sí! ¡Lo hice! ¡Cambié el color!

Pero mi entusiasmo no dura demasiado. Hay mucho trabajo por hacer.

Respiro hondo, y reúno todo mi valor. El Limbo ha minado mi fuerza, y tengo que aprovechar la poca que me queda antes de que se consuma por completo. Finalmente, me doy la vuelta y veo a Jessa. Mi pobre y dulce Jessa, con su cabello enredado y su enorme sonrisa. Con los dedos de los pies dibujándose bajo la sábana un metro antes de que termine la cama. Haciendo un esfuerzo mental, me imagino esos mismos dedos debajo de la tela a sólo treinta centímetros del borde. Cuando vuelvo a mirar, parece como si hubiera crecido sesenta centímetros.

El estómago me da un vuelco de la emoción. Puedo hacerlo. Puedo modificar mi recuerdo.

Dirigiendo mi atención hacia su cara, diseño un nuevo rostro. Deshago la grasa infantil que queda en sus mejillas y empujo su mandíbula hacia afuera. Este trabajo es el equivalente mental a correr un maratón. Siento la mente nublada y fatigada, como si no hubiera dormido en setenta y dos horas. Pero no puedo descansar. Todavía no es momento. Sigo adelante.

Los ojos de Jessa se hacen más redondos y se separan un poco. Un pequeño lunar aparece en su mentón. Su nariz respingada se alarga, curvándose en la punta. Y para el toque final, su pequeña y perfecta sonrisa se tuerce, mostrando dos hileras de dientes chuecos.

El lugar en donde estaba recostada mi hermana de seis años, ahora alberga a mi infiel esposo. Voy a matar a ese desgraciado.

Pero primero, creo que necesito una siesta.

Unas horas después, despierto con la terrible visión de Cara Cortada frente a mí. La cicatriz ni siquiera es lo más feo que tiene, sino esos ojos crueles y estrechos y esos labios burlones. Ésa sí es una imagen que quisiera modificar. Me levanta de un tirón y me saca a empujones de mi celda. Recorremos el mismo camino que la vez pasada hacia el laboratorio del Dr. Bellows.

En la primera esquina, me lanzo hacia la derecha. Pero la mano del guardia, sólida e inflexible, es como un grillete alrededor de mi brazo. Me jala hacia delante, haciendo que me tropiece.

—No va a funcionar, niña. Tengo instrucciones estrictas de llevarte sana y salva a los laboratorios.

—¿Ah, sí? ¿Eso significa que no puedes azotarme por hacer esto? —junto la saliva que hay en mi boca y le escupo directo en la cara. El escupitajo cae sobre su mejilla y comienza a escurrirse lenta y pegajosamente. Esto es mucho mejor que la orina.

Cara Cortada se limpia con mi uniforme.

—Bellows no dijo nada sobre lo que puede pasar después del procedimiento —susurra lascivamente en mi oído—. Creo que tú y yo tenemos pendiente una sesión a solas.

Sus palabras son como cubos de hielo que se deslizan por mi espalda. Sé que debería tranquilizar la situación. Sé que no debería hacer lo que estoy pensando. Pero no puedo evitarlo. Tomándolo por el cuello, lo acerco a mí, y elevo mi rodilla tan alto y con tanta fuerza como puedo.

—La espero con ansias.

Se dobla, gimiendo de dolor.

Miro boquiabierta. No puedo creer que haya funcionado. Sí aprendí algo en la Clase de Defensa Personal después de todo.

Antes de que pueda recuperarse, corro por el pasillo, pero no llego muy lejos. Un par de empleados salen de los cuartos y se dirigen hacia mí, tomándome por los brazos. Cara Cortada debe haber apretado algún botón para llamarlos.

Voy a pagar por esto más tarde. Después del procedimiento, y ya sin estar protegida por las instrucciones de Bellows, estaré indefensa contra la ira de Cara Cortada.

Pero valió la pena, porque pude escupirle en la cara y darle un rodillazo en la entrepierna, y aun así tiene que llevarme sana y salva con Bellows.

Y eso me produce un placer profundo y extremo.

¿Eso me convierte en una mala persona? Tal vez la Presidenta Dresden tenía razón. Puede ser que sí sea agresiva después de todo.

El guardia me deja en el laboratorio sin decir una sola palabra. Antes de irse, me retuerce el brazo. Una amenazadora promesa de lo que me espera.

Saco el incidente de mi mente. No puedo pensar en Cara Cortada ahora. Necesito concentrarme en este cuarto, en esta batalla y en este recuerdo.

Bellows está acompañado por una mujer joven, que se sienta a la mesa, cuelga su mochila en el respaldo de la silla y coloca sus manos alrededor del teclado esférico. Es de complexión media. Tiene los ojos claros y cabello castaño, que se curva detrás de sus orejas y termina en forma de signo de interrogación arriba de sus hombros.

—Parece que la Presidenta Dresden se ha interesado particularmente en tu caso —Bellows juega con el pedazo de lápiz detrás de su oreja—. Mandó a su asistente personal para asegurarse de que trabajemos correctamente.

Su tono es neutral, pero en la comisura de sus labios puede verse cómo salta un músculo. No le agrada la idea de ser supervisado. Y no está muy contento conmigo por ser la causante.

—No, para nada —la asistente se para de su silla y sonríe—. La Presidenta Dresden sólo quería saber por qué no funcionó el primer tratamiento —y dirigiéndose a mi, dice—: Siéntate, por favor.

Un recuerdo me llega a la mente. William dijo que estaba saliendo con la asistente de la Presidenta. ¿Eso significa que esta mujer es su novia?

Si ella sabe quién soy, no lo demuestra en lo más mínimo. Me ayuda a sentarme en la silla con cables y abrocha los arneses sobre mi cuerpo. Su esencia floral flota sobre mi cuerpo. No es perfume, sino una pastilla que modifica la composición de su sudor.

—Me llamo MK —dice.

Sé que no es mi amiga. Aunque sea la novia de William, es la asistente personal de la Presidenta, prácticamente es el enemigo. Y sin embargo, no puedo evitar simpatizar con ella. Es la primera empleada del ComA que se ha portado amable conmigo desde que me arrestaron.

—Soy Callie —digo.

—Nombre completo: Calla Ann Stone —Bellows pone los sensores en mi cabeza—. Cumpleaños: Veintiocho de Octubre. Situación: en el Limbo. ¿Terminamos ya con las delicadezas? Algunos de nosotros tenemos que trabajar.

MK me aprieta el hombro y regresa a su escritorio-pantalla.

Bellows conecta los cables a los sensores.

—He duplicado la potencia de la fórmula. Estás completamente sana. Si el recuerdo está ahí dentro, vamos a sacarlo.

Le hace un gesto con la cabeza a MK y ella enciende un interruptor. La piel se me pone de gallina.

—¿Has sentido algo raro desde el último tratamiento? —me pregunta Bellows.

Claro. Descubrí que la AgeREF hace posibles los crímenes violentos basándose en una retorcida idea sobre evitar las ondas en el futuro. ¿Eso es suficientemente raro?

—No, señor —digo en voz alta.

—¿Estás segura? Estos tratamientos son conocidos por incrementar algunas habilidades psíquicas inherentes, en caso de que se tengan.

Me paso la lengua por los labios. ¿Acaso sabe sobre mis habilidades mentales para manipular recuerdos? Pero eso comenzó antes del último tratamiento, no después. Es imposible que lo sepa.

Digo la respuesta que practiqué con mamá.

—No tengo ninguna habilidad psíquica. Puede leer mi expediente escolar. No encontrará ni un solo reporte.

—Mmmm —pone la mano alrededor de su barbilla—. ¿Ni siquiera con tus antecedentes genéticos?

El corazón se me detiene. ¿Saben sobre Jessa? Pero, ¿cómo?

—No sé de qué habla.

—De tu papá —dice Bellows.

¿Mi papá? ¿Qué tiene que ver mi papá?

No importa. El corazón me vuelve a latir aceleradamente. Mientras Jessa esté a salvo, no importa lo que papá tenga que ver con esto.

—¿Creíste que no sabía? —Bellows sonríe con superioridad—. Tu nombre me sonaba familiar. Me recordó a un hombre con el que trabajaba. Estaba tan orgulloso de su primogénita. Recuerdo que vino al laboratorio a pavonearse porque la había nombrado en honor al gran Callahan.

Camina hacia su escritorio y levanta la mano. El teclado esférico se eleva hasta sus dedos. Un instante después, la imagen de papá aparece en el aire. Es la misma que mamá programó en su medallón, el que usa cuando no lleva puesta la cruz.

—Investigué un poco —dice Bellows—. Resulta que este hombre es tu padre.

Observo la imagen. Los labios de papá se ven relajados y tiene una expresión estoica. He visto esta fotografía miles de veces, pero nunca antes había notado el pánico acumulado en sus ojos. ¿O es sólo mi imaginación?

—¿Qué sabe sobre mi padre? ¿Qué tiene que ver él con que yo tenga una habilidad psíquica?

Bellows se me queda viendo, analizándome. MK está esperando detrás de él, con los dedos colocados sobre el teclado esférico.

—Esa información es clasificada —dice finalmente el científico—. Si tu madre no te dijo nada, yo no puedo divulgarla.

Le hace un ademán con la cabeza a MK. Ella teclea algunos comandos, y luego salen los dos. En el instante en que la puerta se cierra, la sala se llena de humo.

No estoy lista. Mi mente no es una jaula de acero. Las noticias de Bellows la han abierto por completo. Estúpido. Estúpido. Estúpido. Lo hizo a propósito. No me iba a decir nada sobre papá. Probablemente lo inventó todo sólo para ponerme nerviosa.

Mi mente está abierta. Tan abierta como el cielo sobre el patio de juegos, como el ducto de aire que gira y da vuelta hasta salir de esta sala. Abierta como el abismo sin fondo de una mente preparada.

Voy caminando por un pasillo con piso verde de linóleo, y pantallas de computadora incrustadas en los mosaicos. Las iluminadas paredes brillan tan intensamente que...

¡No! No lo haré. No les daré esta parte de mí.

... puedo distinguir lo que parece una huella de zapato en el suelo. El penetrante olor a antiséptico me quema la nariz.

Aprieto los dientes y cierro la mandíbula. No puedo dejar que el recuerdo llegue a la puerta. No sé si mis cambios estarán ahí. No sé si voy a matar a mi esposo infiel o a mi hermana. Mis dedos se clavan en la palma de mi mano, abriéndome la piel. Cierro las manos formando un puño lo más apretado que puedo. Apretado porque está cerrada. Cerrada. Nunca se abrirá. Ni para Bellows ni para nadie más.

Es a mi hermana a quien estoy tratando de salvar. A mi hermana.

Cerrada.

No sé cuánto tiempo luchamos los gases y yo. El sudor me empapa el cuerpo y me pega a la silla. Mi corazón palpita como si estuviera a máxima velocidad; demasiado fuerte, demasiado rápido, demasiado para mi frágil cuerpo humano. Lo único que escucho es el estruendo en mis oídos. No puedo ver nada más que la oscuridad profunda detrás de mis párpados. Sólo puedo sentir el gusto del sabor a sangre fuerte y metálico.

CERRADA.

En cierto punto, las máquinas se vuelven locas. *¡Bip! ¡Bip! ¡Bip!*

MK entra corriendo a la sala, escribe algunos comandos en el teclado esférico y arranca los sensores de mi cabeza.

Bellows la sigue de cerca.

—¿Qué estás haciendo? Estábamos a punto de obtenerla.

—Sus signos vitales estaban por las nubes —aprieta un botón y mis arneses se desprenden—. Conseguir el recuerdo es importante, pero no vamos a sacrificar su vida para poder recuperarla. ¿Está claro?

Siento náuseas y me desplomo sobre el suelo. El cuarto está girando. Cables, computadoras y empleados de la AgeREF se mueven a mi alrededor como un torbellino.

—Tienes razón.

¿Cómo puede hablar Bellows si está volando horizontalmente? ¿Por qué sus palabras se escuchan claras en vez de estar distorsionadas? Está adentro del huracán, y yo estoy en el ojo. No deja de moverse, y yo permanezco eterna y consistentemente quieta.

—No se puede morir antes de que haya ejecutado su recuerdo. Su muerte prematura pondría en peligro todo el sistema.

Bellows entra y sale de mi visión, y me tapo la boca con la mano. ¿Cómo puede soportarlo? Sólo verlo moverse me está provocando náuseas.

—Experimentaré con la fórmula —su cuerpo se alarga hasta que se extiende completamente a mi alrededor. Muevo la cabeza hacia delante y hacia atrás mientras intento concentrarme en su cara—. Llévala a su celda y controla sus síntomas. Mañana, a esta hora, tendremos su recuerdo.

Siento un gran alivio cuando MK desliza su brazo por mi cintura y me aleja del viento.

13

MK me lleva entre cargando y arrastrando de regreso al Limbo. Trato de ayudarla, pero las piernas no me funcionan. Me caigo al suelo, jalando conmigo a MK y a su mochila.

—Vas a estar bien —me ayuda a levantarme—. Te voy a inyectar un antídoto de acción rápida. No es lo que se hace comúnmente, pero Bellows lo autorizó. Quiere que te recuperes lo más pronto posible.

Pasamos tambaleándonos por la oficina con paredes de cristal. El Gigante Bigotón está sentado detrás del escritorio. No hay rastro de Cara Cortada. Su turno ya debe haber terminado. ¿Cuánto tiempo estuve en el laboratorio? Todas las paredes en las celdas ya se han oscurecido, así que debe ser de noche.

Entramos a mi celda, y MK me acuesta sobre el suelo, acomodando mis brazos y mis piernas como si fueran cubiertos de plata muy valiosos. Casi empiezo a pensar que se preocupa por mí, y que su interés primordial es mi bienestar y no el éxito del proyecto.

Hasta que saca la jeringa de su mochila.

Dura y cilíndrica. Del tamaño de mi palma y con un líquido amarillo dentro.

Trago saliva.

—¿Qué... qué vas a hacer con eso?

—Es el antídoto. No te va a doler nada —enrolla la manga de mi uniforme, y siento un fuerte pinchazo en el brazo.

Un antídoto. Tal vez eso es lo que inyecto en el pecho de Jessa. Quizá mi yo futuro no la estaba asesinando, sino que quería salvarla.

Ojalá. Podría pedírselo a mil estrellas fugaces, y seguiría sin ser verdad. Lo sé porque el monitor cardiaco tenía una línea recta. Yo lo vi. Jessa murió.

—¿Ves? —los dedos de MK me toman el pulso—. Tu ritmo cardiaco ya está disminuyendo.

Se voltea y comienza a ordenar los artículos en su mochila. Cierro los ojos a medias. Tiene razón. Me siento mejor.

Tal vez MK trabaja para la gente equivocada, pero eso no significa que sus intenciones sean malas. A juzgar por las cosas que lleva en su mochila, parece una chica normal, como Marisa y yo. Una botella de agua, una polvera, un oso de peluche...

¡Un minuto! Un oso de peluche. Es blanco y tiene un moño rojo, orejas redondas y nariz negra. Igual que el oso de peluche de mi recuerdo del futuro.

Hago un esfuerzo para incorporarme.

—MK, ¿de dónde sacaste ese oso?

Las palabras salen apresuradas y llenas de pánico.

—Shhh —sube el cierre de la mochila con el oso adentro y se la pone sobre los hombros—. Es un oso de peluche, Callie. No puede hacerte daño.

—No, no entiendes. No estoy alucinando, el oso...

Me tapa la boca con sus dedos.

—Necesitas descansar. No más pláticas, ¿de acuerdo? Regresaré en la mañana para ver cómo sigues.

—MK...

Pero ya no me escucha. Tanto ella como el oso salen de mi celda, y la reja se cierra detrás de ellos.

Me recuesto, y el corazón me late fuertemente. Estoy siendo ridícula. Seguramente no significa nada. Es una coincidencia que haya un oso idéntico en el alféizar de Jessa.

Sólo que ya no creo en las coincidencias.

Cierro los ojos y trato de dormir. Mañana me espera un gran día. Bellows va a experimentar con la fórmula. La hará más potente. Tengo que luchar contra los gases. *Tengo* que hacerlo.

Una vez más, exploro mi cerebro. Encontrándome con mi yo futuro, corro por el pasillo hasta el cuarto 522. Al abrir la puerta, veo un esponjoso oso de peluche con un brillante listón azul. Me llena una sensación de alivio, y sonrío ampliamente. Entro al cuarto y volteo hacia la cama para matar a mi esposo. Miro detenidamente su nariz respingada, su mandíbula cuadrada y sus dientes chuecos. Aunque es muy feo, jamás había visto algo tan hermoso en mi vida. Pero en cuanto levanto la jeringa, algo cambia. Nuestras miradas se encuentran y veo sus ojos. Los ojos de Jessa.

Y así sin más, toda la farsa se desintegra. La cara de Jessa se vuelve suave y redonda, el lunar desaparece de su barbilla, y sus piernas larguiruchas se vuelven regordetas otra vez. Encajo la jeringa en su corazón. Lo último que veo antes de regresar a la realidad es la sonrisa de Jessa, llena de pequeños dientes chuecos.

El estómago me da un vuelco. He fallado. Mis habilidades no son lo suficientemente fuertes como para conservar los cambios, al menos no todavía. Mi única opción es luchar contra los gases. Tengo que proteger el recuerdo. Pero, ¿cuánto tiempo más seguiré soportando? ¿Podré seguirme resistiendo día tras día?

Me incorporo, y el piso comienza a ondularse. Me sujeto la frente. Bellows dijo que la fórmula no funciona bien si estoy lesionada. Necesito a Cara Cortada para que me dé una paliza que me proteja de la fórmula.

Me pongo de pie tambaleándome, pero antes de que pueda acercarme a los barrotes, escucho un zumbido mecánico. La reja se abre como en cámara lenta y una silueta entra caminando. Su cara no se ve en la oscuridad, pero sus hombros son del mismo tamaño que la entrada.

La respiración se me detiene en la garganta. Mi deseo ha sido concedido. Cara Cortada está aquí.

Retrocedo y mis pies se tropiezan entre sí. Quiero que me lastime, pero el miedo me envuelve el corazón con sus helados dedos. Los pelos se me ponen de punta, y mi cuerpo ya se está estremeciendo de dolor.

—Acaba de una vez —la voz sale de mi garganta completamente rendida, vencida y resignada. Puedo hacerlo. Cualquier cosa que me haga valdrá la pena porque me mantendrá a salvo de la fórmula de Bellows y evitará que la AgeREF sepa lo de mi hermana.

Camina hacia adelante, y la reja se cierra. Algo no está bien. No se parece a Cara Cortada. Se parece a...

Me toma por el brazo, y un grito se ahoga en mi garganta cuando por fin puedo ver su cara y descubro que no es el guardia.

Es Logan Russell.

14

Las rodillas me tiemblan, y la celda comienza a dar vueltas igual que en el laboratorio. Debo estar alucinando otra vez. Obviamente, mi viejo amigo no está en mi celda ni lleva puesto un uniforme de guardia. El verdadero Logan Russell debe estar en su casa dormido, descansando después de una competencia de natación, de un examen de cálculo o de una cita.

Pero... ufff... se ve tan bien. No puedo culpar a mi alucinación por poner tanta atención en los detalles. Aun en la oscuridad, puedo ver cómo sobresalen sus bíceps debajo de su playera de manga corta y cómo la suave tela se pega a sus abdominales.

Y entonces veo su cara.

Tiene esa misma mirada con que me veía en clase. Podía sentir cómo me quemaban sus ojos la piel cuando el profesor hacía alguna pausa, y al levantar la vista, él apartaba la mirada rápidamente. De forma mecánica. Pero no antes de poder ver ese deseo ferviente en sus ojos, como si él también buscara cada noche una estrella fugaz en el cielo para desear que nuestra amistad se reanudara.

En ese entonces, yo era demasiado tímida para actuar. Pero ahora no necesito serlo porque Logan ni siquiera es real.

Me acerco a él y pongo mis palmas extendidas sobre su pecho. Sus músculos se sienten duros bajo mis manos, y su corazón vibra contra las puntas de mis dedos. En cuanto lo toco, el Logan imaginario deja de respirar por un instante y se queda quieto, como si llevara esperando este momento por largo tiempo.

Tampoco puedo culpar a mi alucinación por su creatividad.

—Te sientes increíble —digo. Por lo visto, hasta la Callie de mis alucinaciones hace el ridículo.

Mi piel se ruboriza, y mi pulso es como un bajo que retumba demasiado fuerte en mis oídos. Debería alejarme, pero ésta es mi alucinación, y quiero estar más cerca. Quiero más.

Camino hacia delante, y nuestros dedos de los pies se tocan a través de los tenis. Muevo mis manos por su pecho, sus hombros y luego, voy hacia arriba, hasta llegar a sus mejillas suaves y recién rasuradas. Lo acaricio con los dedos moviéndolos hacia adelante y hacia atrás, fascinada por esa textura sedosa. Logan exhala una bocanada de aire que parece contener toda la frustración y deseo de los últimos cinco años.

Llevo mis manos hacia sus labios. Sus suaves y cálidos labios. Esos labios que tan desesperadamente quería probar cuando me entregue a la AgeREF. Los mismos que quiero besar ahora.

Pero ni siquiera en mi imaginación soy tan valiente.

Levanta su mano y toma la mía, encerrando mi palma entre sus dedos. Como si no quisiera soltarme nunca más. Y luego quita mi mano de sus labios, lenta y renuentemente, como si fuera la cosa más difícil que ha hecho en su vida.

—No puedo creer que esté diciendo esto, pero no tenemos mucho tiempo.

Un minuto. Cuando aluciné que se inundaba el laboratorio, no podía sentir las gotas de lluvia. Pero siento cada parte de Logan, desde sus suaves labios hasta los callos en las palmas de sus manos.

—¿Eres real?

—Más real no se puede.

Ay, por el Destino. Quito mi mano rápidamente, y siento las mejillas tan calientes que podrían prenderle fuego al aire. ¿En serio acabo de acariciarle el pecho y pasar mis dedos por sus labios? ¿Qué me pasa?

—¿Qué haces aquí? —pregunto, viendo al piso.

—Rescatándote —quita su mano, como si no supiera qué hacer con ella. El momento ya pasó. La alucinación se ha terminado. Pone la mano detrás de su espalda, y caigo dolorosamente en la cuenta de que la conexión entre nosotros sólo estaba en mi cabeza.

—No es como creías —dice—. Aquí no estás protegida de tu futuro. La gente de la Resistencia me dijo que a la AgeREF no le interesan los crímenes, sino únicamente volver realidad los recuerdos.

—Hace unos días descubrí lo mismo —digo susurrando.

Hace una pausa.

—¿Estoy a tiempo? ¿Tu recuerdo ya se volvió realidad?

—Ni siquiera saben cuál es mi verdadero recuerdo —siento cómo se acumula la saliva en mi garganta. ¿Qué pensaría Logan si supiera la verdad? ¿Querría salvarme de todas formas?

Pasa una vara magnética frente a la puerta, y ésta se abre. La vara se ve igual a las que llevan los guardias, que les da la AgeREF, y que no es posible encontrar en ningún otro lugar.

Abro los ojos asombrada, porque caigo en la cuenta de que me está sacando de aquí.

—¿Dónde conseguiste eso?

—Después te explico. Necesitamos salir de aquí antes de que pase el efecto del somnífero que le di a los guardias.

Damos unos pasos. Me tropiezo con algo, y él me atrapa.

—¿Qué pasa? —me toma por el hombro con más fuerza—. ¿Te lastimaron?

—Son los gases —la desorientación regresa con todas sus fuerzas. Ni siquiera sé en dónde está la puerta—. Están tratando de extraer mi recuerdo. El mareo es uno de los efectos secundarios. Y ver cosas que no existen realmente. Por eso te acaricié hace rato —mejor ya no debería tocar el tema. Hacer de cuenta que nunca pasó. Pero mi boca ya no está conectada con mi mente—. Pensé que eras una alucinación. No estaba tratando de seducirte, ni de meterte mano. O de acosar tus labios —*¡Ay, por el Destino! Cállate, Callie. Sólo cierra la boca*—. Perdón.

—No me importaría que trataras de seducirme —carraspea. Supongo que el Logan de la vida real tampoco es muy bueno con este tipo de cosas.

Nos miramos fijamente. ¿En serio acaba de decirme que le gusto? No, olvídalo. No está interesado en mí. Ni siquiera somos amigos.

Y sin embargo, estamos a sólo unos cuantos centímetros de distancia, y su respiración suena a jadeos entrecortados. Si me inclino un poco hacia adelante...

—Hay que salir de aquí —dice.

Claro. Estamos en medio de una misión de rescate.

Caminamos, tratando de mezclar nuestras pisadas con los ronquidos de las presas. Esperemos que no haya nadie despierto para notar la diferencia.

Damos diez pasos cuando se escucha una voz.

—¿Quién anda ahí?

Brinco asustada, pero sólo es Melan, parada junto a los barrotes. Se ve diferente. Sus ojos se ven menos duros en su huesuda cara, y sus pestañas largas y lacias tan intimidantes en la luz, parecen vulnerables cuando están bañadas por las sombras.

—Soy yo —me rompo la cabeza tratando de encontrar la forma más rápida de explicarle—. Melan, éste es el chico que me regalaba hojas. Me está ayudando a escapar de aquí.

Saca el brazo por una de las ranuras y me pone algo en la mano. Una de las hojas que le di a cambio de información. Está seca y a punto de desmoronarse, pero se conserva intacta.

—Llévame contigo —me dice.

Miro a Logan, que se encoge de hombros, impotente.

—No podemos. Esta vara está programada solamente con el código de tu celda. No sé cómo conseguir su código.

Conocí a esta chica hace unos días, pero ahora me duele pensar en dejarla aquí, igual que la hoja seca en mi mano.

—Perdón, Melan. Si encuentro un modo de regresar por ti, lo haré. Pero mientras, estarás a salvo aquí adentro. No eres agresiva.

Cierra los labios, apretándolos, y el corazón se me rompe. Pero algunos segundos después, el dolor desaparece completamente de su cara.

—Vete, polluela. Vuela de este nido. Hazlo por las dos.

Se aleja de los barrotes. Guardo la hoja en el bolsillo de mi uniforme, sintiendo los brazos y las piernas rígidos por la tristeza, y camino atrás de Logan. Me siento como una botella de refresco tan llena que está a punto de explotar. Todo lo que se necesita es un pequeño golpe.

Llegamos al final del pasillo, la entrada se ve tan imponente como siempre. El Gigante Bigotón está desplomado sobre su escritorio adentro de la oficina con paredes de cristal. Sus ronquidos, parecidos a los de un oso, hacen temblar sus hombros.

La presión desaparece. No puedo sentirme mal por Melan. No tengo tiempo.

Volteo a ver a Logan. Aquí es donde necesitará usar sus poderes mágicos.

—Déjame adivinar. Tienes el código numérico y encontraste una manera de burlar los escáneres de huella, retina y sangre.

—Me temo que no. Todos los días cambian los códigos, y para poder pasar los escáneres necesitaríamos mover a un guardia inconsciente de ciento cincuenta kilos —hace una mueca—. Eso no va a pasar.

—Entonces, ¿qué sigue?

Para responderme, abre la puerta que está enfrente de la estación de guardias. La puerta misteriosa que siempre está cerrada. El cuarto donde hicieron que Beks le disparará a un hombre.

Cuando entramos, veo que sólo es un simple cuarto, rodeado por cuatro paredes, y con una mesa de interrogatorios en el centro. No sé qué esperaba que hubiera. Manchas de sangre en el piso o un olor a cadáver en descomposición. Algo que reflejara las pesadillas que ocurren aquí. Por lo visto, la maldad se puede lavar con desinfectante y desodorante de ambientes. Lo único que queda es un área fría y estéril.

Logan atraviesa el cuarto y da dos golpes en la pared trasera. Se abre un panel, dejando al descubierto un armario de cristal cerrado con llave repleto de herramientas. Adentro hay todo lo necesario para escapar de la cárcel. Pistolas eléctricas, armas de fuego y pinzas.

Trago saliva. ¿Éste es su plan? Además de dar rodillazos en las entrepiernas, no soy una gran luchadora.

—Mmm, ¿Logan? Creo que deberías saber que mis habilidades de combate son un poco... marginales.

Sus cejas se fruncen por la concentración.

—¿Qué tan buena eras en el curso de Defensa Personal?

—Tomé el nivel básico y luego decidí salirme. Estaba muy ocupada aprendiendo a cocinar manualmente —me estremezco. Mi antiguo sueño parece frívolo en comparación con las habilidades prácticas que pude haber aprendido—. Pero si algún día se descompone tu ensamblador de alimentos, aquí tienes a tu chica ideal.

Sonríe como si yo fuera una comediante, y lo único que quiero hacer es golpearme. "¿Aquí tienes a tu chica ideal?" ¿Por qué diablos dije eso?

—No vamos a salir de aquí peleando —dice—. Este lugar es como una fortaleza. No avanzaríamos ni dos metros.

Miro las armas que hay en el armario, deteniendo la vista en un pulsador eléctrico, que tiene más botones que los dedos de mis manos.

—Entonces, ¿qué hacemos aquí?

—Lo importante no es lo que hay adentro del armario, sino lo que está abajo.

El armario está sostenido a un metro del suelo. Debajo de él, veo los mismos bloques de cemento de que están hechas las paredes de mi celda.

Logan se apoya sobre sus manos y rodillas, y se coloca abajo del espacio del armario. Retrocede unos centímetros hasta que su cuerpo desaparece en el cemento. Hace un instante estaba ahí, y ahora ya no está. A eso le llamo ser tragado entero.

—¿Logan? —digo, parpadeando—. Creo que estoy alucinando otra vez. Acabo de ver cómo te desapareces.

Su cabeza sale por la pared, como si fuera un animal disecado.

—No estás alucinando. La pared no existe realmente, sólo es un holograma.

Me pongo en cuclillas. El cemento se ve tan real y sólido como cualquier pared.

Su cabeza desaparece otra vez.

—Vamos, Callie. Aquí atrás hay un ducto de aire que nos conducirá hacia la libertad. ¿Qué esperas?

Nada. No hay nada que me detenga. Lo único que me espera aquí es un científico loco que quiere hacer experimentos con mi cerebro, y una agencia desquiciada que me obligará a matar a mi hermana.

Respiro profundamente y retrocedo igual que lo hizo Logan, atravesando el cemento.

15

Esperaba que mis pies chocaran contra el cemento sólido, pero se mueven a través de la pared y se quedan colgados en medio del aire.

—Lento —la voz de Logan se escucha debajo de mí—. Hay una escalera. Balancea tus piernas hacia la pared y pon tus pies en uno de los peldaños. Si te caes, voy a atraparte, te lo prometo.

Genial. ¿A qué altura estamos?

Agito las piernas, y encuentro la escalera. Empiezo a bajar, un peldaño a la vez, hasta que todo mi cuerpo está sobre ella.

Miro hacia abajo, pero no puedo ver nada. Esta escalera podría alargarse hasta el infinito. Si me resbalo, caeré a toda velocidad por el aire, aunque probablemente la caída no durará para siempre.

El corazón me late fuertemente. No puedo respirar, ni moverme. Mis latidos retumban en mis oídos ahogando el ruido del ventilador y cualquier pensamiento sensato.

Ahogándolo todo.

—¿Callie? —dice Logan— ¿Estás bien?

El sudor pasa por mis cejas y se desliza hasta mi cuello. Apenas puedo hablar entre todo ese líquido.

—No… puedo… ver… nada.

—Aquí estoy, Callie. Vas muy bien —su voz toma mis nervios revueltos y los tranquiliza completamente.

Logan sabe. A lo mejor le conté la historia de la mujer que saltó del acantilado. O tal vez se dio cuenta cuando no quise escalar hasta la cima de la cuerda durante la Clase de Deportes. De algún modo, sabe que tengo miedo a las alturas.

Pero lo más importante es que se acuerda. Yo recuerdo que su dulce favorito es el de sandía, y que siempre le ha tenido un miedo horrible a las arañas. Pero nunca pensé que se acordaría de algo mío. Después de todo, él fue quien se olvidó de nuestra amistad.

Pensar en eso me consuela, y vuelvo a respirar normalmente.

Debajo de mí, se enciende una luz, un pequeño resplandor atraviesa la oscuridad. Puedo ver el agujero que acabo de cruzar y el cuarto al otro lado. En el borde del agujero hay un artefacto pequeño y negro, que tiene forma de araña. Seguramente eso fue lo que creó el holograma. Lo bueno de todo esto es que hoy ambos estamos enfrentándonos a nuestros miedos. Lo malo es que parece que no lo estoy haciendo tan bien como Logan.

—Puedes hacerlo —pone su mano alrededor de mi tobillo, y su palma encallecida atraviesa mis temores—. Fuiste a prisión para evitar que tu futuro se volviera realidad. Una pequeña fobia no impedirá que escapes de aquí.

Puedes hacerlo. Puedes hacerlo. Puedes hacerlo. Respiro profundamente, y luego otra vez. Rápidamente, antes de caer en el olvido, quito mi pie del peldaño donde estaba seguro y lo pongo en el siguiente.

—Muy bien. Un pie tras otro. Es tan fácil como meter un pay al ensamblador de alimentos. Bueno, aunque tú ni siquiera lo usas.

Trato de reírme orgullosamente. Yo sólo preparo pays manualmente. No voy a pensar en la altura a la que estoy. Haré de cuenta que el suelo está sólo a cinco metros. Puedo lidiar con cinco metros sin problemas.

Mis palmas están húmedas, lo que las vuelve resbalosas, y están llenas de óxido, pintura y escamas de mugre que se desprenden de los peldaños. Puedo ver en mi mente cómo caen las escamas muy abajo en la oscuridad. Con cada peldaño subo un poco más, y la distancia entre el suelo y yo se hace más grande. Seguir escalando este edificio con Logan va contra todos mis instintos.

—Háblame —mi voz temblorosa rebota en las paredes. Tengo que pensar en otra cosa. No puedo seguir imaginando mi muerte inminente—. ¿Quién puso ahí el agujero y el holograma?

Es imposible que Logan lo haya hecho. Digo, tal vez tenga ciertas habilidades, pero, vamos... Ese trabajo es obra de un profesional.

Sus zapatos rechinan en la escalera.

—Fueron los de la Resistencia.

Ya me había hablado de ellos.

—¿Te refieres a la comunidad secreta que se refugia en el bosque? ¿A la que pertenecen todos esos psíquicos? —subimos más peldaños—. ¿Cómo consiguieron esa tecnología?

—La mayoría de los psíquicos tienen cierta aptitud para la ciencia. Siempre ha sido así. Newton, Einstein, Darwin; todos ellos eran psíquicos, aunque Callahan fue el primero en admitirlo. ¿Cómo crees que lograron dar todos esos saltos intuitivos?

Subimos la escalera a un ritmo despacio y cómodo. Logan toca mi tobillo de vez en cuando, y cada vez que lo hace me inyecta una nueva dosis de energía.

—La Resistencia tiene un grupo de científicos que inventan tecnologías que no compartimos con el ComA —vuelve a tocar mi tobillo,

pero esta vez sus dedos se quedan ahí un instante—. La proyección holográfica es uno de esos inventos.

La escalera se termina y llegamos a una rejilla de malla plateada. Intento tragar saliva, pero tengo la boca completamente seca. ¿Cuánto tiempo llevamos escalando? ¿De cuántos metros es la caída?

—Ya llegué a la cima —las palabras me raspan la garganta al salir.

—¿Puedes ver la rejilla que hay arriba de ti? Golpéala con fuerza.

Ay, sí, claro. Golpearla con fuerza. Si hago eso voy a caerme de la escalera.

—Estoy justo debajo de ti, Callie. No voy a dejar que te caigas.

Cree en mí. Está seguro que puedo hacerlo.

Me agarro firmemente a la escalera, golpeo hacia arriba con todas mis fuerzas y la rejilla sale volando.

Una brisa de aire me da en la cara. Escalamos por el ducto de aire y salimos al techo del edificio. Podría besar el piso sólido bajo mis pies.

Un trillón de estrellas brillan en el cielo oscuro, y el viento huele a la fragancia de los árboles y a tierra. La luna llena está colgada en el cielo como una esfera blanca perfecta, sombreada por los cráteres, y alumbra casi tanto como el sol en un día nublado.

Se me hace un nudo en la garganta. La libertad es casi insoportable.

—Nunca he visto algo más hermoso —digo susurrando.

—Aquí es donde tenemos que separarnos —su voz suena tan pesada que me saca de mi contemplación estelar.

Observo a mi alrededor y veo lo vacío que está el techo. No hay otra escalera, ni puertas. Ni siquiera un edificio cercano al cual podamos cruzar.

—¿Qué quieres decir? ¿Cómo voy a bajar de aquí? Y, ¿tú a dónde vas a ir?

Me lleva al borde del techo y al mirar hacia abajo veo rápidos de agua que se estrellan contra rocas gigantescas. Otra vez el río.

—No —retrocedo, horrorizada—. No puedo hacerlo. No puedo brincar.

—Subiste por la escalera como si fuera lo más fácil del mundo. Vas a poder con esto también.

El corazón me corre a toda velocidad como si estuviera siendo perseguido por un enemigo, y otra vez escucho el zumbido en mis oídos. Pero Logan tiene razón. Si subí la escalera, significa que también puedo hacer esto. Por Jessa haré lo que sea.

Respiro profundamente, lo que me hace toser y balbucear.

—Está bien. ¿Dónde tengo que saltar?

Me señala un área que está justo debajo de una pendiente rocosa, en donde el río se ensancha drásticamente.

—Justo ahí, la corriente es más débil. No hay rocas por lo menos en cien metros, así que no hay forma de fallar. Cuando hayas cruzado el río, dirígete hacia el sur. Quédate cerca del agua y busca unas piedras apiladas en forma de pirámide. Debajo de un arbusto, encontrarás un bote que la gente de la Resistencia deja ahí para personas como tú. Dentro del bote, habrá un mapa plastificado que te llevará a Armonía.

Señala hacia atrás sobre su hombro.

—Yo voy a regresar por el ducto de aire y me esconderé ahí hasta la mañana. Perdón por no ir contigo, pero esas fueron las órdenes de la Resistencia —su voz es suave y llena de culpa—. El acantilado es gigantesco, y cuando encontremos tierra firme para que yo pueda regresar a los suburbios, los guardias de la AgeREF ya estarán vigilando los límites de la ciudad.

—No te preocupes. Ya has hecho suficiente.

Miro otra vez hacia abajo, y el pánico me hace palpitar el pecho nuevamente. Alguien ha hecho bien su tarea. Esta sección del río parece completamente tranquila en comparación con las corrientes tan violentas que estoy acostumbrada a ver. Si voy a saltar, éste es el lugar indicado para hacerlo. Sólo hay un problema, y no puedo creer que no haya pensado antes en eso.

—Logan —digo—. No sé nadar.

Se me queda viendo boquiabierto. Antes que ser rescatista, es un nadador.

—¿Cómo es posible?

—No sé. A mamá no le gustaba el agua, así que nunca aprendí a hacerlo.

Arruga la frente, tratando de encontrar una solución. Quisiera decirle que esto se terminó. Se tomó tantas molestias para rescatarme, sin saber la clase de fugitiva tan patética que soy. Tengo miedo a las alturas y no sé nadar. Las rodillas se me doblan, y lo único que quiero es caer desplomada en el duro cemento. He fallado. A él, a Jessa y a mí misma.

Pero entonces, me toma de la mano.

—Está bien. Hagámoslo.

—¿Hacer qué?

—Voy a ir contigo.

¿Qué? ¿Qué?

—No seas ridículo. Acabas de decir...

—Mira, Callie. Hace cinco años, no hice absolutamente nada cuando se llevaron lejos a mi hermano. Esta vez no haré lo mismo.

Es generoso, tan generoso que siento cómo las lágrimas se me clavan en los ojos.

—No soy tu hermana. Sólo soy una chica con la que no has hablado en cinco años.

Me toca la mejilla, rápidamente.

—Para mí, tú jamás has sido sólo una chica, Calla Lily.

Suena una alarma. Primero, débilmente, y luego cada vez más fuerte.

—Esa alarma es por ti —dice—. El guardia debe de haber despertado y ya se dio cuenta de que no estás. Empezarán a registrar el edificio. Estarán en el techo en cualquier momento. No tenemos tiempo —toma mi mano sudorosa—. Vamos a saltar a la cuenta de tres.

Respiro profundamente y miro hacia el cielo abierto. No hay tiempo de sentir miedo, ni de preocuparse por lanzarse hacia la nada. No hay tiempo para dejar que mi fobia salga de su jaula.

—Uno...

Lo siento tanto, Jessa. Nunca quise lastimarte. Jamás imaginé que las cosas llegarían a esto.

—Dos...

Si yo muero, tú vives. Eso es todo lo que importa.

—Tres.

¿Ves, mamá? Te dije que la mantendría a salvo.

Una gran nada se cierne sobre mí. Salto.

16

Caigo en el agua, que está fría, tan fría como el hielo. El agua burbujea por todo mi cuerpo, y me hundo tan profundamente que podría cavar un túnel hasta el centro de la tierra. Pero mis pies no tocan el suelo, sino que el agua me mantiene a flote y me da vueltas. La espuma blanca me engulle, y detrás de ella sólo hay oscuridad.

Arriba. ¿Hacia dónde es arriba?

La luna me señalará el camino. Levanto el cuello, buscando locamente un rayo de luz. Nada. No puedo ver más allá de quince centímetros. Doy arañazos y pateo con las piernas. Si mis patéticos movimientos cambian mi posición, no lo noto en lo más mínimo.

Necesito respirar. Los pulmones comienzan a quemarme. Imagino que se expanden como globos demasiado llenos, estirándose y estirándose hasta que hacen *¡pum!*

Voy a morir. Después de todo lo que Logan ha hecho por mí, voy a ahogarme. Quedaré atrapada entre las sábanas acuáticas del río como una muñeca abandonada.

De pronto, algo me agarra el tobillo y me jala. Mi cuerpo navega por el agua, torciéndose y dando vueltas mientras lucha contra la corriente. Y luego, aire. Dulce y hermoso aire. Respiro profundamente una y otra vez. Pero algo me vuelve a agarrar, esta vez me toma por el pecho colocando mis brazos a los lados.

Me esfuerzo por liberarme, forcejeando, pateando y retorciéndome. Intento todo para escapar.

—¡Cálmate! —grita Logan en mi oído—. ¡Vas a ahogarnos a los dos!

Tiene que decir dos veces las palabras antes de que mi cerebro las asimile. Suelto los brazos y las piernas, aunque todavía sigo luchando por respirar.

—¿Estás bien? —me pregunta.

—Sí —respondo jadeando.

Siento cómo algo afilado me pincha en la mitad de la espalda. Es el hueso de su cadera. Está de lado, recargándome contra su cuerpo. Y entonces, comenzamos a movernos, cortando a través de las olas, mientras Logan nada con un brazo y dos piernas.

El edificio de cristal y acero ya es sólo una roca en la distancia, y si mis perseguidores están en el techo, observándonos, no son más que un montón de manchas. Creo que escucho el débil eco de una alarma, pero estamos rodeados completamente por agua. Sólo agua.

Logan Russell me lleva hacia la orilla, salvando mi vida en todos los sentidos.

Ése es mi último pensamiento coherente antes de desmayarme.

Cuando despierto, estoy dentro de un bote, cubierta del sol con una manta sostenida por un par de palos. Mi cabeza está apoyada sobre una mochila, y Logan está frente a mí, jalando los remos con golpes potentes y rítmicos.

Se ha quitado la playera. Me le quedo viendo más de un minuto. Sus músculos brillan bajo el resplandor de una mezcla de sudor y bloqueador solar. Tiene una espesa crema blanca sobre la nariz, que me impide ver bien su cara. Una repentina urgencia por limpiarle esa cosa blanca se apodera de mí, lo que me hace recordar las veces que iba a escondidas a sus prácticas de natación. Siempre tenía tiempo para ayudar a algún compañero con su brazada, y siempre cedía el mejor carril de nado a alguien más, aunque él fuera el primero en llegar a la alberca. Ése es Logan, generoso a más no poder. Por eso casi me muero cuando dejó de hablarme. Fue algo muy inusual en él.

Levanta la vista, y yo desvío la mirada. El estómago me da vueltas como si fuera un colibrí, y me doy cuenta de que cada vez que jala los remos sus nudillos quedan tan sólo a unos centímetros de distancia de mis rodillas. La forma en la que el calor amenaza con bailar sobre mi cuerpo antes de desvanecerse cuando jala los remos hacia él es casi dolorosa.

¡Auch! nos hemos tocado. En las últimas veinticuatro horas, lo he tocado más veces que a cualquier otro chico en mi vida. Pero las circunstancias fueron atenuantes. Ahora que ya no estamos escapando del área de detención, y que ya no estoy bajo la influencia de los gases del Dr. Bellows, volvemos a ser la chica y el chico que éramos antes, los que apenas se dirigían la palabra, y no se acercaban a más de un brazo de distancia.

—¿Cuánto tiempo dormí?

—Algunas horas. No quise despertarte. Necesitabas descansar.

Sus palabras tienen un tono neutral, pero su mirada es muy directa. Seguramente bajo la penetrante luz del sol, puede ver el sello que el Limbo deja en todos sus presos. La piel pálida y ceniza, las marcas moradas como huellas digitales debajo de mis ojos y el cabello sucio que no ha sido lavado en varios días.

Cero atractivo.

Sonrojándome, analizo el paisaje mientras lo vamos recorriendo. La furiosa corriente se ha transformado en las aguas plácidas de un río perezoso. El imponente acantilado ha quedado atrás, con sus espirales metálicos y sus escarpadas torres elevándose sobre él, ambos logros arquitectónicos de las mentalidades más emprendedoras de Ciudad Edén. Ya hemos dejado atrás también los suburbios que rodean la ciudad, con sus residencias y campos atléticos.

Ahora, veo color. Rojo brillante, naranja atardecer y verde esmeralda. Todos los colores que se reflejaban en las hojas muertas de Jessa, y muchos más. Los dos lados de la ribera están bordeados por el espeso bosque. No hay ni una sola estructura de origen humano a la vista.

Vuelvo a ver a Logan. Sus brazadas son fuertes, pero están debilitándose. El agotamiento se refleja en su cara. Probablemente ha remado toda la noche mientras yo dormía.

Cada brazada lo aleja más de la civilización. Cada vez que el bote avanza, queda más lejos el lugar donde Logan debería estar. El lugar al que pertenece.

—¿Qué haces?

—Te llevo a Armonía —dice—. Está a ochenta kilómetros río arriba, y ya nos esperan.

La comunidad al borde de la civilización. Una oportunidad para dejar atrás mi futuro, y mi familia, como si fueran una pesadilla.

Trago saliva. Tal vez yo tenga que abandonar a las personas que más amo, pero él no tiene por qué hacerlo.

—No —tomo uno de los remos y lo meto al agua intentando dar vuelta al bote. Desafortunadamente, lo único que logro es sacudirnos y zozobrar en la corriente—. No puedes irte a vivir a una comunidad en el bosque. En el futuro eres un nadador profesional. Tienes que regresar a Ciudad Edén y hacer realidad tu recuerdo.

—Ya es muy tarde. A esta hora, las patrullas estarán en cada tren bala de la ciudad.

Mis ojos se abren tanto que siento cómo se arruga mi frente.

—Entonces irás caminando —apunto con el remo hacia la orilla plana y boscosa—. Cruza el río por ahí, pide a alguien que te lleve a los suburbios, y luego regresa a la ciudad caminando.

Mis intentos por voltear el bote sólo hacen que me duelan los brazos. Dándome por vencida, jalo el remo hacia adentro y el bote navega suavemente sobre el río.

—A lo mejor he cambiado de opinión —dice con una emoción en su voz que no puedo identificar—. Toda mi vida he oído sobre Armonía, y tal vez quiero verla en persona.

—No es tu futuro.

Se estira para alcanzar el remo.

—Mi recuerdo no me quita el libre albedrío, Callie. Puedo seguir tomando mis propias decisiones. Y en este momento, mi decisión es ir contigo a Armonía. Me aseguraré de que te instales, y luego regresaré a Ciudad Edén.

—Pero, ¿por qué? —no debería preguntar. Debería olvidar el tema. Pero las palabras salen rodando de mi boca como si hubieran estado presionadas contra la puerta, esperando durante cinco largos años para poder salir—. Ni siquiera te gusto. Dejaste de hablarme hace muchos años.

Su cuerpo se endurece, y sé que acabo de cruzar la línea. Nunca dijimos que no hablaríamos del pasado, pero desde que lo vi en mi celda, nuestra interacción ha sido parecida a un sueño o alucinación. Mis palabras nos regresan a la vida real de un golpe.

—Dejé de hablarles a todos —dice.

—Sí, pero a mí me *ignorabas*. Era como si no existiera. Ni un *hola*, o un *disculpa*. Ni siquiera un *quítate*.

Logan suspira. Sí, soy una persona terrible. Él me lleva al otro lado del río y abandona la civilización para poder dejarme sana y salva en Armonía. Y aquí estoy, fastidiándolo por algo que sucedió cuando éramos niños.

—Olvídalo. Fue hace mucho tiempo —le digo.

—No. Quiero responder. Sólo estoy tratando de encontrar la mejor manera de hacerlo —traga saliva, y otra vez, sumerge el remo en el río. Pero sus brazadas ya no son seguras ni estables. Sus movimientos son desiguales y dispares. Casi como si estuviera nervioso. ¿De qué? ¿De mí?—. ¿Te acuerdas del día en que se llevaron a Mikey? —me pregunta, viendo fijamente las olas del agua.

—Como si hubiera sido ayer.

Mikey era cuatro años más grande que nosotros, y yo no lo conocía muy bien, pero se parecía mucho a Logan, sólo que con el cabello largo. Estaba sentada en el salón T-menos cinco cuando escuchamos ruido de sirenas, seguido de pisadas fuertes. Fuimos todos a la puerta, estirando el cuello para poder ver hacia el pasillo. Y entonces vimos a Mikey Russell, acompañado por dos oficiales de la AgeINT, con sus bronceados brazos detrás de la espalda amarrados con unas esposas eléctricas.

—¿Te acuerdas de lo que me dijiste?

Muevo la cabeza negativamente. La imagen de Mikey está impresa en mi mente, pero todo lo demás es un recuerdo confuso.

—¿Lo siento?

—Volteaste a verme y me tomaste por el brazo, justo cuando Mikey pasaba frente a nuestro salón. "Haz algo", dijiste —su mano se cierra y el remo vibra—. Y yo me quedé ahí parado como un idiota, mientras se llevaban lejos a mi hermano. Me quedé observando junto a los demás, aunque mi vida nunca volvería a ser la misma.

—Ay, Logan —el corazón se me rompe—. Tenías doce años. ¿Qué hubieras podido hacer?

—Algo —levanta la vista, y veo otra vez al niño de doce años, que trataba y se preocupaba tanto por hacer lo correcto. Por ser generoso. El mismo que se apagó ese día, y nunca supe por qué—. Pude haber hablado con los oficiales y convencerlos de que había sido un truco de magia. O hacer que los otros niños dijeran que había sido una broma, y que en realidad no vieron lo que dijeron que habían visto.

—No creo que algo de eso hubiera funcionado —susurro.

—Tal vez debí haber sido lo suficientemente valiente para verlo a la cara cuando pasó frente a mí. Decirle que lo amaba para que no se sintiera tan solo. Pero no lo hice. Y por eso no podía hablarte. Ni siquiera podía mirarte sin escuchar esas palabras. *Haz algo* —se inclina hacia delante sobre sus rodillas, y el mundo desaparece. No hay remos clavándose en el agua, ni rayos del sol calentando mis hombros. Tampoco hojas de árbol ondeando en el viento. Sólo estamos Logan y yo, y estas palabras entre nosotros—. No quise lastimarte. Pero no soportaba ver mi culpa en tus ojos.

—Nunca te culpé. Ni por un segundo.

Nos quedamos en silencio un momento. El aire alrededor está tan lleno de pensamientos y emociones, que en cualquier momento va a explotar y éstos caerán sobre nosotros como una avalancha.

—Tal vez me culpaba a mí mismo —su voz es grave, tan grave, como si nunca antes hubiera dicho estas palabras, y tuviera miedo de decirlas ahora—. Y me desquité contigo. Perdón.

Vaya que lo hiciste. Pero el enojo ha desaparecido. Mi pecho está demasiado bloqueado. No hay lugar para otra cosa más que para este dolor que me parte en dos.

—Eso es lo que quisiste decir en el techo —digo—. Saltaste conmigo para tratar de compensar el pasado.

Sus labios se curvan, y puedo ver el fantasma de una sonrisa que murió hace cinco años.

—Quiero que esté orgulloso de mí.

Pobres de tus papás. Primero pierden a Mikey, y ahora te pierden a ti.

Pero no lo digo en voz alta. Si lo hago, podría ponerse triste y entonces empezaré a llorar, y una vez que tome ese camino, pensaré en mamá y en Jessa, y ¿qué pasará? Me convertiré en una tonta llorona que no sirve para nada.

En vez de hacer eso, sonrío tan ampliamente que las mejillas me duelen.

—¿Cuánto tiempo falta para que nos detengamos a pasar la noche?

17

El sol ya desciende por el cielo cuando Logan propone que nos detengamos. Llevamos el bote a la costa y caminamos hasta encontrar un claro que no esté lleno de rocas. Por el suelo sobresalen raíces cubiertas de musgo, y debajo de los árboles se amontonan todo tipo de plantas: en forma de abanico, puntiagudas y anchas. Aquí huele a tierra, gusanos y gotas de lluvia; es tan diferente al acero y al pavimento de la ciudad.

Me paro detrás de un árbol para cambiarme el uniforme amarillo por una playera y pantalones negros y limpios, idénticos al uniforme que usaba en la escuela en la Clase de Deportes. Es impresionante lo que un cambio de ropa puede lograr. Casi me siento renovada. Cuando regreso, Logan está sentado en el suelo, organizando el contenido de la mochila en distintos montones.

Doblo el uniforme y lo pongo junto a la mochila, aunque preferiría quemarlo. Miro rápidamente a Logan, y descubro que él también me está viendo, y ambos desviamos la mirada. La antigua incomodidad ha regresado. Muerdo mis labios e intento decidir qué hacer con mis manos. Las pongo detrás de mi espalda, pero eso me hace ver estúpida. Cruzo los brazos sobre la cintura. Muy a la defensiva.

Vamos, Callie. Contrólate. Sólo es un chico.

No, nunca lo ha sido, susurra una voz en mi interior. *Como tú jamás has sido sólo una chica para él.*

Siento una oleada de calor que comienza en mi estómago y me recorre toda la piel. Me doy por vencida con las manos y me agacho para examinar los montones de suministros. Cualquier cosa con tal de evitar el peso de su mirada.

Latas. Un montón de latas de metal, con etiquetas a un lado. Cuerda, un compás, más ropa y un mapa.

Y luego... ¿qué diablos? Paquetes de ropa interior, de distintas tallas, y el par de tenis más grandes que he visto en mi vida. No entiendo. Digo, no soy una experta en la naturaleza ni nada, pero, ¿para qué necesitamos tanta ropa interior y unos tenis de talla 37, en donde probablemente cabrían dos personas de Ciudad Edén?

Logan me lanza una lata de metal. Miro uno de los lados y leo "albahaca". Tomo algunas de las otras latas, y en cada una hay un condimento distinto. Tomillo, romero, menta.

Me caigo hacia atrás. Me tomó semanas lograr que estas hierbas crecieran en el alféizar de mi ventana. Tuve que mendigar, rogar y sobornar para que mis instructores de Cocina Manual me dieran las semillas. Y aquí están todas las hierbas imaginables, perfectamente empacadas dentro de pequeñas latas de metal, y listas para ser usadas.

—Sabía que te pondrías feliz cuando vieras las especias —me dice, sonriendo como un niño pequeño que entrega su primer regalo navideño. Sus sonrisas son como dulces para mi corazón, que lo calientan lenta pero firmemente.

No pude haber pedido un regalo mejor. En cualquier espacio-tiempo, elegiría un poco de curry y azafrán en vez de una pulsera de diamantes.

—Estoy fascinada —hay suficientes latas como para abastecer el programa de estudios superiores durante un año—. Pero, ¿qué hacen aquí todas estas hierbas?

—Las mochilas son una forma práctica de llevar cosas a Armonía —dice, sintiéndose más cómodo ahora que estamos hablando de información y datos. Si tan sólo nuestra relación estuviera conformada por flujos de datos—. No tienen ningún tipo de tecnología moderna, y no es fácil para ellos regresar a la civilización cuando se les acaban los suministros. Así que una de las formas que tienen para conseguir lo que necesitan es que personas como yo se las traigan.

Paso mis dedos por las latas de metal.

—Entonces, si no tienen comunicación digital, ¿cómo sabe la gente de la Resistencia lo que tiene que empacar?

—Ah, mmm... —tanto la sonrisa como la comodidad desaparecen, igual que una flama a la que se le echa agua—. No estoy seguro. Deben tener algún método. O quizá solo hacen suposiciones. No lo sé.

¿Suponen que alguien necesitará un par de tenis de esa talla? No creo. Lo observo mientras coloca las latas en forma de pirámide. Está ocultándome algo, pero ¿qué?

—Dijiste que nos estaban esperando —digo lentamente—. ¿Cómo saben de nosotros si no podemos comunicarnos con ellos?

—¿Eso dije? —su cara se pone completamente roja—. Seguramente lo dije mal. La verdad es que no tengo contacto con Armonía. Sólo sé lo que mis padres me cuentan.

Es obvio que no quiere hablar sobre esto. Debería cambiar el tema. Pero si no le hubiera preguntado por qué dejó de hablarme, nunca me hubiera confesado la razón. Seguiría pensando que me aplicó la ley del hielo porque dejé de caerle bien.

—¿Qué me estás ocultando? —pregunto.

—¡Nada! La situación es complicada, eso es todo —se levanta y se aleja un poco de mí. Con cada paso que da, deja de ser el chico del bote para convertirse en el otro que me ignoró durante cinco años—. No puedo hablar ahora. Trata de mantener la mente abierta.

Lo observo mientras se aleja. Tratar de mantener la mente abierta. ¿Sobre qué? ¿Nuestra amistad?

Estoy dispuesta a ser abierta sobre nuestra amistad. A olvidar cinco años de silencio y a perdonarlo por todos los secretos.

Si tan sólo volviera a confiar en mí como antes.

Una hora después, me cuelgo en el hombro la cantimplora de acero inoxidable y voy al río para llenarla. Enrollándome los pantalones, camino río adentro hasta que el agua me salpica las rodillas. El sol ya se ha metido bajo el horizonte, y se pueden ver vetas moradas que persiguen el brillo anaranjado sobre un fondo de nubes escasas.

Respiro profundamente y aguanto la respiración. Me gusta el sol hasta cuando ya se ha metido.

Logan me regaló esto, y no podría estar más agradecida. Tal vez tenga razón. Trataré de mantener la mente abierta.

La brisa me roza la piel, haciéndome cosquillas en la nuca. Desenrosco la tapa y meto la cantimplora al agua.

La mente abierta. Juego con la idea en mi lengua y en mi cerebro. ¿Qué significa? ¿Cómo funciona? El futuro se extiende frente a ti. Abierto. Un número infinito de posibilidades. Abiertos. Caminos que se expanden en todas direcciones. Abiertos.

Una sensación extraña fluye a través de mí. La siento en todas partes; en las heridas de mis piernas, en el dolor en mi espalda, en mis manos que sostienen la cantimplora en el agua.

¿Qué diablos? Ya recibí mi recuerdo del futuro. Se supone que sólo se recibe uno, ¿no? Entonces, ¿por qué estoy sintiendo esto? ¿Por qué siento como si estuviera a punto de recibir otro recuerdo? Otro *recuerdo*. ABIERTO.

Estoy acurrucada sobre las piernas de mamá, abrazando un perro de peluche morado. Tiene un círculo verde alrededor de uno de sus ojos grandes y tristes. Huele como a crema de cacahuate y galletas rancias, pero cuando hundo mi barbilla en su cuerpo, me envuelve con una dulzura ligeramente empañada.

Siento el cuerpo extraño. Fuera de sincronía. Como si llevara puesta la piel equivocada.

—¿Por qué me dejó? —pregunto—. ¿A dónde fue?

No sé "quién" me dejó. No sé por qué estoy triste. Lo único que sé es que hay un vacío tan grande en mi interior que tal vez nunca se llene.

Mamá me acaricia el cabello, que se curva alrededor de mi oído y me llega a la barbilla. Parezco pequeña, lo suficientemente pequeña para tener el cabello tan corto.

—No lo sé, cariño.

¿Por qué no lo sabe? Mamá siempre sabe todo. Siempre tiene las respuestas, aunque tenga que inventarlas.

—Ella me lo prometió —digo—. Me prometió que se quedaría toda la noche. Me prometió que se quedaría para siempre, pero me dejó. Se fue.

—Algunas veces, las personas no pueden cumplir sus promesas.

—Pero la extraño —apreso con los dientes la oreja de mi perro de peluche. Cuando la escupo, cae desteñida y húmeda—, la necesito.

—Yo también, cariño. Yo también.

Me estremezco. La cantimplora se cae al agua, y me lanzo por ella. ¿Qué *fue* eso? Seguramente estaba soñando. Pero no desaparece, como sucede con los sueños. Puedo oír la voz de mamá y sentir sus brazos a mi alrededor. Puedo oler el suave peluche de Princesa, y ese aroma persistente del bocadillo de media tarde.

Un minuto. ¿Princesa? ¿Princesa?

Princesa no es mi perro de peluche. Es de Jessa.

La mente me da vueltas, y camino tambaleándome hacia la orilla. Si el perro es de mi hermana, entonces la visión también es suya. Pero, ¿cómo puede ser? ¿Cómo llegó su recuerdo a mi mente?

Me tropiezo con una roca y caigo sobre la tierra. La cantimplora se estrella contra el suelo. El agua sale a borbotones, filtrándose entre mis dedos. Prometió que se quedaría toda la noche, dijo mi hermana. Prometió que se quedaría para siempre, pero me dejó. Se fue.

—¿Callie? —Logan se aparece frente a mí—. ¿Cómo vas con el agua?

Miro hacia abajo y veo que estoy sujetando dos montones de piedras con todas mis fuerzas. Abro los puños, y las piedras se caen, dejándome las palmas llenas de pequeñas heridas. Las lágrimas amenazan con salir a chorros, y no por las cortadas. No importa cuánto me esfuerce por ser fuerte, no puedo evitar que las palabras salgan de mi boca.

—Lo último que le dije a mi hermana fue una mentira. Me pidió que me quedara con ella y se lo prometí, aunque no iba a hacerlo —¿se me podría romper aún más el corazón? En serio, ¿se me podría romper más?—. ¿Por qué le mentí? ¿Por qué?

Extiende las manos como si quisiera ayudarme a levantarme y luego vuelve a meterlas en los bolsillos.

—Eres una gran hermana, Callie. Cualquiera puede darse cuenta.

Me limpio la cara con la tela de poliéster de mi manga. Veamos qué tan buena es para absorber la humedad.

—¿Toda nuestra relación fue falsa? ¿Mi amor por ella no es más que una mentira?

—Claro que no. Ella significa todo para ti. Cualquiera puede verlo.

Me bajo la manga y lo miro directamente a los ojos.

—Logan, la maté. En mi recuerdo del futuro, Jessa estaba en una cama de hospital en la AgeINT, y le encajé una jeringa en el corazón. Asesiné a mi hermanita. ¿Cómo puedo amarla? Y si no la amo a ella, ¿cómo puedo amar a alguien más?

Espero para ver cómo se horroriza, para ver esa repugnancia automática cuando mis palabras se registren en su cerebro. Me he imaginado esa expresión un millón de veces. La que dice que soy mala. La que muestra su asco. La que me dice más claramente que mil palabras la horrible persona que soy.

Pero la expresión no aparece.

Roza mi brazo con las puntas de sus dedos. Es un contacto muy suave, pero me quema hasta lo más profundo, atravesando mis pies hasta llegar al piso empedrado.

—Ésa es una carga demasiado pesada —me dice.

Miro su mano, con esos largos dedos de artista que muy fácilmente le hubieran podido conseguir una carrera como concertista de piano.

—¿No me ves como un monstruo?

—Aquí el único monstruo es tu recuerdo futuro. Te roba la paz y te hace dudar de ti. Yo sé quién eres, Callie, y sé que estás llena de amor.

Mis rodillas se ponen tan blandas como el fango en mis pies.

—Gracias —digo susurrando.

—¿Por qué?

—Por no juzgarme.

—¿Cómo se pueden juzgar las acciones futuras de alguien sin entender las circunstancias? —me pregunta.

Exacto, ¿cómo se pueden juzgar? Pero no lo digo en voz alta. No puedo. Porque no sé si es tan sincero como parece. Tal vez tiene un don para saber exactamente qué decir y cuándo hacerlo; y sus palabras no significan mucho más que las carcajadas de hace cinco años.

O a lo mejor, puede que siga siendo el mismo chico que recuerdo.

No hablamos mucho durante la cena. Logan construye un soporte para colgar su cantimplora sobre el fuego. Le doy gracias al Destino porque eligió el curso optativo de Técnicas Ancestrales, y yo cocino el arroz en una olla improvisada.

Las manos me tiemblan mientras intento medir los granos, hervir el agua y mezclar el guiso.

Después de mamá y Jessa, cocinar es lo que más me recuerda a casa. Extrañé hacerlo cuando estuve en detención. Siento que mi antiguo yo regresa mientras escurro el agua y pongo el arroz en grandes hojas verdes. No sirvo de mucho aquí en el bosque, pero al menos puedo preparar la cena.

Después de comer, nos acomodamos debajo de un gran árbol. Las hojas de pino me arañan la cara, y el aire frío me traspasa la ropa. Logan me da la sudadera y él se queda con la chamarra. Extendemos la manta espacial ultraligera sobre nosotros.

Jalo un poco el mylar para taparme con él, y le doy la espalda a Logan. Las estrellas brillan en el cielo como piedras preciosas sobre la tela negra de un joyero. Jessa debe estar viendo las mismas estrellas en este momento. Me imagino una línea entre la estrella más brillante y yo, y luego otra línea que conecta a mi hermana con la estrella. ¿Ves, Jessa? Nunca te abandoné. *Estamos unidas a través de estos hilos imaginarios.*

Mi respiración se acelera. ¿Es posible? Es obvio que tengo algún tipo de habilidad especial, o no hubiera podido manipular mi recuerdo. Eso explicaría todo. Por ejemplo, por qué siempre hemos sido tan unidas o cómo es que su recuerdo entró en mi cabeza. Tal vez hasta pueda hablar con ella.

¡Jessa! ¡JESSA! *¿Me oyes?*

Lanzo al universo mis pensamientos, los envío dando vueltas a través de esas líneas invisibles que nos conectan a las estrellas. Espero, mordiéndome los labios, por una respuesta. Algún tipo de señal. Me conformaría con sentir nuevamente esa vaga sensación de adrenalina. Pero no pasa nada. Sólo el crujido de las hojas de pino debajo del cuerpo de Logan.

Me acuesto sobre mi espalda. Supongo que mis habilidades psíquicas no llegan tan lejos. Y estoy bastante segura de que esto es una mejora en mi habilidad para manipular recuerdos, ocasionada tal vez por los gases que Bellows me dio.

Lástima que ya no estoy en el laboratorio. La gente de la AgeINT estaría muy interesada en esta novedad. Pero, ¿por qué? ¿Por qué los científicos están tan interesados en las habilidades psíquicas?

La voz de Melan resuena en mi mente: *¿En dónde estamos, polluela?*

La respiración se me detiene. Claro. Todo este tiempo, creí que lo único que tenían en común la AgeINT y la AgeREF era que compartían el mismo edificio. No pensé que hubiera un vínculo entre las dos agencias. Pero, ¿qué tal si hay algo más?

A lo mejor las agencias comparten un edificio porque están intrínsecamente relacionadas. Quizá los científicos analicen a los psíquicos para *averiguar* más sobre el recuerdo futuro.

Mientras más lo pienso, más convencida estoy de tener razón. Por eso uno de los efectos secundarios de los gases es aumentar las habilidades psíquicas, y por eso es que ciertas habilidades giran en torno a algún tipo de manipulación de los recuerdos.

Cualquiera que sea la razón por la que los científicos quieren a Jessa, debe estar relacionada con el recuerdo futuro.

La manta de mylar cruje, y el tobillo de Logan me roza la pantorrilla. Nos separamos.

—¿Callie? —dice.

Trago saliva.

—¿Sí?

Sólo puedo ver su silueta en la oscuridad, pero mi mente recuerda todos los detalles de su cara. Los hoyuelos en sus mejillas, sus pestañas tan largas que temo se enreden y sus dientes rectos y blancos, que forman una sonrisa irresistible.

El silencio nos encierra, como pasa previo a una declaración importante. El corazón me golpea el pecho. Si tan sólo confiara en mí, si me dijera los secretos que oculta sobre Armonía, yo le diría todo. Le contaría sobre mi nueva habilidad psíquica y la conclusión a la que acabo de llegar.

Pero no lo hace. Pasa un angustioso minuto, y luego dice:

—Duerme un poco. Mañana iremos a Armonía.

18

En la mañana, mi espalda está recargada en el pecho de Logan. Su brazo rodea mi cadera. Estamos acurrucados como ratones en un nido.

Debería moverme. Ahora que estoy despierta y consciente de lo que hicieron nuestros cuerpos mientras dormíamos, debería alejarme. Pero no lo hago.

No puedo.

Su cálida respiración me hace cosquillas en la parte sensible de mi cuello, justo junto a mi oído. Una parte de mí quiere liberarse. La otra parte, más en control, se queda perfectamente quieta para no despertarlo y poder disfrutar de esta exquisita tortura todo el tiempo posible. Siento en mis hombros cómo sube y baja su pecho, regular y constante, a diferencia de mi corazón que rebota fuertemente dentro de mí. Su brazo me sostiene, me envuelve, me atrapa posesivamente, como si le perteneciera a él, solamente a él.

Esto no se parece en nada a mis sueños. Las manos se me han dormido bajo el cuerpo, siento pinchazos en la mandíbula y en la mejilla. Y sin embargo, es mejor y más agradable que cualquier cosa que haya imaginado. Podría quedarme aquí el resto del día y fingir. Fingir que no me oculta ningún secreto. Fingir que no va a abandonarme dentro de algunos días. Fingir que se está enamorando perdidamente de mí como yo de él.

—Buenos días —dice Logan.

Doy un brinco, y el corazón casi se me sale por la garganta. ¡Por el Destino! ¿Estaba despierto? ¿Sabía que yo estaba despierta?

Comienzo a alejarme, su mano aprieta mi cadera por un instante y luego la suelta.

—Hola —me doy la vuelta para poder verlo, arrastrándome hacia el borde de la manta de mylar.

Nos miramos. Además del breve intervalo después de haber recibido el recuerdo de Jessa, hemos estado hablando sin palabras y sustituyendo la comunicación con silencios embarazosos. Me doy la vuelta antes de que el silencio se vuelva demasiado espeso y voy al río para limpiarme lo mejor que puedo. Cuando regreso, Logan está sentado sobre una piedra, quitando con una navaja las protuberancias de una rama para poder usarla como bastón. Cuando termina, me ofrece un cuchillo.

—¿Quieres hacer uno?

—No gracias.

Recojo la cantimplora y bebo el agua. Cuando estaba en el área del comedor usaba cuchillos todo el tiempo, pero no he vuelto a tocar uno desde que recibí mi recuerdo futuro. A lo mejor estoy portándome como una tonta, pero después de sentir mi brazo cortando el aire y encajando una jeringa en el corazón de mi hermana, prefiero alejarme de los objetos cortantes.

—Anda —dice, envolviendo mi mano alrededor del mango de hueso.

El cuchillo se siente pesado. Extraño, pero familiar al mismo tiempo. Lo sostengo a contraluz. La hoja es delgada y plana, y termina en una punta recortada. El extremo inferior tiene dientes. Parece inofensivo, sólo una navaja utilizada para tareas cotidianas de campamento. Pero también se podría usar para otras cosas. Los dientes afilados podrían perforar la piel humana igual de fácil que el cuerpo de un animal.

Meto el cuchillo en la funda, temblando.

—En serio, no creo que sea buena idea.

—¿Por qué no?

—Tú mismo lo dijiste. Mi recuerdo futuro me hace dudar de mí —camino nerviosamente frente a la piedra—. La verdad es que ya no sé quién soy. La Presidenta Dresden dijo que soy agresiva, y hace unas semanas yo nunca me hubiera calificado así. Tampoco le hubiera dado un rodillazo en la entrepierna a Cara Cortada, ni saltado de un acantilado. No hay forma de saber qué es lo que haré —respiro profundamente—. Soy peligrosa.

—¿Ah, sí? —sonríe—. Te ves muy peligrosa temblando como una hoja frente a un pequeño cuchillo.

—No es gracioso. ¿Qué tal si enloquezco mientras tengo el cuchillo en las manos?

Sus ojos se arrugan en las comisuras. Sigue sin tomarme en serio. Tengo que hacerlo entender. Tiene que comprender que no está a salvo conmigo.

Abalanzándome sobre él, empujo el cuchillo contra su garganta. Sólo para ver si soy capaz de hacerlo. Si dentro de mí habita un instinto asesino.

Con un movimiento suave, Logan desvía el cuchillo.

—Puede ser que no sepas quién eres. Pero yo sí lo sé.

De pronto, su boca está frente a la mía. Siento como si una docena de cables de alta tensión me atravesara el cuerpo, robándome el aliento y electrificando mis nervios. El corazón me late tan fuertemente que ahoga el zumbido de los insectos y el gorjeo de las aves. Unos cuantos centímetros más y nuestros labios se tocarán. Un pequeño movimiento y nos besaremos.

—¿Quién soy? —digo susurrando.

—Calla Ann Stone. Una chica que busca el sol, como si fuera una flor que absorbe sus rayos. Una chica que ama a su familia con todo su corazón y que es tan valiente que no se detendrá ante nada para salvar a su hermana —se acerca más. Y luego, otro poco más—. Estás haciendo todo lo que yo debí haber hecho por Mikey y no hice. Siempre respetaré eso.

Trago saliva, pero mi boca está completamente seca. No sé si tenga razón. No conozco a esa chica que acaba de describir. No sé si puedo ser ella. Pero me gustaría serlo.

Mis ojos se mueven rápidamente, y levanto la barbilla. La calidez de su aliento se mezcla con el mío.

De repente, siento que algo me presiona el cuello. Abro los ojos asustada, y me doy cuenta de que ya no tengo el cuchillo en las manos. Logan lo sostiene contra *mi* garganta.

—No creo que debas preocuparte por mí —toca mi clavícula con la punta del cuchillo, y luego lo aparta.

¡Ay, por el Destino!, hasta me paré sobre las puntas de mis pies. Tengo la cara empapada de sudor, y retrocedo.

—¿Eso es lo que estabas haciendo? ¿Comprobando tu argumento?

Sonríe, y esos hoyuelos me piden a gritos que los toque.

—Bueno, sí, y también el haberme quedado despierto tantas noches preguntándome a que olerías. Ahora ya lo sé. Hueles a manzanas y miel.

—Eres un mentiroso. ¡Hace días que no me baño!

—¿Por qué creías que ponía una hoja en tu casillero todos los días? Seguramente no pensabas que era porque me gustan las flores, ¿verdad?

Lo miro fijamente y luego estallo en carcajadas. Es una risa que viene desde el fondo del estómago, y que me sacude todo el cuerpo. Me recuerda cuando le hacía cosquillas a Jessa, pero por primera vez, pensar en mi hermana no me pone triste.

Tal vez sea por esas locas endorfinas de la risa, o porque estar con Logan me marea. A lo mejor porque acaba de confirmarme que no soy una asesina a sangre fría.

Cualquiera que sea la razón, me gusta. Cuando han destruido todo tu mundo, cuando eres una fugitiva de la AgeREF y de tu futuro, y cuando eres la peor amenaza para tu hermana, tomas lo que puedes.

—Aquí es —dice Logan algunas horas después, mientras ve el mapa que tiene en las manos.

Estamos en medio del bosque, luego de haber caminado varios kilómetros tierra adentro. Junto a mí hay un montón de raíces expuestas que me llegan hasta las rodillas. En el suelo, la tierra está mezclada con piedras, piñas de pino, y gruesos troncos blancos que se lanzan hasta el cielo.

—¿*Qué* es aquí? —pregunto.

—Armonía, por supuesto. Escucha.

Arrugo la frente. Ahora que lo dice, escucho gritos indistintos resonando en el bosque, y el ruido sordo de un objeto golpeando contra otro.

Pero no hay refugios, ni humo. Y definitivamente no hay gente.

—¿De dónde viene ese ruido? —pregunto.

Señala hacia mi derecha. Entrecierro los ojos. Hay algo que cuelga de la corteza de un árbol, algo que se mezcla casi perfectamente con el bosque. Doy unos pasos hacia delante y miro boquiabierta. Es un aparato en forma de araña, como el que había en el ducto de aire.

—¿Esto quiere decir que este lugar es un gran holograma? —digo moviendo las manos en el aire.

—Hay por lo menos cincuenta arañas holográficas alrededor de la circunferencia de Armonía —dice—. Todas proyectan imágenes holográficas para que la comunidad pase desapercibida al mundo exterior —vuelve a ver el mapa y señala hacia una roca cubierta de musgo que hay frente a nosotros—. Según esto, sólo tenemos que caminar seis metros hacia delante y veremos Armonía realmente.

Me extiende su mano.

—¿Estás lista?

Dudo un poco. No porque no quiera tocarlo, sino porque quiero hacerlo. Quiero tomar su mano y sostenerla para siempre. Quiero que volvamos a ser el equipo Logan-Callie que éramos antes, sólo que diferente. Porque hace cinco años, nunca noté cómo descansa su labio superior sobre el inferior, suave pero confiadamente. Mi respiración no se aceleraba cuando él se acercaba a mí, ni el estómago me daba vueltas cuando me tocaba.

Nuestra amistad ha entrado en terrenos desconocidos. Un terreno que nunca he cruzado con nadie, y que no debería cruzar con él. Por mucho que me guste, sé que Logan no me pertenece. Dentro de poco, regresará a casa. Va a dejarme otra vez.

Pero sólo es una mano. Un simple contacto. Nos tomamos de las manos cuando saltamos del techo. Mi cuerpo estaba pegado al suyo cuando me jaló por el río, y esta mañana nos abrazamos mientras dormíamos.

Tal vez esté bien que tome su mano, sólo esta vez.

—Estamos juntos en esto —dice—. Pase lo que pase, quiero que recuerdes eso.

Con los nervios de punta y el corazón temblando, lo tomo de la mano. Mis dedos color concha nácar y los suyos bronceados se entrelazan como las trenzas en una hogaza de pan.

—Estoy lista —digo. Y caminamos bosque adentro.

19

Caminamos hacia un gran claro, y siento como si hubiera entrado a otro mundo. Hay hileras de cabañas en forma de cúpula que flanquean los tres lados de un cuadrado. Una cabaña hecha de troncos predomina en el centro; al frente veo varias tablas largas provenientes de árboles jóvenes, y una hoguera hecha con piedras.

Luego, a unos diez metros de distancia, veo a un hombre que está trabajando en el cuerpo de un venado. Todo lo demás desaparece. El venado cuelga de sus patas traseras sobre la rama de un árbol, con lo que queda de su estómago frente a nosotros. Tiene el torso abierto de par en par, y puedo contar cada una de sus brillantes y ensangrentadas costillas.

Me tapo la boca con la mano. Alguna vez leí sobre esto en mis clases de Cocina Manual. Sé que de ahí viene la carne. Pero es tan roja, tan cruda y resbaladiza.

El hombre toma al animal y hace una incisión desde la ingle hasta la parte interna de la pierna. El cuchillo corta a través del pelaje como si fuera un pañuelo de papel. Sí, un pelaje liso y café oscuro, que de algún modo ha permanecido limpio a pesar de la masacre.

Siento cómo la bilis sube por mi garganta. Qué bueno que mis profesores no pueden verme en este momento.

El hombre desliza su cuchillo debajo de la piel, cortando *cosas* de las que no quiero saber, y luego, lenta y meticulosamente, jala la piel tirándola hacia atrás, que se desprende en una sola pieza, dejando al descubierto un trozo de carne fresca color rojo oscuro y azul. El estómago me da vueltas.

Me tambaleo hacia delante y tropiezo con un hilo que hay a lo largo del suelo. *¡Cua! ¡Cua! ¡Cua!* Una bandada de aves negras sale volando hacia el cielo, yendo en distintas direcciones. Me tapo los oídos y retrocedo, con el corazón latiéndome aceleradamente. ¿Qué hice?

El hombre se da la vuelta, cambiándose el cuchillo de mano. Es enorme. Creo que es el hombre más grande que he visto en toda mi vida. Es más alto que Logan por lo menos quince centímetros, y probablemente cabrían dos personas como yo entre sus hombros.

—Somos fugitivos y venimos de la Resistencia —grita Logan—. Estamos buscando Armonía, el refugio para todo el que quiere iniciar una nueva vida.

Esa debe haber sido una contraseña. Por favor, ¡ay, por favor!, dila bien.

El hombre se nos queda viendo, y luego deja su cuchillo sobre una roca. Exhalo una bocanada de aire.

—No se preocupen por las aves. Son nuestro sistema de alarma, para protegernos de los intrusos que intentan escabullirse. Me llamo Zed —el hombre camina hacia nosotros, mientras se mira las palmas de las manos—. Los saludaría con un apretón de manos, pero no creo que quieran tocarme.

Al verlo de cerca, se ve más joven de lo que pensé. Supongo que tiene veintitantos años, y es guapo, a pesar de su tamaño. Carraspeo, intentando no alejarme de sus manos.

—Me llamo Callie —señalo con la cabeza la mochila que Logan lleva sobre los hombros—. Creo que tenemos algo para ti. ¿Tenis número 37?

—Creo que me acabo de enamorar —Zed levanta un gigantesco pie. Lleva puestos unos enormes calcetines hechos de gamuza, abiertos por la mitad y amarrados con unas tiras finas y largas del mismo material—. He estado rellenando estas porquerías con pasto, pero no protegen mucho.

—¿Tú los hiciste? —pregunto.

—No. Los hizo mi amiga Ángela. Dentro de poco la conocerán. Es el corazón de Armonía —voltea a ver a Logan—. Perdón, no escuché tu nombre...

Y luego, voltea a verlo otra vez.

—Madre del Destino. Eres Logan Russell, ¿verdad?

—Culpable —dice Logan.

Olvidándose de lo que sus manos estaban tocando hace unos minutos, Zed toma la mano de Logan y la aprieta.

—¡Te tomó bastante tiempo, hombre! Llevo años escuchando historias sobre ti.

¿Qué? Logan dijo que no tenía ninguna relación con Armonía. Dijo que sólo sabía lo que sus padres le contaban. Sabía que no estaba diciendo la verdad, pero nunca me imaginé que era toda una celebridad por estos lugares.

Menos mal que estamos juntos en esto.

—¿Qué historias? —pregunto, pero mi único y verdadero "aliado" se encoge de hombros, como si no supiera de lo que hablo. Ay, pero claro que sabe, sólo que no quiere decirme.

—Vengan conmigo —Zed nos toma a los dos por los hombros. Me estremezco al pensar que ahora tengo trozos de venado en todo el cuerpo. Sin que esto le preocupe, nos conduce por el camino de tierra.

Caminamos por la hilera de cabañas que flanquean uno de los lados del cuadrado. Todos los refugios están perfectamente cubiertos con un material de madera delgada, parecida a la corteza de árbol. Un par de chicas cruzan el espacio que hay en medio, justo enfrente de la cabaña de troncos y la hoguera, llevando en los brazos un montón de madera. Una de ellas lleva puesta una camiseta de malla parecida a la mía, y la otra una túnica de ante, atada por la cintura para darle forma. Se nos quedan viendo curiosamente, pero sólo nos dicen "hola."

—Y... —Zed se voltea y me sonríe ampliamente—. ¿Qué los trae a Armonía?

¿Cómo se supone que debo contestar a esa pregunta?

—¿Sus hermosos paisajes?

Se ríe.

—Ah, eres graciosa. Pero, en serio, ¿por qué están aquí? ¿Están huyendo de la AgeINT o de su futuro?

—N... no es asunto tuyo —digo tartamudeando.

Zed me aprieta el hombro.

—Ay, perdón. Llevo muchos años viviendo en Armonía. No era mi intención ser entrometido.

Parpadeo.

—¿Esto se considera una conversación trivial en Armonía?

—Pues, sí. Es una de las cosas que tenemos en común, así que tratamos de no juzgarnos.

—Si eso es cierto —digo—, supongo que no te importará que pregunte: ¿por qué estás *tú* aquí?

—Dije que tratamos de no juzgarnos, pero no dije que siempre sea así.

Algo atraviesa su cara, un dolor tan profundo, tan crudo, tan *familiar* que hace que mi corazón lata rápidamente. Un instante después, la expresión ha desaparecido. Quita las manos de nuestros hombros y camina unos cuantos pasos hacia delante.

—Pero yo pregunté primero, así que es justo que responda —voltea y se pasa la lengua por los labios—. En el futuro, golpeo a una mujer hasta dejarla hecha puré.

Me estremezco. He escuchado recuerdos malos. Digo, yo viví en un pabellón lleno de futuras criminales. Pero nunca había escuchado una descripción tan cruda y sin remordimientos. Ni una excusa o justificación. Únicamente los hechos.

—Por eso estoy aquí —dice—. No porque tenga que estarlo. Hace diez años, la AgeREF no sabía cómo ver o grabar los recuerdos. Así que sólo yo sabía sobre mi crimen. Pero no encajaba en ningún lugar. Éste era el único lugar que podía perdonarme —hace una pausa—. El único lugar donde podía intentar perdonarme a mí mismo.

—¿Y lo has hecho? —pregunto, susurrando—. ¿Te has perdonado?

Mueve la cabeza negativamente.

—Estoy en eso.

Llegamos a la última cabaña de la hilera, y carraspea antes de hablar.

—Hemos llegado.

Por lo que puedo ver, la cabaña es exactamente igual a todas las demás, está a unos tres metros de distancia de las otras, las tejas son de corteza y hay un enorme pedazo de cuero en la puerta. Pero junto a mí, Logan se pone completamente rígido, y sus dedos se clavan en mi codo. Ha estado tan callado que casi olvido que sigue aquí.

Zed levanta el cuero.

—Después de ustedes.

Logan traga saliva. Ni siquiera cuando saltamos del techo estaba tan nervioso.

—¿Puedes... puedes entrar tú primero? —me susurra, y su voz está cargada de culpa. No sé de dónde viene esa emoción, pero no puedo decirle que no.

Es la primera vez que me pide algo. Arriesgó su libertad cuando me ayudó a escapar del área de detención. Me dio la chamarra más caliente, el pedazo más grande de fruta deshidratada. Y nunca me ha pedido que haga algo por él.

Me lo está pidiendo ahora. Y lo haré, aunque tenga que caminar dentro de una cueva llena de leones hambrientos. Yo entraré primero en la cabaña.

Pero, por favor, que los leones estén dormidos.

Respiro profundamente, y entro a la cabaña. Adentro está oscuro, y hay una cama hecha con cinco o seis palos atados juntos; una cantera a unos cuantos metros detrás de la puerta, y el sol brilla a través de un hoyo en el techo. Una silueta se levanta y se aproxima hacia mí. Camina hacia el sol, y la luz ilumina sus facciones.

¡Madre del Destino! Lo reconocería en cualquier parte.

Está más alto y sus hombros se ven más anchos. Ya no es un niño, ahora es un hombre. Pero la cara de Mikey Russell es inconfundible.

Es el hermano de Logan.

20

Mikey ni siquiera me ve. Sólo tiene ojos para el chico que entró al refugio detrás de mí. Se miran fijamente, y luego la cara de Mikey se frunce. Atraviesa el cuarto dando dos grandes zancadas y abraza a su hermano.

—Mírate. Mírate nada más —dice Mikey.

No puedo quitar la vista de la escena. Un río de lágrimas corre por sus caras. Miden prácticamente lo mismo, tal vez con algunos centímetros de diferencia, y el aire familiar es tan impresionante como siempre. Los mismos ojos sagaces, la misma nariz recta, el mismo cabello rubio. Aunque Mikey tiene el cabello largo, amarrado hacia atrás con un trozo de cuero y luce una barba descuidada.

—Pensé que nunca volvería a verte —dice Mikey.

Logan se limpia la cara.

—Lo mismo digo.

Se separan. Mikey le da una palmada en la espalda a su hermano, lo golpea en el hombro y le acaricia la cabeza. Parece como si no pudiera dejar de tocarlo, como si se estuviera asegurando de que Logan es real y no el resultado de una siesta nebulosa de media tarde.

—¿Te acuerdas de Callie? —dice Logan, señalándome.

Mikey se me queda viendo. Quisiera encogerme hasta quedar del tamaño de una de las plantas que hay en la cabaña.

—¿Esta es la chica de la que no parabas de hablar hace unos cinco años?

—Sí.

Mikey me hace una seña con la cabeza.

—Te ves muy bien.

Sé que sólo lo dice por ser amable, porque mi cabello es un desastre y tengo la piel manchada de lodo seco. O no sé, a lo mejor este es el *look* que les gusta aquí en el bosque.

—No sabía que te escapaste. Pensé que la AgeINT te había llevado lejos y que no habías regresado.

Me doy cuenta de lo tontas que suenan mis palabras, en el mismo instante en que salen de mi boca. Si la Resistencia se tomó tantas molestias para ayudarme a escapar, es obvio que iban a rescatar a uno de los hijos de sus propios miembros.

—El mío fue el primer escape —dice—, y sólo porque mi papá tenía en mente crear una comunidad secreta y yo insistí en ser el líder. Como te podrás imaginar, no rescatamos personas con mucha frecuencia. Eso representa un riesgo gigantesco para nuestros miembros que trabajan dentro de la agencia, y para toda la gente de la Resistencia —mira a Logan de reojo—. Mi hermano debe haber presentado razones de peso ante el Consejo para poder sacarte de ahí.

Logan se ruboriza y me mira rápidamente.

—Les hablé sobre mi recuerdo futuro, y ellos me escucharon.

Su recuerdo. El que lo hizo hablarme ese día en el parque, y que había resultado inesperado. Si el recuerdo fue la causa de que los miembros del Consejo autorizaran mi rescate, entonces debe tener algo que ver conmigo.

La curiosidad me carcome. ¿Cuál será su recuerdo? Pero Logan es una tumba. Si no me lo dijo cuando estábamos solos, menos me lo dirá enfrente de su hermano.

—Me da gusto que estés libre —me dice Mikey, y luego se voltea hacia su hermano—. Pero eso no explica qué haces tú aquí.

—El Consejo dijo que si quería liberar a Callie, tendría que hacerlo yo mismo —sus palabras son lentas y firmes, como si hubiera practicado esta respuesta durante varios días—. Ellos me darían los medios, pero yo tendría que arriesgarme.

—Sí, conozco muy bien las normas —la voz de Mikey aumenta de tono—. Pero la norma no explica por qué mi hermanito estaba metido en asuntos de la Resistencia, ni por qué arriesgaría su carrera como nadador profesional antes de que haya empezado.

—La iban a obligar a llevar a cabo su recuerdo, Mikey. Fue a detención para frenar el futuro, pero si su recuerdo iba a pasar de todos modos, ¿cómo podía dejarla ahí encerrada? Ni siquiera podía estar lejos de la ventana en la escuela —respira jadeando profunda y nerviosamente. En ese momento, se parece más al niño de la clase T-menos cinco, que al valiente chico que me rescató—. No era mi intención venir con ella, te lo juro. Pero no sabe nadar. Por eso salté con ella al río.

Mikey resopla.

—¿No es maravilloso el romance? Juega con tu mente y te hace cometer tonterías como tirar tu futuro por la borda. Y díganme —su cara se pone rígida cuando nos señala a Logan y a mí—: ¿Cuándo comenzó esto?

¿Esto? Mira a Logan, sin saber exactamente qué significa "esto". ¿Debería decirle a Mikey que nos tomamos de la mano cuando entramos a Armonía? Eso es algo, ¿no?

La cara de Logan titubea en la oscuridad dentro de la cabaña. Pero no dice nada.

—Mmm —digo—, apenas empezamos a hablar otra vez.

—¡Explícate! —ladra Mikey.

—Hace cinco años éramos amigos —digo, sin dejar de ver a Logan, deseando que tome la iniciativa—. Y luego dejamos de serlo. Logan volvió a hablarme un día antes de que recibiera mi recuerdo.

Mikey aprieta con la mano un banco hecho con un tripié de palos, y con una base en medio, pero obviamente no me está ofreciendo una silla.

—¿No habían hablado en cinco años?

—No.

—No puedo creerlo —cierra el puño fuertemente, y aun en la oscuridad de la cabaña puedo ver cómo se ponen blancos sus nudillos—. Aunque no lo hubiera aprobado, al menos entendería que pusieras tu vida en pausa por el amor de tu vida. ¡Pero esta chica es una extraña! Lo único que te conecta a ella es una amistad de la infancia de hace mil años. ¿Arriesgaste todo por esto? Logan, ya no eres un niño. Tienes una responsabilidad con toda la gente de aquí. Dependemos de ti. No puedes salir huyendo a tu antojo con una chica cualquiera.

Logan por fin habla.

—Tal vez Callie sólo es una parte. Quizá la otra parte es que quería verte otra vez. ¿Alguna vez te pasó eso por la cabeza?

Esto deja a Mikey en silencio, porque no es una excusa. No es algo que Logan haya dicho para calmar los ánimos. El dolor en su voz es demasiado real.

Quisiera tanto poder consolar a ese niño que perdió a su hermano cuando era pequeño. Quisiera reparar todas las grietas en su corazón, pero no puedo. Logan nunca me ha permitido entrar en esa parte de su vida. Y además, no sabría qué decir. No entiendo de qué está hablando Mikey. Logan sólo tiene diecisiete años. ¿Cómo puede ser que un adolescente de Ciudad Edén ponga en peligro a toda la comunidad de Armonía? No tiene sentido.

Mikey toma a Logan por el hombro. Con un simple toque, le ofrece el consuelo que yo no puedo darle. Siento que una punzada me atraviesa el cuerpo, pero no puedo sentir celos. No cuando Logan por fin ha conseguido lo que había deseado por tanto tiempo: estar nuevamente con su hermano.

—Me alegro de que estés aquí —dice Mikey—. Me alegro más de lo que te imaginas. Pero eso no cambia las cosas. Esta chica no significa nada para ti. Tu vida no hubiera cambiado un ápice si la hubieras dejado en manos de la AgeREF. Pero, ¿qué hay de nosotros? No podemos sobrevivir sin ti, Logan. ¿En qué estabas pensando? ¿Cómo pudiste hacer esto?

Logan tendrá que confesarle la verdad. Tiene que decirle lo culpable que se sintió cuando se llevaron a Mikey, que haberse sacrificado por mí fue una forma de compensar el no haber hecho nada hace tantos años. Pero se queda callado. Sólo se muerde el labio, aceptando las críticas, mientras juega con los dedos sobre su pantalón.

—Actuaste sin pensar. Tan simple como eso. Un hermano mío jamás tomaría una decisión tan estúpida deliberadamente.

De pronto, me viene a la cabeza algo que dijo Logan sobre su hermano. "Quiero que esté orgulloso de mí". No puedo seguir viendo esto. No soporto ver a Logan destrozado y menos por el hermano al que tanto quiere impresionar.

—No lo hizo por mí, ¿sí? —digo—. Aunque yo estaba ahí, y necesitaba su ayuda, no fue *por mí*. Logan saltó al río por ser quien es, porque es valiente, noble y generoso. Es la persona más generosa que he conocido. Puede ser que a ti no te importe lo que me pase. Pero yo nunca olvidaré a lo que tu hermano renunció por salvarme.

—¿A lo que renunció? —sus labios se tuercen en una sonrisa—. Obviamente a su vida. Puede tirarla a la basura si se le da la gana. Pero ¿el futuro de Armonía? ¿La estabilidad de nuestra comunidad? No, eso no lo puede decidir él.

—¿De qué hablas?

Mikey voltea a ver a Logan.

—¿No le dijiste?

—Por supuesto que no —no ve a su hermano ni tampoco me ve a mí. Sólo mira el tapete como si estuviera contando el número de hojas entrelazadas—. No voy por la vida contándole nuestros secretos a extraños.

Bueno, entiendo que esté frustrado con su hermano. Pero me ofreció su mano. Dijo que estábamos juntos en esto. Oírlo decirme extraña es un golpe directo al corazón.

—Entonces, ¿no sabe lo que ocasionó? —pregunta Mikey, con una voz tan dura que siento como si pudiera atravesar la cabaña y abofetearme.

—No seas tan dramático. No es para tanto.

—Claro que es para tanto. Podemos improvisar muchas cosas aquí en el bosque, pero hay otras que necesitamos de la civilización. Dependemos de esas mochilas, Logan. Necesitamos estar en contacto con la Resistencia.

—Entiendo —dice Logan—. Pero ya se te ocurrirá algo, Mikey. Siempre se te ocurre algo.

Estoy escuchando con toda mi atención, pero sigo sin entender.

Mikey golpea el tapete con el pie. Parece como si esta conversación lo hubiera agotado, y ya no tuviera fuerzas para enojarse.

—Callie, ¿sabes por qué me arrestó la AgeREF?

—Sí —respondo—. Hiciste flotar sobre la cancha una pelota de frontón.

—Supongo que eso es lo que sabe todo el mundo, pero lo que no todos saben es que no soy el único hermano Russell con habilidades psíquicas. Sólo que Logan es más discreto.

Parpadeo, y trato de registrar las palabras en mi mente. ¿Logan tiene habilidades psíquicas? ¿Cuáles? ¿Ocultar información? Volteo a ver a Logan y me paso la lengua por los labios, casi temiendo preguntarle.

—¿Qué... qué puedes hacer?

Los dos hermanos se miran. Algo sucede entre ellos, pero es demasiado sutil para captarlo. Parece como si el aire estuviera a punto de explotar por la energía contenida, y Mikey se ríe, moviendo la cabeza. Creo que va a ignorar mi pregunta, pero entonces voltea a verme.

—La telequinesis es una habilidad preliminar, que se manifiesta durante la niñez. Es un buen truco, pero no sirve de mucho. Sólo puedo hacer levitar cosas que pesen menos que una pelota —hace una pausa y respira—. Nuestra verdadera habilidad es que los hermanos Russell podemos comunicarnos de mente a mente. O, mejor dicho, que puedo hablar directamente con la mente de Logan. La mayoría de las veces, él no puede responderme, de no ser por un pensamiento breve de vez en cuando, pero puede captar mis palabras con toda claridad.

Su mirada me clava contra la pared. Me siento tan indefensa como una mariposa en exhibición.

—Durante años, Logan ha sido nuestro contacto en Ciudad Edén. Es nuestra forma de comunicarnos con la Resistencia. Él es quien nos envía las mochilas con los suministros que necesitamos para sobrevivir. Y ahora, claro, está aquí, en vez de estar allá. Por tu culpa —dice cada palabra lentamente—. Yo diría que nos han cortado nuestra cuerda salvavidas, ¿no crees?

21

Salgo corriendo. Después de la oscura luz de la cabaña, el sol de media tarde me ciega, pero no importa. No puedo ver nada, de todas formas.

Voy tropezándome por el camino de tierra. No sabía. Juro que no sabía. Traté de detenerlo, de verdad lo hice, pero todo pasó muy rápido. Logan quería saltar. ¿Por qué quería saltar?

Pretextos. Tropiezo contra un árbol, y la corteza me raspa los antebrazos. Respiro jadeante. Sólo son mentiras. Tengo que llamarlas por su nombre. La verdad es que quería que Logan viniera conmigo. Hubiera podido pedirle en cualquier momento de nuestro viaje que se regresara, pero no lo hice. No me importó saber a qué estaba renunciando, porque no quería estar sola. Si hubiera regresado a casa, la comunidad no estaría en peligro. Si yo no fuera tan asquerosamente inútil, Logan estaría en donde pertenece.

El futuro tenía razón sobre mí. Si necesitaba comprobar que soy tóxica para la gente que me rodea, aquí está la prueba. La vida de Logan ya sólo es una sombra de lo que hubiera podido ser, y el futuro de Armonía está en peligro. Todo por mi culpa.

—Callie —una mano suave toca mi hombro—. ¿Estás bien?

Volteo y escondo mi cara en el pecho de Logan. El duro contorno de sus músculos aprieta mis mejillas. Debería estar furiosa con él, pero yo también soy culpable. ¿Por qué no pude venir sola? ¿Por qué no fui lo suficientemente fuerte?

—Perdón —digo susurrando—. Perdóname, por favor.

—No te disculpes —rodea mi espalda con su brazo—. Tú no hiciste nada malo. Soy yo el que debería pedir perdón por no haberte contado todo esto antes.

Retrocedo un poco y lo miro a la cara. Estamos parados bajo la sombra de una de las cúpulas de las cabañas, y la brisa huele a pino fresco. Aspiro profundamente, comprendiendo que nunca antes había estado tan lejos de la civilización. Tan lejos que ni siquiera puedo oler la ciudad.

—¿Por qué eres tan bueno conmigo? —pregunto.

Suspira.

—Cuando me ves así, me dan ganas de seguir fingiendo que soy el héroe que tú ves en mí. Pero la verdad es que no soy ningún héroe. Al contrario.

Recargo mi cabeza contra el árbol. Según yo, hasta ahora sólo ha tomado una decisión poco heroica.

—¿No podías haberme dicho algo? Entiendo que soy una extraña, y que volvimos a hablarnos hace poco. Pero yo te conté mi recuerdo. ¿No podías haber compartido conmigo uno de tus secretos?

—Tenía miedo —dice.

—¿De qué?

—Es una larga historia —juega inquietamente con el dobladillo de su camisa, como si estuviera decidiendo si puede confiar en mí o no—. Hace cinco años dejé de hablarte porque cada vez que te veía me recordaba lo que no había hecho. Pero, ¿por qué les dejé de hablar a los demás? Los evitaba porque veía la forma en que miraban a Mikey, como si fuera un fenómeno. Y no quería que me vieran igual.

Lo tomo de la mano. Sé cómo se siente. He visto a Jessa sola en el patio de juegos durante la clase al Aire Libre, fingiendo que no ve a las otras niñas mientras gritan, se ríen y juegan a atraparse. Tal vez sus compañeras de clase no sabían exactamente lo que la hacía diferente, pero obviamente lo era.

Todo ese tiempo perdido. Mientras Logan escondía sus habilidades del mundo, yo escondía a Jessa. Pudimos habernos dicho lo que estaba pasando, y sufrir juntos, sintiendo consuelo al saber que había otra persona que comprendía la situación.

—Debiste decírmelo —reclamo—. No te hubiera juzgado.

—Lo sé. Y quería decirte. Sobre todo ese día en el parque, cuando vi a Jessa adivinando el color de las hojas. Pero acababa de recibir mi recuerdo futuro, y eso cambió las cosas por completo.

Espero un momento, con la respiración atrapada en los pulmones y mis esperanzas encerradas en el pecho.

—Mi recuerdo no resultó cómo esperaba —las palabras salen de su boca como si fueran melaza que gotea de un árbol: lentas y viscosas, como llenando por completo cada segundo—. Como te dije, me vi como un nadador profesional. Estaba calentando para la última ronda del campeonato nacional, y tenía garantizada la victoria. Pero eso fue sólo una parte. Todos los detalles eran muy evidentes. El cemento mojado bajo mis pies descalzos. El olor a cloro que llenaba el aire. Una cicatriz en el centro de la palma de mi mano.

Levanta su mano, y ambos nos quedamos viendo la piel suave y todavía impecable.

—Y luego vi al público, a una chica en particular, y tuve una impresionante sensación de pertenencia, de ser aceptado completamente como soy.

Patea rítmicamente con su pie la base del árbol. La corteza se desprende, dejando al descubierto un pedazo de madera desnuda y suave.

—Me enojé mucho cuando recibí mi recuerdo. Si no sabía lo que significaba, ¿cómo podría entonces guiar las decisiones de mi vida? Y luego te vi en el parque —deja de patear—, y pensé que tal vez lo que el recuerdo me estaba diciendo era que debía confiar en ese sentimiento e ir tras él. Que "este sentimiento hace que valga la pena vivir la vida".

—No entiendo —susurro—. ¿Qué tiene que ver eso conmigo?

—Tú eras la chica de mi recuerdo —se da la vuelta hasta que sus hombros me impiden ver las cabañas y el humo saliendo de sus techos. Hasta que sus ojos, tan verdes como el pasto del bosque hinchado de tierra y agua, parece que van a tragarme. Hasta que su cara se convierte en mi mundo entero—. Me haces sentir que pertenezco. Siempre me has hecho sentir así. Y por eso no te dije nada de las mochilas. Porque tenía miedo de que eso cambiara lo que sientes, y quería aferrarme a ese sentimiento un poco más.

22

Creo que me he quedado sin palabras. Siento como si el corazón no me cupiera en el pecho, como si fuera una matrioska a la que armaron en el orden incorrecto. Levanto mi mano y la coloco en su mejilla, que hace unos días estaba perfectamente rasurada. Ahora, los vellos recién crecidos me pican las puntas de los dedos, y un escalofrío me recorre la espalda, bajando por mis brazos y soplando una brisa fresca en mi cuello.

Se acerca un poco más.

—¿Lo ha hecho? Digo, que si ha cambiado lo que sientes.

—Estoy mejor.

Sus labios tocan los míos, tan ligeramente como una mariposa bailando en el viento. Me siento perdida. En la escuela, aprendimos sobre el efecto mariposa, que algo tan insignificante como el aleteo de las alas de un insecto podía ocasionar un huracán al otro lado del mundo. Bueno, pues esa soy yo. Hay una tormenta en mi interior dando vueltas violentamente, amenazándome con llevarme lejos. Esta vez desearía poder ahogarme.

El beso se intensifica. El calor del contacto de nuestros labios se extiende por todo mi cuerpo, envolviéndome en la calidez de Logan. Pongo mis manos en su cuello, y él me lleva hacia atrás hasta apoyar mis hombros contra la corteza del árbol. Su boca se mueve por mis labios, mi lengua, mis dientes. Sus manos tocan mi cara...

Siento que voy a morir. El roce de sus dedos contra mi mejilla, antes suave y adolorida, acaba conmigo. No sabía que un beso podía ser tan bello. No sabía que un chico podía significar tanto. No sabía que podía volver a ser tan feliz.

Muevo mis manos hacia su cara, tocando sus mejillas como él toca las mías, y es como si estuviéramos tocando nuestra esencia misma con los dedos. No hay secretos entre nosotros. No hay confusiones, ni heridas o miedos sobre el futuro. Sólo su boca y mis labios; sus costillas y mi pecho. No pienso en nuestro distanciamiento de cinco años, ni en la separación que se aproxima, cuando tenga que regresar a Ciudad Edén. Todo lo que siento es nuestra cercanía. El contacto de nuestros cuerpos y almas. En ese momento, Logan y yo somos uno.

Después de una eternidad, Logan se aparta y sonríe. Estamos tan cerca, que puedo sentir el contorno de sus labios y la brisa de aire que sale de su boca y entra en la mía.

—Bueno —digo, cuando puedo volver a hablar—, si así es como reaccionas por una confesión tardía... ¿no habrá algún otro secreto que quieras compartirme?

Se ríe y me da un pequeño beso en los labios.

—Por el momento, estoy limpio.

Logan y yo caminamos tomados de la mano hacia la cabaña de Mikey. Cuando nos acercamos, Mikey levanta el pedazo de cuero y sale. Al principio, pensé que los hermanos parecían gemelos, pero a la luz del sol, veo las diferencias que no percibí antes. La piel de Logan tiene un bonito tono bronceado y dorado, y la de Mikey se parece a la corteza café oscuro de los pinos. Además, sus venas saltan y sobresalen contra unos músculos gigantescos, el tipo de complexión resultante de vivir en el bosque.

Al ver nuestros dedos entrelazados, arruga la frente.

—¿Ya se reconciliaron los tortolitos?

Suelto la mano de Logan, ruborizada. Está claro que Mikey no aprueba nuestra relación. Y, ¿por qué lo haría? Tal vez Logan esté aquí de momento, pero él pertenece a la civilización. Lo nuestro sólo puede ser temporal.

Lo nuestro sólo puede ser temporal.

Esas palabras me congelan la espalda. ¿Cómo pude olvidarlo? El futuro de Logan está en Ciudad Edén, en donde es un nadador profesional con un cuarto lleno de medallas. Ahí lo necesitan para comunicarse telepáticamente con Mikey y llenar las mochilas con las provisiones necesarias.

El hielo se instala en mis pulmones, acumulándose hasta que ya casi no puedo respirar. Me siento tan bien cuando tomo a Logan de la mano o lo beso. Cuando estamos juntos, no pienso que soy un monstruo. Me siento como la chica a la que él ve, la que puede ser fuerte cuando necesita serlo. Pero nada de eso importa. Él no es para mí.

Espero a que Logan le responda a su hermano, a que le explique que no importa lo que Mikey piense o vea. De todas formas, en unos cuantos días, todo habrá terminado.

Pero no dice nada. Y entonces entiendo lo que pasa. Yo tengo mis puntos débiles, y él tiene los suyos. Logan puede salvarme de la AgeREF y llevarme a cuestas cruzando un río. Pero lo que no puede hacer es protegerme de la ira de su hermano.

No importa. En este único aspecto de nuestras vidas, yo puedo defendernos a los dos.

Miro a Mikey a la cara y levanto la barbilla.

—Siento haberte quitado tu medio de comunicación con la gente de la Resistencia. Si hubiera sabido, tal vez hubiera actuado dife-

rente. Pero lo hecho, hecho está. No puedo regresar el tiempo y cambiar nuestras decisiones, y el que me odies no arreglará nada.

El viento me remueve el cabello, y el potente sol me quema los brazos. Mikey se me queda viendo, y luego asiente con la cabeza bruscamente.

—Bien.

Entiendo que no me ha perdonado. Sólo está poniendo su rencor en un segundo plano. El problema con el segundo plano es que ahí las cosas no desaparecen, sino que sólo se quedan esperando hasta que vuelven a salir a la superficie...

Volteo a ver a Logan, desesperada por cambiar el tema.

—¿Su habilidad psíquica es poco común? ¿Mikey puede comunicarse con otras personas de Ciudad Edén?

—No funciona así —dice Mikey—. No puedo enviarle mensajes a quien yo elija. Tiene que haber una conexión genética, y mientras mayor sea la coincidencia de ADN, mejor —se toca la barba con los dedos—. Mi vínculo con Logan es el más fuerte, pero también puedo comunicarme con nuestra madre. No puedo enviarle las frases completas que mando a la cabeza de Logan, pero, si me concentro lo suficiente, puedo transmitirle una imagen específica.

Mi pecho se relaja.

—Eso es genial. Significa que puedes seguir mandando mensajes.

—No, no es genial —dice enojado—. En el mejor de los casos es tedioso, y en el peor ineficaz. No es una respuesta, sólo es una medida de emergencia. Servirá por unos días, pero no es una solución a largo plazo.

Me lanza una mirada fulminante como si yo fuera la culpable. Es obvio que el problema no está resuelto, en lo más mínimo. Sólo fue relegado otra vez a ese terrible segundo plano.

23

Mikey nos lleva bosque adentro hacia el lado oeste de la aldea. Después de caminar casi un kilómetro, llegamos a un gigantesco campo con hileras e hileras de plantas. Hay un montón de personas a lo largo del terreno, cavando la tierra, quitando hierbas y amontonando tubérculos. Veo papas grumosas cafés, enormes cebollas finas como el papel, y ¡zanahorias! La cáscara anaranjada está oscurecida por la tierra, pero la frondosa parte superior es verde y abundante.

Contengo la respiración. He leído sobre cómo se cultivaban los alimentos en la era pre-Auge, pero nunca pensé que lo vería en la vida real. En la Clase de Cocina Manual, teníamos un pequeño jardín, pero, hoy en día, la mayoría de los vegetales se obtienen de invernaderos hidropónicos, que están puestos sobre hileras elevadas para ahorrar espacio y aumentar su eficacia.

Mikey da unos pasos hacia delante, y se pone las manos alrededor de la boca.

—¡Oye, Ángela! ¿Tienes un minuto? Quiero presentarte a tu nueva compañera de cuarto.

Una mujer se pone de pie y se acomoda en la cadera una canasta con zanahorias. Tiene mil trencitas en el cabello, cubiertas por un trapo, y sus pantalones están manchados de tierra desde la rodilla hasta abajo. Sus resplandecientes ojos brillan, mientras camina hacia nosotros. Esa sonrisa podría suministrar energía a toda Ciudad Edén.

Llega hasta donde estamos y mueve su mano por el brazo de Mikey, con la confianza que sólo da una relación larga. Sus manos se unen, y un par de pulseras iguales, tejidas con las hojas de una planta, brillan en la luz.

Mientras Ángela saluda a Logan abrazándolo, yo escondo mi muñeca, que sospechosamente no tiene un tatuaje de reloj de arena, detrás de mi espalda.

—Tú debes ser el hermano de Mikey. Bienvenido a Armonía. Aunque he de decir que no me alegro de verte. Tenía la esperanza de que por lo menos un hermano Russell viviera tranquilamente en la civilización —mira a Mikey amorosamente y le guiña el ojo a Logan—. Y aquí entre nos, me alegraba mucho que fueras tú.

—Bueno, pues a mí me alegra estar aquí —Logan me señala y dice—: Ella es Callie.

Ángela me da una de sus deslumbrantes sonrisas.

—Bienvenida. Ya terminé con las zanahorias. ¿Por qué no dejamos que los chicos se pongan al día, mientras me ayudas a preparar la cena? No te da miedo ensuciarte las manos, ¿verdad?

—No, para nada —contesto, muriéndome de ganas por tomar una zanahoria de la canasta—. Vivo para esto. No puedo creer que cocines manualmente todos los días.

Ángela se ríe.

—La mayoría de la comunidad lo ve como un castigo, más que como un lujo. Si se me quema el guiso, tienen que comérselo de todas formas.

—¡Pero eso es lo hermoso! —cedo a la tentación y tomo una de las zanahorias. La acerco a mi nariz, e inhalo profundamente. Así es cómo deberían verse y oler todos los vegetales, como si vinieran directamente de la tierra, porque de ahí es de donde vienen—. ¿Qué importa si tu comida no sabe bien, o si siempre sabe igual? Lo que le da sabor a la vida es la variedad.

—Callie estaba estudiando para ser una chef de la época pre-Auge —dice Logan—. Era la mejor de su clase.

Suelto la zanahoria.

—¿Y tú cómo sabes?

—Probaba tus platillos todos los años en la Exhibición de Arte —contesta suavemente—. Y tienes razón, la comida sabe mejor mientras menos delicado sea su sabor. Algunas personas decían que tu guacamole tenía demasiado cilantro, pero a mí me parecía excelso.

Nuestras miradas se cruzan y se detienen. No debería estar haciendo esto. No debería sentir cosquillas en mi espalda, ni guardar sus palabras en mi memoria para poder recordarlas después. Logan puede ser el chico más perfecto del mundo, pero no es para mí. Pertenece a Ciudad Edén, donde lo necesitan para mantener Armonía con vida. En el fondo, estoy consciente de eso. Me obligo a dejar de sentir esa sensación de cosquilleo, ahogándola con un sentimiento de culpa.

Mikey carraspea.

—Tenemos que irnos, Logan. Hay muchas cosas que quiero enseñarte antes de la cena.

Me despido de los chicos, y cuando me doy la vuelta veo que Ángela me observa.

—¿Qué fue eso? —me pregunta.

Pongo la zanahoria en la canasta.

—¿Qué cosa?

Se acomoda la canasta sobre la cadera y camina bosque adentro, mientras yo la sigo.

—Tal vez esto no me importe —dice—. Sé que apenas los acabo de conocer, pero he oído historias sobre Logan desde hace años. Lo amo porque Mikey lo ama, y no quiero que nadie lo lastime. Por eso pregunto: ¿qué pasa entre ustedes?

Me froto el pecho, pero no sirve de mucho para aliviar mi corazón adolorido. ¿Cómo puedo resumir nuestra historia en unas cuantas palabras? Aunque si se mira bien, no es complicada en lo más mínimo.

—Éramos amigos, y luego ya no lo fuimos. Y ahora somos amigos otra vez, y tal vez podríamos ser algo más... pero Logan tendrá que irse pronto a casa. Lo nuestro jamás funcionaría a largo plazo.

Enderezo los hombros, sintiéndome decidida. Ya no hablemos a largo plazo. No funcionará ahora. Y eso significa que debo luchar contra esta atracción. Logan no nos separará, pero, por su bien, soy yo quien debe hacerlo.

Ángela da vuelta a la izquierda en un árbol que se ve exactamente igual a los demás.

—La mitad de nosotros estamos aquí para escapar de nuestros futuros, Callie. No podemos preocuparnos por lo que pasará mañana, así que nos enfocamos en el día a día. Es todo lo que tenemos.

Mientras esquivo las rocas y brinco algunas raíces, reflexiono en sus palabras. Toda mi niñez fue una cuenta regresiva hasta llegar al día en que recibiría mi recuerdo del futuro. Pasé mucho tiempo anticipándome al mañana, haciendo planes, imaginando posibilidades y preocupándome sin cesar. Creo que no sé cómo vivir en el presente. Ni siquiera sabría por dónde empezar.

Nos detenemos en un árbol, y de pronto la aldea está frente a nosotras, con sus hileras de cabañas flanqueando tres lados de un cuadrado. Saco de mi mente los pensamientos sobre Logan. Más tarde tendré tiempo de sobra para sentir lástima por mí misma. Ahora, tengo que aprender todo un estilo de vida.

Ángela se dirige hacia la cabaña hecha de troncos y pone las zanahorias sobre una de las grandes mesas de madera que hay al frente.

—A este lugar lo llamamos la Plaza de la Aldea —dice—. Es el centro de la vida en Armonía. Aquí es donde comemos, cocinamos y pasamos el rato. El almacén general está adentro de la habitación, y en el invierno todos dormimos ahí.

Camina hacia dos cuencos de madera puestos juntos frente a la cabaña de troncos y destapa el primero.

—Ya no tenemos agua potable. Tengo que preparar más.

Toma un poco de agua del segundo barril con una lata grande de aluminio y la lleva a un tripié hecho con palos de madera. Se parece un poco a la silla tripié de Mikey, pero en vez de tener un asiento, hay tres capas de material poroso atadas a los palos. Ángela vierte el agua en el primer nivel, y ésta se filtra a través de las tres capas hasta llegar al cuenco colocado en el suelo.

Observo el material poroso de cada capa. Pasto, arena y carbón.

—Qué increíble —digo asombradísima al ver el agua caer.

—¿Nunca has oído historias sobre esto? —me pregunta—. Mikey dice que hoy todos los niños de la Resistencia quieren venir a Armonía. Logan ha estado practicando durante años cómo encender un fuego.

Conque así fue como aprendió. No fue gracias al curso optativo de Técnicas Ancestrales.

—No, nunca antes había oído de la Resistencia, aunque mi hermana tiene habilidades psíquicas.

—Qué raro —dice—. La Resistencia siempre encuentra la forma de ponerse en contacto con la gente indicada. Tus papás deben estar más escondidos que la cabeza de una avestruz.

Sí, tiene toda la razón. Siempre hemos sido muy reservados con nuestras cosas, y mamá siempre me enseñó a no hablar sobre mi familia. Pensaba que el gran secreto era la habilidad psíquica de Jessa.

Pero hay todo un grupo de personas que comparten las mismas habilidades y se han unido para ayudarse mutuamente. Mamá debió buscar la forma de ser parte de este grupo. Hubiera sido más fácil proteger a Jessa con los recursos de la Resistencia.

A menos que el gran secreto no sea la habilidad psíquica de Jessa, y que mamá esté ocultando algo completamente distinto.

Hago una mueca mientras Ángela toma el cuenco de agua recién filtrada y lo vacía en el caldero.

—Tengo que advertirle a mamá sobre mi recuerdo del futuro. Dentro de algunos meses, la AgeINT arrestará a mi hermana. Cuando el cabello le haya crecido hasta los hombros. Sé que Logan es su medio de comunicación, y que ahora está aquí. Pero, ¿crees que Mikey pueda enviar un mensaje a través de su mamá?

—Claro. Hablaré con él —dice. Tan fácil como eso. Sin hacer preguntas, ni pedirme nada a cambio. Debería pedírselo a Mikey yo misma, pero seguramente estará más abierto si lo hace Ángela—. Tu mamá es Phoebe Stone, ¿verdad?

Me quedo boquiabierta.

—¿Cómo supiste?

Su mano se queda inmóvil sobre el caldero.

—Es miembro de la Resistencia, ¿no?

—No, no creo.

—Ah. Supongo que debo haber escuchado su nombre en otra parte.

Arrugo la frente, tratando de pensar. ¿Es posible que mamá sea miembro de la Resistencia y que nunca me lo haya dicho?

No, no puede ser. Nos contábamos todo. Teníamos que hacerlo. Siempre fue nuestra familia contra el mundo. Los tres lados de un triángulo. Mamá nunca me ocultaría un secreto tan grande, ¿o sí?

Me levanto y lleno con agua otra lata para vaciarla en el tripié. Ya no sé qué pensar.

Me siento tan sola desde que recibí mi recuerdo del futuro. Pero tal vez siempre ha sido así, y apenas hoy me estoy dando cuenta.

24

Dentro de un caldo espeso y café, varios pedazos de zanahoria cortada en cubos perfectos nadan junto a la carne de venado. Mientras hierve a fuego lento, agrego otra pizca de orégano al estofado, y el aire se llena de un delicioso aroma.

—Huele increíble —alabo lo que será mi primer cena en Armonía.

Ángela coloca una hilera de tazones de madera sobre la enorme mesa. El sol parece un resplandeciente huevo sobre los árboles. Me dijo que la cena empezaría cuando el sol estuviera "justo ahí" en el cielo. Pero, ¿estaba señalando hacia la punta de los árboles, o unos centímetros más arriba?

—Creo que mi trabajo como Chef Manual está en peligro —dice—. En cuanto la gente pruebe tu estofado, me sacarán de las pantallas holográficas.

Tiro el cucharón dentro del caldero y tengo que rescatarlo con cuidado.

—No quiero quitarte tu trabajo, te lo prometo, sólo quiero ayudar.

—Es broma —dice, mientras me da un trapo para limpiar el cucharón—. Además, estaría feliz de dejarle mi lugar a alguien tan talentosa como tú. La única razón por la que me ofrecí es porque nadie más lo hizo. Si quieres el puesto, sólo tienes que decirlo.

El trabajo de mis sueños. Debería estar feliz por la oportunidad de poder cocinar. Pero cuando abro la boca para aceptar, las palabras se quedan atoradas en mi garganta. Y entonces entiendo que no he dejado atrás mi antiguo mundo.

Tal vez mi cuerpo esté aquí, pero mi corazón y mi mente siguen con mi mamá y mi hermana en Ciudad Edén.

Sirvo una buena porción de estofado y le doy el tazón a Ángela para ganar tiempo.

—Me encantaría. Pero no sé si mi estancia aquí será... definitiva.

Ángela pone el tazón sobre la mesa junto a los otros.

—¿A dónde irás? ¿Regresarás a Ciudad Edén?

—No, claro que no. Nunca tentaría así al Destino —doy vueltas en la cabeza a mis pensamientos, tratando de entender lo que digo—. En algún momento del próximo año, la AgeINT arrestará a mi hermana. No sé si pueda hacer algo estando tan lejos. Pero si hay algún lugar al que pueda ir para saber qué es lo que traman, es decir, por qué quieren a mi hermana y por qué están tan interesados en sus habilidades psíquicas, tal vez le dé a mamá una oportunidad de protegerla.

—No tienes que ir muy lejos —dice.

—¿Cómo?

—Piénsalo. ¿Quién creó Armonía? La gente de la Resistencia. Y, ¿quién es la Resistencia? Un montón de psíquicos. Te apuesto lo que quieras a que toda la información que buscas está justo aquí.

Suelto el cucharón.

—Eres brillante, Ángela.

Me da una de sus sonrisas de mil watts.

—Sí, eso me han dicho.

Formamos un buen equipo. Yo sirvo el estofado, ella limpia los tazones y los pone sobre la mesa.

En el transcurso de la siguiente hora, conozco a los cincuenta habitantes de Armonía. Hay un hombre con barba grisácea que le llega hasta la cintura. Una chica pelirroja con rastas, que me recuerda a Melan. Un niño pequeño y flacucho, llamado Ryder, que está aquí sin sus padres. Todos parecen simpáticos, especialmente Ryder, que me sonríe tímidamente después de darle a Ángela un gran abrazo. Pero no dejo de sentirme como la chica nueva de la clase. Me alegra tener una olla llena de estofado detrás de la cual esconderme.

Los hermanos Russell llegan cuando estamos raspando el fondo de la olla. Mikey camina directamente hacia Ángela y le susurra algo. La toma por la cintura, creando así una barrera entre ellos dos y nosotros.

—¿Qué? —dice, agitando la mano y salpicando el tazón de estofado—. No.

Mikey sigue susurrando, mientras le acaricia el cabello con la mano.

—No. No puede ser —sus hombros comienzan a temblar, y se muerde los nudillos.

Mikey mira a su alrededor. Parece perdido. Es la primera vez que no está en control.

—Callie, ¿puedes terminar de servir? Necesito sacar a Ángela de aquí.

Apenas tengo tiempo de asentir con la cabeza cuando ya se han ido. Lo último que veo de Ángela son lágrimas rodando por sus mejillas.

Volteo a ver a Logan, y el estómago me da vueltas rápidamente. Han pasado horas desde la última vez que lo vi. Horas en las que pudo haber reconsiderado el beso y decidido que no vale la pena tener una relación. Seguramente yo hubiera llegado a la misma conclusión, pero no creo poder lidiar en este momento con el rechazo de Logan, encima de todo lo que está pasando. Quiero ser *yo* la racional aquí. Tal vez estoy siendo egoísta o quizá infantil. Sintiéndome culpable, me reprocho por tener estos pensamientos, pero no desaparecen.

—¿Qué pasó? —pregunto, tratando de que mi voz suene normal.

—No tengo idea. Pasamos toda la tarde pescando, y cuando regresamos a la cabaña, Mikey encontró un sobre en la mochila que traje de Ciudad Edén —se pasa la mano por el pliegue de la frente—. Era algo que tenía que ver con Ángela.

Se para detrás de la mesa, junto a mí, como si fuera lo más normal del mundo. Como si fuera un hecho que quiere estar conmigo.

Mi pulso se acelera. A lo mejor no ha reconsiderado nada. Quizá le pasó lo mismo que a mí, y las horas sólo hicieron que me extrañara más. Tal vez su mente le dice algo, y su cuerpo, corazón y alma le dicen otra cosa. No pierdo nada soñando.

Sirvo la última porción de estofado. Algunas personas más se acercan por los tazones, pero muy pronto queda claro que ya no vendrá nadie más.

—¿Ya comiste? —me pregunta, y su respiración me hace cosquillas en el hombro.

—Quedé llena de tanto probar el estofado.

—Entonces, acompáñame. Quiero enseñarte algo.

Toma un tazón de estofado para él y me lleva a través de la aldea. Caminamos medio kilómetro bosque adentro, y nos deslizamos detrás de una pared de árboles.

La respiración se me detiene. Mechones verdes de pasto se asoman a través de las brillantes hojas de colores que hay en el suelo, y un montón de mariposas vuelan entre las flores silvestres moradas. Los árboles nos protegen del viento y el ruido, y quizá de todo el mundo exterior.

—¿Cómo encontraste este lugar? —pregunto.

—Mikey me lo enseñó. Le gusta venir aquí cuando necesita pensar.

Mientras come su estofado, nos sentamos sobre un tronco que está recargado contra un árbol. No hablamos, pero este silencio se siente diferente al de hace cinco años. No está lleno de palabras no dichas y sentimientos heridos. No se parece al chillido de la fresa del dentista justo antes de entrar en la boca. Es simplemente… lindo.

Logan toma un pedazo de zanahoria con la cuchara, y levanta el tazón para beber el caldo.

—Está delicioso.

Palabras sencillas. Esta noche he recibido el mismo cumplido un montón de veces, pero cuando lo dice Logan, siento mariposas en el estómago.

—Gracias.

—Me siento mal comiendo solo —toma un trozo de carne de venado—. Toma, come un poco.

—No quiero quitarte tu comida.

Acerca el pedazo de carne a mi boca para que lo coma.

—Vamos. Si tengo compañía, disfrutaré más mi cena.

Tímidamente, me inclino hacia delante y tomo la carne de sus manos. En cuanto mis labios rozan sus dedos, una chispa me recorre el cuerpo, como un fuego artificial que enciende todos los nervios de mi cuerpo. El sabor del venado es fuerte y rico. Yo misma lo sazoné, así que debería saberlo. Pero no se compara en nada con el sabor de la piel de Logan. Suave pero firme. Cálida, ligeramente salada y completamente irresistible.

El sol se ha escondido detrás de los árboles, y miro rápidamente a Logan bajo la débil luz. No es mío, pero Ángela dijo que me enfocara en el día a día. Eso significa que debo disfrutar la vista que tengo frente a mí, aunque sólo sea temporal.

—¿Qué? —dice, y me doy cuenta de que lo estoy viendo fijamente.

Bajo la vista, sonrojada.

—Nada. Quería, mmm... quería contarte algo raro... una cosa... que me pasó. Creo que es como una habilidad psíquica, pero no sé si es mía o de Jessa.

Voltea a verme, y cruza la pierna sobre su rodilla.

—Cuéntame.

—Tuve una visión. O a lo mejor fue un sueño. No estoy segura. Pero se sintió igual que cuando recibí mi recuerdo del futuro, sólo que esta vez veía las cosas a través de los ojos de mi hermana.

Le cuento que me vi sentada en las piernas de mamá, que me sentía triste y hago conjeturas sobre si tiene algo que ver con el arresto de Jessa por la AgeINT.

Cuando termino, Logan frunce la frente.

—Tengo una idea. Es un poco arriesgada, pero si funciona, nos podría dar algunas respuestas.

—¿De qué se trata?

—Quiero que abras la mente, como nos enseñaron en la Clase de Meditación.

Lo miro extrañada.

—¿Para qué? ¿Qué vas a hacer?

—No *voy* a hacer nada. Sólo quiero ver qué pasa.

De pronto, siento un viento muy fuerte que atraviesa mi delgada ropa. Un experimento. Y suena lógico, porque la última visión llegó al abrir mi mente de forma involuntaria. Pero, ¿qué pasará si repito la experiencia? Y, ¿si no la repito? Sólo hay una forma de saberlo.

Abiertas. ¿Qué cosas están abiertas? El hoyo que hay en el techo de la cabaña de Mikey. El cadáver de un venado, abierto por las costillas. El centro ahuecado del tronco en el que estamos sentados. Abierto. Abierto. Abierto.

Lo busco, espero a que llegue, y ¡sí! Aquí está. La sensación extraña que llena mis uñas y dientes, mis pestañas y dedos de los pies.

Mi recuerdo. El recuerdo de Jessa o de alguien más.

ABIERTO.

Mis manos se sujetan a las agarraderas que hay a mis lados, y estoy dentro de una cápsula abierta. Vuelo por el aire y luego vuelvo a bajar. Arriba, y abajo otra vez.

Estoy en un sube y baja en el patio de recreo durante la Clase al Aire Libre, pero ¿de quién es la clase?

Vuelvo a experimentar esa sensación extracorpórea. Miro a través de los rayos de la cápsula, esperando ver la distintiva sonrisa de Marisa frente a mí, pero lo que veo es el fleco perfectamente cortado de Olivia Dresden, o Enero Uno, la hija de la Presidenta Dresden y compañera de Jessa.

—Estoy pensando en un número del uno al diez —dice Olivia mientras vuela por el aire—. ¿Cuál es?

Apretando los labios, me sujeto a las agarraderas y apoyo los pies en los rayos.

—Vamos —dice Olivia—. Sé que sabes la respuesta. Puedes decirme. Te prometo que no diré nada.

Muevo la cabeza negativamente.

—Perdón, pero no sé.

Arriba. Abajo. Arriba. Abajo. De pronto, me estrello contra el suelo tan fuerte que los dientes me duelen.

—Como quieras —las dos trenzas de Olivia rebotan sobre sus hombros cuando abre la puerta y sale dando un brinco—. De todas formas no quería ser tu amiga.

Contengo la respiración, y el recuerdo se desvanece. Estoy de regreso en Armonía, sentada en un tronco junto a Logan.

—¡Lo logré! —digo—. ¡Entré a otro recuerdo de mi hermana!

Describo rápidamente la escena que acabo de ver.

—¡Lo sabía! —grita—. Eres una receptora, igual que yo.

—¿Una qué?

—Una receptora —se levanta y comienza a caminar de un lado para otro, esparciendo con los pies hojas de pino, que parecen saltamontes tratando de escapar—. Así se llama mi habilidad. Lo único que puedo hacer es recibir mensajes. Si no hay un Emisor alrededor, podría parecer que soy como cualquier otra persona.

Mi mente da vueltas.

—¿Estás diciendo que Jessa y yo tenemos la misma habilidad?

—Eso parece. Generalmente, los emisores y los receptores vienen en pares, como Mikey y yo. En su caso, tu hermana es la emisora, pero, por lo visto, está enviando recuerdos completos a tu mente, en vez de sólo enviar palabras.

Observo los pedazos de tierra limpia que Logan dejó tras él.

—No entiendo. ¿Cómo no me di cuenta?

—Jessa tiene seis años. Ésa es la edad en que la habilidad primaria comienza a manifestarse —arruga la frente—. Ya tiene algunas premoniciones, ¿no? ¿Así es como sabía el color de las hojas antes de que cayeran?

Asiento con la cabeza.

—Puede ver un par de minutos en el futuro desde que empezó a hablar.

—Creo que las premoniciones son una habilidad preliminar, como la telequinesis de Mikey. Seguramente, Jessa acaba de obtener hace poco sus poderes reales. Tal vez ni siquiera sepa que te está enviando recuerdos —camina de regreso hacia donde estoy—. Cuando recibiste tu recuerdo, el día que cumpliste diecisiete años, se debe de haber activado algo en tu cerebro, que te enseñó cómo funcionan tus poderes.

—A partir de ese día pude manipular los recuerdos —le cuento cómo reproduje mi recuerdo en la mente, como si fuera una cámara de video, y que incluso cambié algunas cosas. Pero que, desafortunadamente, todavía no puedo lograr que esos cambios sean permanentes—. Y luego llegó Belows con sus gases, y me dijo que aumentarían cualquier habilidad psíquica que tuviera.

—Los gases, a su vez, deben de haber activado algo en Jessa. Tal vez la ayudaron a tomar posesión de su habilidad primaria.

—Pero, ¿cómo? Yo fui la que inhalo los gases, no ella.

—Si ustedes dos son una verdadera pareja emisora-receptora, significa que existe una profunda conexión psíquica. Por eso las parejas se presentan con mayor frecuencia entre hermanos, e incluso son más potentes cuando son gemelos.

Así que por eso las meditaciones siempre se me han facilitado tanto. Es como si fuera un músculo que nunca hubiera ejercitado, pero en cuanto empecé, se volvió algo natural. Por eso pude abrir mi mente accidentalmente, y cerrarla para protegerla de los gases. Todo tiene que ver con mis habilidades receptoras.

Me paro de un brinco, temblando de emoción. Eso significa que no he abandonado a Jessa. O sea, no puedo hablar con ella, pero puedo acceder a sus recuerdos, y eso es casi igual de bueno. Puedo verla cada vez que quiera. Estar con ella y verla crecer.

Comienzo a reírme a carcajadas mientras doy vueltas con los brazos estirados. Me resbalo y caigo sobre las hojas de pino, pero no me importa. Esto es como un espejo mágico. Un espejo con el que puedo entrar a la vida de mi hermana.

No puedo esperar más. Ahora que sé que Jessa está aquí, a mi alcance, tengo que verla, aunque sea sólo unos minutos. Logan entenderá.

Dejo de girar e intento calmar mi corazón acelerado. No puedo tranquilizar mi mente si estoy a punto de explotar.

Veamos. Piensa en cosas abiertas. El interior de la cuna de Jessa. Su boca en forma de "o" cuando le regalé el perro morado de peluche. Mi hermana abriéndome la puerta y dándome la bienvenida. Abierto. Abierto. Abierto.

Espero a que llegue la sensación extraña, cierro los ojos, me concentro y ¡sí! ¡Ahí está! El recuerdo. ABIERTO.

Mis manos se sujetan a las agarraderas que hay a mis lados, y estoy dentro de una cápsula abierta. Vuelo por el aire y luego vuelvo a bajar. Arriba, y abajo otra vez.

Salgo del recuerdo, sintiéndome confundida.

—No entiendo. Volví a recibir el mismo recuerdo.

—Me imaginé que pasaría eso —dice Logan—. Recuerda que ésta es una habilidad pasiva. Tú no decides cuándo recibir un mensaje nuevo. Si funciona como la mía, Jessa tiene que enviar el recuerdo antes para que puedas tener acceso a él.

—Pero eso no tiene sentido. ¿Cómo vamos a conectarnos?

—No tienen que hacerlo al mismo tiempo —se sienta en el tronco, y me siento a su lado—. Velo de este modo. Cuando ella te manda un mensaje, éste se queda almacenado en algún lugar, tal vez en otra dimensión, esperando a que lo recuperes. Cuando abras tu mente, recibirás el mismo recuerdo una y otra vez, hasta que Jessa envíe uno nuevo.

Estira su brazo y toma entre sus dedos el lóbulo de mi oreja.

—Tus orejas son muy lindas. ¿Te lo habían dicho antes?

El aire se queda atrapado en mi pecho, hasta que siento que mis pulmones van a explotar, junto con mi corazón. Si Logan sigue tocándome, voy a quedarme sin órganos. *Respira, Callie*. Sólo es una caricia, una ligera sensación que tal vez no sentiría si estuviera en medio de una multitud. Pero no lo estoy. Estamos en un claro mágico en el fin del mundo. Y ahora que he sentido sus caricias, nunca más quiero estar sin ellas.

Pero nunca es mucho tiempo. No importa lo que diga Ángela sobre enfocarse en el presente, tengo que recordar que el día de hoy desaparecerá como la arena que cae a través de un reloj. Antes de que pueda tomar algunos granos, ya se habrá ido.

Así también se irá él, dejándome sólo con un puñado de recuerdos.

Logan suelta mi oído. El sol ya se ha escondido detrás de los árboles. La noche comienza a caer entre sombras moradas que nos rodean, y un montón de insectos invisibles vuelan alrededor de mis brazos.

—¿Qué significa esto? —me pregunta—. ¿Te ayudará a averiguar por qué la AgeINT quiere a Jessa?

Muevo la cabeza negativamente.

—No creo. Si acaso, abre más posibilidades. Podrían estar estudiando sus premoniciones o sus habilidades como emisora.

—No te preocupes. Ya lo averiguarás.

Pone su brazo a mi alrededor y recarga mi cabeza sobre su hombro, bajo su barbilla. Nuestros cuerpos se tocan, y es como si nos hubiéramos tapado con una cálida cobija y encendido una fogata, por si acaso. Estamos en medio de la nada, sin electricidad ni agua potable. Dentro de pocos días se irá, y sin embargo me siento segura. Me hace sentir segura.

Me acerco un poco más. No quiero pensar en el futuro. Prefiero abrir mi mente para ver si Jessa me ha enviado un recuerdo nuevo. Tal vez hayan pasado algunos días, pero voy a cumplir la promesa que le hice a mi hermana. Me quedaré con ella toda la noche.

25

Cuando llego a la cabaña de Ángela, lo primero que escucho es el gemido desgarrador de un corazón que se parte en dos.

No lo pienso dos veces. Haciendo a un lado la portezuela de cuero, me apresuro a entrar. Está completamente oscuro, así que me arrodillo y gateo hacia el ruido. Cuando llego a donde está Ángela, mis ojos ya se han adaptado a la oscuridad, y puedo ver su cuerpo hecho un ovillo.

La tomo entre mis brazos, igual que lo hacía con mi hermana desde que era una bebé. Voltea a verme, esconde su cara en mi hombro, y llora con más fuerza.

—Todo estará bien —susurro—. No pasa nada. Todo estará bien.

Pero, ¿lo estará? A lo mejor pienso así porque no puedo ver absolutamente nada, o porque estoy de rodillas en un refugio que nunca verá la electricidad. Tal vez ya no creo en la felicidad eterna.

Cualquiera que sea la razón, mis palabras se escuchan vacías, tan triviales como son.

—Mi mamá está muerta —susurra Ángela—. Falleció a causa de una terrible cepa de gripa. La ceremonia de cremación será en dos días.

Le acaricio la espalda. Me siento impotente.

—Lo siento mucho, Ángela.

—No pude despedirme de ella. Hace un mes, me envió un mensaje a través de la Resistencia, rogándome que regresara a Ciudad Edén. Me negué a hacerlo, y ahora ya es muy tarde —vuelve a llorar.

—Ay, Ángela. Seguramente comprendía por qué no podías regresar. ¿No estás huyendo de la AgeREF?

—No —dice llorando—. Nadie me busca. Mi recuerdo no es criminal. Estoy aquí por decisión personal. Y nunca regresaré, ni siquiera de visita.

—¿Por qué?

Retrocede un poco. No puedo ver su cara en la oscuridad, pero la humedad de sus lágrimas hace que mi playera se pegue a mis hombros.

—Sabes tan bien como yo que aquellos que huimos de nuestros recuerdos vivimos temiendo constantemente el mañana.

Con razón mis palabras no tuvieron ningún efecto. ¿De qué sirven los consuelos vacíos en un mundo en el que se pueden ver imágenes concretas del futuro?

—¿Quieres contarme tu recuerdo? —pregunto.

Ángela suspira, y su respiración choca contra mi piel. Sus manos buscan a tientas las mías, y siento una sacudida cuando sus helados dedos toman mi brazo.

—Tendré una hermosa bebé —dice en voz baja—. En el futuro, tengo la niña más linda que hayas visto en tu vida. Su cabello es tan suave como la seda de araña y sus ojos del color del cielo a medianoche. Y cuando sonríe, te sientes capaz de ir hasta el fin del mundo para mantenerla a salvo.

Hundo las uñas en mis pantorrillas. ¡Madre del Destino!, por favor, no dejes que le pase nada a esa niña.

Durante un largo rato, lo único que escucho son los latidos de mi corazón, y luego Ángela vuelve a hablar.

—En mi recuerdo, estábamos teniendo un pícnic sobre un acantilado junto al río. Uno de los autorizados por el ComA, que tienen barandales negros de metal en el borde. Me doy la vuelta sólo un instante, te lo prometo. Un solo segundo para limpiar el jugo que había derramado en mi playera. Cuando levanto la vista, mi bebé está junto al barandal. Ni siquiera sabía que podía gatear tan rápido. Corro hacia ella, gritando su nombre. Me mira una sola vez, con esos hermosos ojos negros, penetrando los míos, y luego se mete bajo el barandal, y gatea hacia el despeñadero.

El corazón se me rompe. Los ojos de Ángela aparecen en mi mente tan claros que puedo ver miles de fracturas diminutas en ellos. Parpadeo, y de pronto, los ojos redondos e inocentes de su futura hija se sobreponen a la imagen anterior.

—¡Ay, Ángela! —digo a punto de llorar.

—Por eso no pude regresar a casa con mi mamá. Amo mucho a mi familia, pero mi prioridad es asegurarme de que mi recuerdo no suceda. Hay algunas cosas con las que se puede vivir, y otras con las que es imposible —su voz suena más fuerte, como si su determinación hubiera aclarado las cosas en su mente—. Ha sido insoportable vivir con este recuerdo, pero sé que no podría sobrevivir un futuro en donde se hiciera realidad.

—Pero, ¿no podrías regresar para una visita rápida? —pregunto—. A lo mejor podrías ir a la ceremonia de cremación para ver a tu familia y despedirte de tu mamá.

—No —su cabello roza mi cara, como si estuviera moviendo la cabeza enérgicamente—. La fuerza del Destino es demasiado fuerte. He sido testigo una y otra vez. En cuanto te pones a su alcance, el

Destino encontrará la forma de hacer realidad tu futuro. La única respuesta es correr tan rápido como se pueda y no mirar hacia atrás.

Quisiera discutir, pero no puedo. He visto al Destino en acción, justo frente a mis ojos. Pensé que estar en detención sería seguro, pero el Destino encontró la forma de distorsionar la situación. Si Logan no me hubiera rescatado, tarde o temprano el Destino habría ganado.

—No puedes vivir entre los dos mundos, Callie. Necesitas tomar una decisión. ¿Impedir que se vuelva realidad es algo primordial, o no? —su mano sujeta la mía—. Si la respuesta es afirmativa, entonces no puedes regresar a la civilización nunca más.

Más tarde esa noche, doy vueltas y vueltas en la estera sobre el piso de la cabaña. Ángela puso musgo, pasto y hojas, y me dio una manta de cuero. Definitivamente es la cama más cómoda que he tenido desde que me arrestaron, pero la luna proyecta sombras extrañas a través del hoyo que hay en el techo. Además, no me puedo sacar de la mente el hecho de que estoy tapándome con la piel de un animal muerto.

Me siento y coloco las rodillas frente a mi pecho. Después de haber llorado un poco más, Ángela se tranquilizó y me dio un palo para masticar. Me enseñó cómo poner jabón en la punta de las fibras, para poder cepillarme los dientes antes de ir a la cama.

Si entrecierro los ojos, puedo ver al otro lado de la cabaña un bulto en el suelo. Mientras observo, el bulto se mueve, y oigo que alguien aspira y llora suavemente.

—¿Ángela? —digo—. ¿Cómo estás?

Parece como si la sombra temblara, pero nadie me responde. O está dormida o no quiere hablar.

Vuelvo a acostarme, y me tapo con la manta de cuero. ¿Tiene razón Ángela? Obviamente, no tengo planeado regresar a la civilización. Mi preocupación número uno es asegurarme de que mi recuerdo no se vuelva realidad. Aunque la arrestaran, lo único que la AgeINT quiere hacer con Jessa es estudiarla, mientras que mi yo futuro podría matarla. Queda claro que vivir, aunque sea en esas condiciones, es mejor que estar muerta.

Pero no puedo quedarme observando impotente desde lejos, sabiendo que la abandoné. Si me quedo aquí, sana y salva en Armonía, sabiendo que la AgeINT se llevará a mi hermana a sus laboratorios, una parte de mí morirá. Tengo que encontrar algunas respuestas que puedan ayudarla. Pero, ¿y si esas respuestas me dejan al alcance del Destino?

No sé. De lo único que estoy segura es que extraño a mi hermana, y quiero verla. Abro mi mente por quinta vez en esta hora, y Jessa vuelve a subir y bajar por el aire. Otra vez.

Suspirando, me doy la vuelta en la estera. Ya no quiero seguir viendo el fleco perfectamente recto de Olivia, ni escuchar sus burlas. Mañana lo intentaré de nuevo.

Mi mente vuela hacia los campos abiertos que se despliegan bajo el cielo extenso. La hierba verde y tierna que hace cosquillas en los dedos de los pies y el aire tan fresco que dan ganas de abrir los pulmones y respirar profundamente.

El cansancio se apodera de mi cuerpo, y éste se relaja. Mis extremidades se hunden en el suelo, y mi último pensamiento consciente es: Abierto.

Estoy sentada en un escritorio de madera. Mis dedos se mueven a toda velocidad por el teclado esférico de mi escritorio-pantalla. El cierre de mi uniforme plateado se entierra en mi pecho, y mi cabello se curva debajo de mi oído. A mi alrededor escucho el ruido de los dedos escribiendo sobre los teclados.

La escuela. Estoy en la escuela, y estoy en medio de un examen. Mi dedo se resbala y mi uña queda atrapada en la hendidura del teclado. Rápidamente, antes de que la maestra se dé cuenta, la saco de un tirón.

La puerta se abre. Una mujer que lleva puesto un uniforme de la AgeREF entra al salón. Tiene cabello plateado y brillante cortado casi al ras de la cabeza, y la regordeta Olivia Dresden grita:

—¡Mami!

Es la Presidenta Dresden, la directora de la AgeREF. ¿Quién más?

La Presidenta saluda a su hija con un ligero movimiento de cabeza, y se dirige a su maestra.

—Siento interrumpir la clase, pero necesito tomar prestado a uno de sus estudiantes para hacerle una prueba.

La maestra Farnsworth frunce la boca. Su cabello es una maraña rizada sobre su cabeza.

—¿Qué clase de prueba?

—Me temo que es un asunto confidencial —dice la Presidenta Dresden.

—Pues, lo siento pero no me parece conveniente. Como puede ver, mis estudiantes están en medio de un examen de aritmética.

Ambas mujeres se miran fijamente. La Presidenta voltea la cabeza y se da cuenta de que hay veinte pares de ojos observándola.

—Señorita Farnsworth —dice—, ¿puedo hablar con usted afuera?

La maestra asiente.

—Niños, por favor, sigan haciendo su examen. Regresaré en un momento para descargar sus respuestas.

Salen del salón y cierran la puerta. Se vuelve a escuchar el golpeteo de las teclas, pero yo desconecto mi escritorio-pantalla del enchufe y reviso el nivel de batería. Está llena a la mitad. Arrojo mi cargador portátil a la parte trasera de mi pupitre. Llevo la pantalla a la parte frontal del salón y la conecto en el cargador turbo.

Del otro lado de la puerta se escuchan voces hablando bajo pero claramente.

—Es la única forma —dice la Presidenta Dresden—. Hemos recibido información nueva que indica que la Llave está en una niña con habilidades psíquicas. ¿Cómo vamos a encontrarlo o encontrarla si no sometemos a todos los niños de la escuela a las pruebas?

—¿En qué se basan las sospechas? —pregunta la Señorita Farnsworth—. ¿No necesitan tener testigos oculares?

—Dejemos de lado por un momento las normas. No hay nada más importante que encontrar la Llave. Ya lo sabe.

La Señorita Farnsworth chasquea la lengua.

—¿De dónde proviene exactamente su información? ¿Cómo sabemos que es confiable?

La Presidenta hace una pausa.

—Probablemente no debería decir esto, pero hemos encontrado a alguien con habilidades premonitorias reales. No como esos niños que juegan a adivinar el futuro, y cuyas habilidades para ver el futuro inmediato no sirven para nada. Todo el mundo puede saber lo mismo que ellos en cuestión de segundos. Esta

niña es diferente. Puede ver varios años en el futuro. Décadas. No lo ve todo, sólo fragmentos, pero ya hemos comprobado que es verdad, y eso nos dice que el Primer Incidente se aproxima rápidamente.

La Señorita Farnsworth guarda silencio. Reviso el nivel de batería. Llena a tres cuartos.

—Es poco ortodoxo llevar a cabo pruebas generales en la escuela —dice la Presidenta—. Pero, ¿entiende ahora por qué tenemos que hacerlo?

La Señorita Farnsworth suspira.

—Si la gente se entera de esto, se ocasionará una revuelta. Está consciente de eso, ¿verdad?

—Entonces no diga nada. Analizaremos a un estudiante a la vez, comenzando por el de mayor edad. Espaciaremos las pruebas algunas semanas. Si los padres llegan a preguntar, dígales que es para ubicarlos académicamente.

—No me gusta esto.

—No tiene que gustarle. Tengo una orden del ComA. ¿Quién es el niño más grande de la clase?

—Enero Uno. Su hija —dice la maestra.

La Presidenta Dresden hace una breve pausa.

—Ya le hemos hecho las pruebas. ¿Quién sigue?

Sin esperar la respuesta, regreso rápidamente a mi asiento. Mi batería está completamente cargada, y ya no tengo ningún pretexto para estar parada en la puerta. Conecto mi escritorio-pantalla y tecleo tantas sumas como puedo antes de que la Señorita Farnsworth regrese al salón.

26

Cuando despierto, el corazón me late rápidamente. *Jessa es la más chica de su clase.* Su cumpleaños es el treinta de diciembre. Si los analizan sistemáticamente, ella sería la última.

En mi recuerdo del futuro, el cabello le llegaba a los hombros. En el que acabo de recibir, le llega abajo de los oídos, haciéndole cosquillas en la barbilla.

Tengo tiempo. Tengo tiempo. Tengo tiempo.

Pero sin importar cuántas veces me lo diga, el estómago me da vueltas, haciendo girar el estofado que comí anoche.

Miro, parpadeando, los árboles torcidos que sostienen el techo. Del otro lado de la cabaña, Ángela sigue dormida. Ha empujado a un lado la manta de cuero y tiene el brazo sobre los ojos. Si todavía tenía alguna duda de que las dos agencias están intrínsecamente unidas, aquí está la prueba. ¿Por qué otra razón estaría hablando la Presidenta Dresden, directora de la AgeREF, con la maestra de Jessa sobre asuntos relacionados con la AgeINT?

Camino hacia la puerta y salgo. El aire enfría el sudor en mi cuerpo, y la portezuela de cuero se agita detrás de mí. Se acerca el amanecer. Parece como si alguien estuviera alumbrando el cielo con una linterna detrás de una manta azul marino. La luz ronda alrededor de los bordes y lo llena todo con un brillo a contraluz.

La plaza de la aldea está vacía. Se oyen algunas aves que gorjean, pero ni siquiera ellas están cantando, como si fuera muy temprano para ese nivel de alegría.

Una persona se asoma al otro lado de la plaza. Cuando se acerca, veo que es Logan cargando un balde de madera. Se detiene frente a mí y lo coloca sobre el suelo. El agua del balde se convierte en vapor, y éste se disipa en el aire.

—Agua caliente —dice—. Directa del fuego.

Contengo la respiración. Durante el día, se calientan bajo el sol varios recipientes de agua, para que la gente de Armonía pueda enjuagarse con líquido caliente de manera rotatoria. A Logan y a mí nos añadieron al final de la lista, nuestro turno será dentro de varios días.

—¿Para mí? —ya me bañé en el río, pero no con agua caliente cayendo sobre mi cuerpo y haciéndome sentir verdaderamente limpia por primera vez desde que me arrestaron.

Asiente con la cabeza.

—No podía dormir, y tenía tiempo libre.

Al parecer, tenía mucho tiempo libre. Ángela me dijo que el agua caliente es un lujo personal y, por lo tanto, la leña para encender el fuego no debe tomarse de la pila comunal. Para poder traerme este balde, Logan tuvo que juntar su propia leña, encender un fuego, hervir el agua, y luego cargarla y traerla a la aldea.

—Logan... no sé qué decir. Gracias.

Me guiña un ojo y comienza a alejarse caminando.

—Me voy antes de que el agua se enfríe.

Pero no quiero que se vaya todavía. Quiero que se quede aquí, conmigo, unos minutos más.

—¡Espera! —grito, sin pensar.

Se da la vuelta.

—¿Sí?

Quiero decirle: *Me gustas mucho. Creo que estoy enamorada de ti. Tal vez siempre lo estuve, desde el momento en que me diste una hoja roja para recordarme el sol. Pase lo que pase, quiero que lo sepas.*

Puedo oír las palabras en mi cabeza. Puedo escucharme diciéndolas e imaginarlo respirando, y ver la luz en sus ojos mientras dice: Sí, sí. Yo siento lo mismo.

Pero, ¿y si no siente lo mismo? ¿Y si la única razón por la que me trajo agua caliente es porque estaba aburrido?

Entonces digo:

—Anoche recibí otro recuerdo *mientras dormía*.

Olvidándome de mi confesión, le cuento sobre el salón de clases y el plan de la Presidenta Dresden para analizar a todos los niños.

—¿Alguna vez has oído hablar de "la Llave" o del "Primer Incidente"?

Mueve la cabeza negativamente.

—No, pero me suena conocido. Deberías preguntar a los demás. Estoy seguro que alguien de aquí sabrá algo.

Ambos miramos el balde con agua. Parece que las hebras de vapor ya comienzan a hacerse más delgadas.

—Creo que debería bañarme —comento renuentemente—. Después de todo lo que te esforzaste.

—Disfruta hasta la última gota —responde—. Vendré a buscarte después.

Lo observo mientras rodea la cabaña de troncos, y luego levanto el balde. Es más pesado de lo que pensé, y mi mano se resbala al

sujetar la agarradera hecha de cuerda. El agua salpica por el borde. Aprieto los dientes y la sujeto con más fuerza.

Cuando paso frente a la cabaña, Ángela sale, estirando los brazos sobre su cabeza.

—Vaya, vaya. ¿Qué tenemos aquí?

—Logan me trajo agua caliente.

—Por lo visto, no pierde el tiempo, ¿verdad?

Me sonrojo.

—A lo mejor sólo piensa que necesito un buen baño.

Mete la mano en el balde.

—Así me conquistó Mikey, ¿sabes? Todos los días me traía una cubeta con agua caliente hasta que bajé mis defensas y acepté su pulsera hecha de plantas.

—¿Cuánto tiempo pasó?

Se ríe.

—Tal vez tres días. El encanto de los Russell es difícil de resistir.

No podría estar más de acuerdo, pero no es algo que quiera admitir. Así que me despido y me dirijo rápidamente al área de las "regaderas", detrás de la cabaña, la cual es un pedazo de tierra con tapetes de lana alrededor colgando de las ramas de los árboles. Adentro, hay un cajón de madera con una pastilla de jabón de lejía y algunas playeras viejas para usar como paños.

Me quito la ropa. En el instante en que el agua caliente moja mi piel, suelto un gemido. Ángela tiene razón. El agua caliente es mucho mejor que un poema. Más romántica que una invitación para ver un chip de recuerdo. Con el ceño fruncido, exprimo la playera en mi cuello, para que el agua caiga por mi espalda. Supongo que Logan me está cortejando. Pero, ¿por que? No está pensando a largo plazo. Dentro de cuatro o cinco días, estará de regreso en

Ciudad Edén y yo seguiré aquí, en el exilio, por el resto de mi vida. No hay futuro entre nosotros. Jamás lo habrá. No importa cuánto lo deseé, mientras lo necesiten en casa, nunca podremos estar juntos.

Paso el jabón por mi abdomen, mis brazos y mis piernas. Soy temporal. Soy temporal. Soy temporal.

Tal vez, si lo repito muchas veces, me entrará en la cabeza.

Aunque mi corazón se niegue a escuchar.

Cuelgo algunas tiras de carne de venado sobre tres palos largos que están acomodados en forma de triángulo. Ahora que lo han cortado en trozos pequeños, y que se ve como carne y no como un animal muerto, las náuseas han desaparecido.

—Se ve bien —Zed coloca algunas piedras alrededor del pequeño y humeante fuego. El círculo formado con las rocas se calentará haciendo que el calor suba y seque la carne en lugar de cocinarla—. Tienes un talento natural para esto.

—Ésta fue una de las primeras lecciones en nuestra clase de Cocina Manual. Luego de aprender a hervir agua y freír un huevo.

—Entonces el problema no es hacer carne seca de venado, sino desollar al animal.

Arrugo la nariz.

—¿Viste la cara que hice? Pues mi estómago estaba mucho peor. Si de verdad quiero convertirme en una Chef Manual, tengo que ser menos delicada.

Las palabras salen de mi boca sin pensarlas. Obviamente, con el recuerdo que tengo, no voy a ser una Chef Manual. Aunque de algún modo lograra modificar mi condición de fugitiva, ningún grupo en su sano juicio me admitiría. Esa profesión es demasiado exigente como para arriesgarse con alguien que no tiene un futuro comprobable.

Dentro de toda la confusión y el caos de mi recuerdo del futuro, olvidé que no me convertiré en una chef exitosa. Nunca cocinaré para la gente rica de Ciudad Edén, ni de cualquier otra ciudad. Jamás tendré mi propio restaurante para aquellos que pueden darse el lujo de prescindir del ensamblador de alimentos.

Y sin embargo, a la gente de Armonía no le importó conocer mi currículum. Sólo les preocupaba el sabor de mi estofado. Al final, lo importante no es recibir premios, sino que a la gente le guste lo que preparas. Tampoco importa el concepto del éxito que tiene la élite. Lo que yo siempre quise fue cocinar para alguien que apreciara mi comida.

Así que tal vez el sueño no esté muerto, después de todo.

—Toma algún tiempo acostumbrarse a desollar animales. Si quieres, puedo enseñarte —dice Zed—. Podríamos empezar con algo pequeño, como pescado, hasta llegar a las ardillas y los venados. En cuestión de nada, te quitaremos lo delicada.

—Eso me gustaría —contesto sonriendo.

Después de acomodar las piedras, comienza a construir un escudo de madera alrededor del fuego, para protegerlo del viento. Nunca pensé decir esto, pero para ser un futuro golpeador de mujeres, parece buen chico. Y siendo el coordinador de la asignación de las tareas en Armonía, probablemente sabe muchas cosas.

—Llevas mucho tiempo en Armonía, ¿verdad? —pregunto.

—Casi desde que inició. Ángela y yo llegamos algunos meses después de Mikey.

Respiro profundamente. Llevo toda la mañana pensando en el recuerdo y en la Presidenta Dresden.

—¿Alguna vez has oído hablar de la Llave? ¿O del Primer Incidente?

—No estoy seguro de sobre el Primer Incidente —dice, mientras agita su mano para espantar a las moscas—, pero creo que la Llave se refiere a la persona que descubrió cómo enviar recuerdos de regreso en el tiempo.

—No. La Llave de la que yo hablo es algo que sucede en el futuro, no en el pasado.

—Entonces, no sé. Pero, tal vez Laurel sepa algo. Ella es nuestra poetisa local, y la que se encarga de documentar todo. Si existe alguna leyenda psíquica, seguro ella la conoce. Cuando terminen las tareas, la puedes encontrar en la tienda que está dentro de la cabaña de troncos.

—Gracias, Zed. Te lo agradezco.

La carne comienza a encogerse a medida que se seca, y Zed me ayuda a moverla para que los trozos queden juntos sobre el palo. Es difícil creer que la versión futura de este hombre golpearía a una mujer. Tal vez igual de increíble que mi recuerdo.

—¿Puedo hacerte una pregunta? —digo, pasándome la lengua por los labios—. ¿Quién era ella?

Se queda petrificado, mientras sus manos aprietan las tiras oscuras de proteína. Obviamente sabe perfectamente a quién me refiero con "ella". A la mujer que su yo futuro golpea hasta matar.

Suelta la carne.

—No sé —su voz raspa su garganta como pedazos de vidrio que cortan la piel—. Sólo sé que la quería mucho. Cuando entré a la recámara, estaba desnuda, así que supongo que era mi novia. Pero no vi su cara.

Casi tiro los trozos de carne. Eso es lo devastador de los recuerdos futuros. Recibes un fragmento de tu futuro, tan multidimensional y vívido que parece como si fuera la vida real. Pero no hay contexto, ni razón ni explicación. Lo único que tienes es un hecho, que no puedes defender ni justificar.

Por más horribles que sean los recuerdos de Beks y Melan, al me-

nos tenían una razón. El ladrón mató a la abuela de Beks; y el hombre violó a Melan. Pero Zed y yo no tenemos nada.

—¿Cómo haces para vivir con eso? —susurro.

Inhala profundamente, respirando el humo.

—Hago todo lo que está en mi poder para evitar el Destino. Me vine a vivir aquí y no me involucro con ninguna mujer. Ésta es la conversación más larga que he tenido con una chica, además de Ángela. Y cada día que pasa, puedo respirar un poco mejor porque significa que ha pasado otro día sin que mi recuerdo se vuelva realidad.

Levanta la vista, y mi pulso se acelera. Su cara tiene una expresión que no es precisamente de fe. La fe es demasiado aterradora e inalcanzable. El optimismo es para las personas buenas, aquellas que viven sus vidas sin dañar a nadie. Pero la expresión de Zed es muy similar a la fe, algo que hasta podría llegar a convertirse en ella, si las circunstancias lo permitieran.

—Algunas veces veo a una chica linda y me siento tentado, como le sucede a todos —dice—, pero hay una voz en mi interior que evita que haga cosas estúpidas. Me recuerda que no tengo derecho a tener novia y que no debo tentar al Destino. Mucho menos cuando vine hasta este lugar para escapar de él. ¿Qué pasaría si me descuido? ¿Si mi voluntad flaquea, aunque sea por un segundo, y hago lo impensable? —su voz se convierte en un susurro—. ¿Y si lastimo a alguien a quien quiero?

Sus palabras hacen que me estremezca, aunque mi piel está caliente por el humo. No tengo respuesta, porque esa misma voz cobra vida en mi interior. Y dice, muy claramente: *Por el momento, Jessa está a salvo*. Al huir de la civilización, obtuve una garantía. Mientras permanezca en Armonía, mi recuerdo no puede volverse realidad.

Obviamente sería muy tonta si regreso a Ciudad Edén. Sin importar la razón.

27

Estamos de pie frente a la cabaña de troncos, después de haber terminado las tareas del día, y Logan dice:

—Va a oler a pies sucios.

El cielo ruge, y varias nubes oscuras se amontonan, como si estuvieran reuniendo fuerzas para la inminente embestida.

—¿Por qué va a oler a pies sucios? —pregunto, viendo hacia el cielo con los ojos entrecerrados. Menos mal que ya es hora de entrar a la cabaña.

—Mikey me dijo que cuando la temperatura baja, todos se juntan y pasan la noche dentro. Dijo que el invierno pasado despertó con un calcetín sucio dentro de la boca.

—¡Qué asco!

Prepárandome, abro la puerta y entro a la cabaña. Pero no huele a pies sucios, ni nada. Más bien huele a aserrín. Hay varias mesas de madera redondas y pequeñas, con piezas de ajedrez talladas a mano, y papel pergamino colgado de las paredes. Una chica y un chico están sentados detrás de un mostrador largo lleno de canastas, en las que hay carne seca de venado, fruta deshidratada, jabón, papel, calcetines, ropa interior, sobres de hierbas secas, y hasta algunos libros.

Todo lo que se podría necesitar aquí en el bosque.

—Pasen, Callie y Logan —la chica nos da la bienvenida. Su fleco oscuro y su cola de caballo me parecen familiares. Supongo que debo haberla visto anoche—. Soy Laurel, y él es Brayden. ¿Quieren comprar algo?

—No tengo créditos —digo.

—Ah, pero aquí no usamos créditos —me señala un papel que tiene varias cosas escritas a mano—. Al menos, no usamos los créditos a los que estás acostumbrada. A todos se nos asignan cincuenta puntos cada mes, y puedes canjear esos puntos por cualquier cosa de las que hay aquí.

Recorro las canastas con las manos. ¿Hasta la carne seca de venado? Zed y yo la quitamos del tendedero hace unas horas.

—Sí, me temo que hasta la carne seca —dice Brayden. Su cabello rojo le cae sobre la frente, y sus pecas resaltan como las estrellas en el cielo nocturno—. Es la única forma de dividir las cosas justamente.

Me quedo inmóvil.

—¿Tienes alguna habilidad psíquica?

Su boca se tuerce hacia un lado.

—Ay, perdón. Me choca cuando pasa eso.

—¿Puedes leer mentes?

—Sólo si hay algún pensamiento concreto. No puedo indagar en tus recuerdos ni leer emociones, ni nada por el estilo —se sonroja, haciendo que sus pecas desaparezcan.

—¿Qué estoy pensando? —pregunta Logan.

—Quieres saber de qué estamos hablando —el rubor desaparece, igual que el agua que se filtra por la tierra—. Le explicaba a Callie cómo funcionan aquí las cosas. Pongamos a Laurel como ejemplo. Tiene que comprar papel, como todos los demás, aunque una de sus tareas sea fabricar papel y tinta de cáscara de nuez.

Tomo el papel pergamino. Los bordes están desgastados, y parece como si lo hubieran arrugado y alisado de nuevo. Pero es papel.

—¿Tú lo hiciste? Te debes haber tardado una eternidad.

—Tengo un interés personal. Soy poetisa, ¿sabes? —Laurel señala los pliegos que cuelgan en la pared—. Ésos son los poemas que he "publicado". Si no me ofreciera a fabricar el papel, dudo mucho que alguien más lo hiciera.

Observo las letras uniformes que cubren el pliego. Son casi iguales a las palabras de mi escritorio-pantalla. Con razón la eligieron como encargada de documentar las cosas.

—De hecho, no vine a comprar nada —digo—. Zed me dijo que tal vez podrías responder algunas preguntas.

—¿Eso dijo? —su cara se ilumina como un pedernal golpeando el acero—. ¿Te dijo algo más sobre mí?

—Laurel, aquí presente, haría lo que fuera para que Zed le regalara una pulsera hecha de plantas —dice Brayden—. Te hubiera podido decir eso, aunque no leyera mentes.

Laurel le lanza un paquete de hierbas secas.

—Cállate. Zed me parece dulce, eso es todo. Al final de cada mes, si tiene puntos disponibles, me compra papel para que pueda escribir más poemas.

—Le gustas. Cuando estás cerca, sólo puede pensar en lo lindos que son tus... mmm, ojos.

La sonrisa de Laurel es una mezcla de vergüenza y placer.

—Sólo le gustan mis poemas.

Muevo los pies, sin saber qué responder. Estoy segura que a Zed le gusta Laurel, pero según lo que me confió, su relación no tiene mucho futuro.

Logan carraspea.

—Estamos tratando de averiguar qué significa "la Llave" y el "Primer Incidente". ¿Has oído algo al respecto?

Laurel intercambia una mirada con Brayden.

—Hay una leyenda sobre una llave, que fue la que ayudó a Callahan a descubrir los secretos del recuerdo del futuro.

Arrugo la frente.

—Eso no es correcto. Tanner Callahan recibió el primer recuerdo del futuro. No lo inventó. Y eso lo sé porque me llamo Calla en honor suyo.

—Sólo te estoy contando lo que dice la leyenda —golpetea la mesa con los dedos—. La Llave contenía la última pieza del rompecabezas. Según la leyenda, el recuerdo del futuro nunca se hubiera descubierto sin la Llave.

Ésa es más o menos la misma historia que Zed me contó. Pero no me interesa lo que sucedió en el pasado. Quiero conocer el futuro.

Lucho contra la sensación de desasosiego en mi estómago. ¿Cómo podré averiguar las palabras clave de la Presidenta Dresden si ni siquiera estoy en el mismo mundo que ella? Le doy las gracias, casi murmurando, y me doy la vuelta para marcharme.

—¡Espera! —grita Laurel—. Ya que estás aquí, ¿podrías llenar mi bitácora? Estoy registrando a todos los habitantes de Armonía —se agacha debajo de la mesa y saca un montón de papeles pergamino, atados con cuerdas de piel—. Aquí está. Se hace de una pluma de ave y un bote de tinta.

Tomamos los suministros, los llevamos a una de las mesas redondas, y nos sentamos sobre unos bancos de tres patas que rechinan.

—Pareces decepcionada —susurra Logan, mientras mueve las piezas de ajedrez hacia un lado. Nuestras rodillas se tocan debajo de la mesa y el aire se llena de electricidad, como sucede cada vez que nos tocamos.

Pero tal vez sólo es la tormenta. Mi corazón sigue el ritmo de las gotas de lluvia que salpican el techo en un ataque furioso y violento, que tal vez nunca termine. ¿Me sentiré así cada vez que me toque? ¿O algún día se tranquilizarán mis sentimientos tan alborotados?

Lo miro rápidamente. Veo sus ojos, su boca y los hoyuelos en sus mejillas, y antes de perderme en su mirada, desvío la vista hacia el otro lado del cuarto, a donde están Laurel y Brayden.

—No estoy decepcionada. Pensé que me diría algo distinto a lo que ya sabemos.

—Sigue preguntando. Tarde o temprano, averiguarás algo útil.

Acerco mi banco al de Logan, para que los dos podamos ver el cuaderno. Mi brazo choca contra el suyo, y mi corazón se sacude, baila y suspira. Abre la cubierta, mientras yo intento controlarme.

Observo las letras escritas en el pergamino. La página está dividida en dos columnas. Leo las categorías que hay en la parte superior:

NOMBRE	FECHA DE LLEGADA	FECHA DE PARTIDA

Doy vuelta a la página, y veo más columnas:

NOMBRE	HABILIDAD PRELIMINAR	HABILIDAD PRIMARIA

La siguiente página tiene que ver con los recuerdos del futuro:

NOMBRE	RECUERDO	FECHA EN QUE RECIBIÓ EL RECUERDO

FECHA EN QUE SE EJECUTÓ EL RECUERDO	FECHA EN QUE SE ENVIÓ EL RECUERDO

Me detengo en esta hoja. Todas las columnas tienen debajo líneas y líneas de texto, pero el espacio debajo de la columna FECHA EN QUE SE ENVIÓ EL RECUERDO está completamente vacío.

—¿Por qué están en blanco estos espacios? —le pregunto a Logan.

Se encoge de hombros.

—La gente cambia sus futuros al venir aquí. Tal vez cambiaron tanto que nunca enviaron un recuerdo.

—Pero entonces, nunca hubieran recibido el recuerdo, ¿no?

Mueve la cabeza lentamente. No sabe la respuesta, y yo tampoco.

Vuelvo a ver la libreta.

—No toda la gente que ha venido aquí, ha escapado de un futuro malo. Mira —señalo la columna FECHA EN QUE SE EJECUTÓ EL RECUERDO—. Algunos de estos recuerdos se han vuelto realidad, probablemente los que pertenecen a los psíquicos. ¿No crees que al menos uno de ellos debería tener registrada una fecha para el día en que fue enviado el recuerdo? —me enderezo—. A menos que hasta el momento ninguna persona de Armonía se haya enviado un recuerdo a sí misma.

—¿Cómo envías un recuerdo a tu yo pasado? Nunca aprendí a hacer eso. ¿Tú sí?

—La AgeREF siempre dijo que nos enseñarían a hacerlo llegado el momento —digo—. Pero, ¿cuándo será eso? ¿Nos llevan a los edificios de la AgeREF cuando cumplimos sesenta años? Yo no vi ningún grupo de gente mayor mientras estaba ahí, ¿tú sí?

Logan niega con la cabeza.

Frunzo el ceño, tratando de encontrar una respuesta.

—Laurel es la segunda persona que vincula la Llave con el descubrimiento del recuerdo del futuro. Tiempo pasado. No pensé que esa conexión fuera importante porque la Presidenta estaba hablando de buscar la Llave en el futuro. Pero, ¿y si están hablando de lo mismo? —paso la lengua por mis labios—. ¿Y si la AgeREF nos ha mentido todo este tiempo?

—¿Mentido sobre qué? —pregunta, frunciendo el ceño.

—¿Y si el recuerdo del futuro no se ha inventado todavía? —pregunto susurrando.

—Es obvio que ya lo han inventado. Tú y yo somos las pruebas vivientes de eso.

—No —digo, con un entusiasmo cada vez mayor—. Somos la prueba viviente de que el recuerdo del futuro puede *recibirse* en el presente, pero no ser enviado. ¿Entiendes? Por eso esa columna está vacía. Por eso la AgeREF no nos ha explicado cómo enviar un recuerdo. Porque todavía no saben cómo hacerlo.

Hago una pausa. Vuelvo a ver la hoja con la columna vacía, y todas las piezas encajan.

—Claro. Por eso ambas agencias están tan estrechamente relacionadas. La AgeREF necesita a los científicos para averiguar cómo enviar recuerdos de regreso al pasado.

28

Tengo las manos llenas de lodo, que se escurre entre mis dedos, y una lombriz se arrastra por mi muñeca, dejando un rastro baboso y húmedo.

Aprieto los dientes, en lugar de gritar, y lanzo la carnada al río, en donde construí una trampa en forma de embudo colocando varias ramas juntas. La idea es que la lombriz atraerá a los peces haciendo que naden hacia la trampa. Al primer chapoteo del agua, bloquearé la entrada con una piedra plana, atrapando a mi presa dentro.

Para ser un curso introductorio en la matanza de animales, no está tan mal. Zed me trajo aquí desde muy temprano, con un cuchillo, una cubeta llena de gusanos y un montón de instrucciones. Construí tres trampas, y ahora lo único que tengo que hacer es esperar.

Me limpio la cabeza con un paliacate y me acomodo sobre el fango. El agua ondea y un ave cruza el cielo, con las alas extendidas para cabalgar sobre el viento. El aire huele a humo, y saber que Zed está cerca me hace sentir tranquila.

Si tan sólo mi yo del pasado pudiera verme en este momento. ¡Todavía recuerdo lo emocionada que estaba cuando tomé mi primera clase de Cocina Manual! En ese entonces nunca me hubiera imaginado que un día estaría atrapando peces en un río, en lugar de sacarlos del congelador.

Un momento. Tal vez sí pueda verme.

Me siento derecha. Los poderes psíquicos están relacionados con el recuerdo del futuro. Eso quiere decir que tal vez puedo enviar un recuerdo a mi yo del pasado. Es verdad que no tengo memoria de haber recibido un recuerdo cuando era más joven, pero puede ser que lo haya suprimido.

Respirando profundamente, tomo una foto mental de la escena frente a mí y me imagino a mí misma de doce años, con los cachetes regordetes, el cabello ondulado recogido en dos coletas y la piel color café avellana por tanto sol.

—Envíar —susurro—. Enviar.

Nada. Ni una punzada. Ni un cosquilleo.

Abro los ojos, frunciendo la frente. No salió como esperaba.

—¿Cuántas veces te lo tengo que repetir? —dice una voz—. Eres una receptora, no una emisora. No es un poder recíproco.

Giro la cabeza, asustada.

—¡Me espantaste, Logan! ¿Por qué me estás espiando?

—Pisé un montón de ramas cuando llegué —se deja caer en el suelo junto a mí—. Tal vez no me oíste.

Debería poner más atención. Observo las trampas para peces. Los gusanos ya no están, y no hay ningún pez atrapado dentro de los embudos. Dando un suspiro, tomo más gusanos de la cubeta y vuelvo a colocarlos en las trampas.

—Estaba tratando de mandar un recuerdo a mi yo del pasado. Nadie sabe cómo funcionan los recuerdos del futuro, y pensé que no aplicaría la diferencia entre emisor y receptor.

—¿Tuviste suerte?

—Nop.

Me acerco nuevamente a la orilla. El agua gotea por mi pantalón enrollado. Trato de limpiarme el sudor de la frente, pero me mancho la cara con tierra.

Logan sonríe.

—A lo mejor debería tratar de enviar una imagen a mi yo del pasado. Una imagen tuya, exactamente como estás en este instante. Con las rodillas empapadas de agua y lodo en las mejillas. Creo que se divertiría muchísimo.

—No, no la vayas a enviar —digo riéndome—. No quiero asustarlo.

—Creo que nada lo haría huir de ti.

Después de tantos años, pensé que conocía todas las miradas de Logan, pero ésta no la había visto antes. Sus labios son suaves y su mirada es intensa. Le sigo gustando, a pesar de que puede ver todos los rincones negros y oscuros de mi alma. En sus ojos, soy algo más. Más inteligente, bonita, valiente y buena. Quiero ser más. Quiero ser digna de su atención.

Pero ésta es una actitud egoísta de mi parte, y lo sé. Si de verdad quisiera a Logan, debería ser el tipo de chica de la que nunca podría enamorarse. Dentro de muy poco tiempo se irá, y lo mejor para él será que me olvide y siga su camino. Pero quiero que se sienta orgulloso de mí. Quiero ser perfecta para Logan.

Y cuando me mira así, lo soy.

Respiro nerviosamente.

—¿Por cierto, qué estás haciendo aquí?

Toma mi mano, y llevándola hacia sus labios besa mi palma intensamente.

—Creo que es hora de que aprendas a nadar.

El agua burbujea en mis oídos, y se eleva horizontalmente por todo mi cuerpo, provocando una sensación vibrante y haciéndome cosquillas. Y luego me engulle completamente mientras me hundo en el arroyo... por décima vez.

—No te estás concentrando —dice Logan.

Me quito el cabello húmedo de los ojos. El sol se refleja en las gotas de agua de su cabello, y se ve como un dios de la era pre-Auge. El agua del arroyo está helada, pero los rayos de la tarde caen sobre mi cara y hombros, evitando que tenga frío.

Pongo los brazos alrededor de mi cintura.

—Es un poco difícil concentrarse.

—¿Estás preocupada por Jessa?

—Sí —muevo las manos por el arroyo, tomando un poco de agua entre mis palmas y dejando que resbale por mis dedos—. Sé que por el momento está a salvo, porque su cabello todavía está muy corto. Pero tarde o temprano, la analizarán, descubrirán sus habilidades psíquicas y se la llevarán lejos.

—¿Pudo enviar Mikey un mensaje a tu mamá a través de las personas de la Resistencia?

—Está intentándolo —miro mis manos distorsionadas bajo el agua—. No sabe qué tan clara es la comunicación con tu mamá.

Vuelvo a recostarme sobre el agua, y Logan sostiene mi cuello y mi espalda. Si no tuviera tantas cosas en la cabeza, esto no estaría nada mal. El agua me balancea, y sus ojos recorren mi cuerpo antes de regresar a mi cara.

Levanto la mano para tocarlo... y me vuelvo a hundir en el agua. Cuando salgo a la superficie, apoya su frente en la mía.

—Tienes que concentrarte, Callie.

Sus labios están a centímetros de los míos, así que lo beso. Mientras nuestros labios se juntan, saco de mi mente todas las imágenes que saturan mi cerebro. Una mujer con cabello plateado brillante y uniforme de la AgeREF. Los ojos salvajes de Beks mientras me toma del tobillo. Mi brazo cortando el aire y encajando una jeringa en el corazón de mi hermana.

Beso a Logan hasta que todas esas imágenes se desvanecen. Lo beso hasta que lo único que escucho en mis oídos es ruido blanco, y mi mente está frenéticamente estática. Lo beso hasta que me olvido de todo menos del contacto de sus brazos en mi cuerpo.

Pero no es suficiente. Doy un salto y enredo mis piernas alrededor de su cintura. Se tambalea hacia atrás, y nos hundimos en el arroyo, sin dejar de besarnos. Mi cabello flota a nuestro alrededor, mezclándose con los pedazos de algas, y seguimos besándonos. El agua sube por nuestros cuellos hasta las barbillas, y... seguimos... besándonos.

Logan se separa dando una bocanada de aire, y siento su respiración caliente y jadeante sobre mí.

—Creo que mejor nos detenemos antes de que nos entusiasmemos demasiado.

Tomo su cuello con mis dedos.

—Me gusta entusiasmarme contigo.

—A mí también —me da un beso en la nariz. En el fondo de mi mente, sé que sus ojos son verdes, pero en este momento juraría que están hechos de la misma negrura oscura del agua—, pero creo que no estamos hablando de lo mismo.

¿Ah, no? Porque una parte de mí está muy segura de querer dar el siguiente paso. Si sólo me queda poco tiempo con Logan, quiero aprovecharlo al máximo, pero la otra parte no está tan segura, ni lista.

Retrocedo algunos pasos, para darle un poco de espacio tanto a mis emociones como a mi cuerpo. El agua choca contra mis costillas, y se siente fría y refrescante sobre mi piel caliente. Me sorprende que el arroyo no se haya incendiado con la cantidad de calor que generamos.

Volviendo a recostarme en el agua, pataleo, tratando de recordar todo lo que me enseñó, e increíblemente no me hundo.

Algo me sostiene, y de pronto estoy flotando. Mi cuerpo no pesa nada. Estoy rozando la cima del mundo.

—Lo estás logrando —las palabras se escuchan ahogadas por el agua, y yo sonrío. Y entonces mis pesadas extremidades toman el control y me hundo.

—Doce segundos —dice—. Te mantuviste a flote por doce segundos.

Me limpio las gotas de agua de la cara.

—¿Eso es un buen tiempo?

—Suficientemente bueno para tu primera clase.

Regresamos a la orilla. Cuando nos sentamos, los ojos de Logan se ven verdes otra vez. Le enseño la red que tejí con tallos de plantas, mientras esperaba a que los peces cayeran mis trampas.

Toca con sus dedos los nudos donde las hojas se cruzan entre sí.

—¿Por qué no sabes nadar? Me dijiste que a tu mamá no le gustaba el agua. Pero, ¿por qué no te enseñó tu papá?

Tomo un trago de agua de mi cantimplora, aunque el nudo que siento en la garganta no es por la sed.

—La última vez que vi a mi papá tenía cuatro años.

—Sé que se fue, pero pensé que dijiste que después de que Jessa nació, había regresado.

—Nop —tomo más agua—. Recuerdo el último día que lo vi como si fuera ayer. Estaba parada junto a la máquina de higiene, con mi camisón puesto, para despedirme de él con un abrazo. Volteó a ver a mamá y le dijo: "Van a rasurarme la cabeza. Voy a tener que comprar una peluca cuando regrese para que Bu-Bu no se asuste." Así me decía. "Bu-Bu."

Las palabras salen de mi boca automáticamente. Las he repetido miles de veces, cuando le contaba a mi hermana antes de dormir éste y muchos otros recuerdos. Como cuando construimos una tortuga de arena en las dunas; cuando papá me llevaba montada en sus altos hombros o cuando yo gritaba mientras me cargaba por los pies. Le repetí a Jessa estas historias una y otra vez, para que pudiera tener una idea de él, y para que yo no lo olvidara.

—¿Se compró la peluca?

—No. Ésa fue la última vez que lo vi.

Una mezcla de sorpresa, confusión y, finalmente, comprensión pasa rápidamente por su cara, como en uno de esos libros con imágenes que al pasarlas rápidamente parecen animadas, y que me gustaba hacer cuando era niña.

—Entonces, ¿Jessa es tu media hermana?

—Es mi hermana. No hay ningún término medio entre nosotras —respirando profundamente, tomo otro tallo de planta y comienzo a tejer una hilera más a la red—, y respondiendo a tu pregunta, en aquel entonces, hubiera jurado que compartíamos el mismo papá. Cuando mamá se embarazó, no tenía ninguna relación con nadie más. Y cuando Jessa nació, se veía exactamente igual a mí en las fotos de bebé, e igual a papá. ¿Qué probabilidades había de que mamá se hubiera embarazado de otra persona con los mismos ojos de papá? Esperé y esperé, porque sabía que un día regresaría con nosotras.

Tomo otro tallo de planta, pero mis dedos ya no tejen. Se sienten muy grandes y torpes.

—Pero nunca regresó. Y cuando insistí para que mamá me dijera la verdad, me confirmó que Jessa tiene otro papá. Así que técnicamente, tienes razón. Es mi media hermana.

—Lo siento, Callie. Me imagino que debe haber sido duro enterarte.

Sigue siendo duro. El tiempo adormece cualquier dolor, pero no puede borrar las heridas. Al menos no completamente.

—Pero tienes razón, ¿sabes? —dice—. Sí se parece a ti. Cuando la vi ese día en el parque, pensé que te estaba viendo cuando entraste al salón T-menos once.

Mis labios por fin sonríen.

—Mamá tiene fotos en las que jura que no puede reconocernos.

—Es raro, ¿no? Que se parezcan tanto...

No necesita terminar la frase. Es raro que se parezcan tanto, si no son hijas del mismo padre. Sangre diferente, genes diferentes.

—No importa. Me daría lo mismo que Jessa tuviera otra *mamá*. Eso no haría que la amara menos.

—Claro que no. El amor no es algo que pueda darse a medias —me quita de las manos el tallo de planta y comienza a girarlo entre sus dedos—. Estoy aprendiendo eso ahora más que nunca.

Así es exactamente como me siento. Traté de darle a Logan sólo una parte de mi amor. Traté de reprimirlo sabiendo que muy pronto me dejaría. Pero no importó cuántas veces mi cerebro me recordara su próxima ausencia, mi corazón ya estaba adherido a él. Y ni toda la lógica del mundo podría cambiar las cosas.

Levanto la vista del suelo y miro otra vez a Logan, que sostiene el tallo con su mano. Lo enrolló en un círculo perfecto, del tamaño de la circunferencia de mi muñeca.

Siento como si un martillo me golpeara el pecho. Tengo la boca más seca que el desierto, a pesar de toda el agua que hay aquí, y vuelvo a escuchar ese ruido en mis oídos, y ni siquiera me está tocando.

—He decidido que no voy a regresar a Ciudad Edén —dice—. Mikey tendrá que buscar otra forma de comunicarse con la Resistencia.

La respiración se me detiene. No esperaba esto. Tal vez sí era un deseo secreto de mi corazón egoísta, aunque nunca me permití soñar con este momento.

—Pero, ¿y tu futuro como nadador profesional...?

—Eso puede esperar. No voy a irme, cuando acabo de encontrarte otra vez. No me iré sin darnos una oportunidad —toma mi mano, y muy suavemente desliza el círculo en mi muñeca—. No olvides que mi recuerdo del futuro tiene dos partes. Una es la natación, pero la otra eres tú. Quiero que esa parte de mi recuerdo se vuelva verdad. Te quiero en mi vida —el tono de su voz baja, y es como si llegara hasta lo más profundo de mi ser y recogiera todos los pedazos que se vinieron abajo cuando papá se fue. Como si volviera a unir todos esos fragmentos, y los uniera con su seguridad. Con su convicción—. ¿Qué me respondes, Callie? ¿Dejarás que me quede sin ponerte a discutir? ¿Quieres ser mi novia?

Miro mi mano. La planta verde y trenzada cuelga alrededor de mi muñeca. No sé cuánto tiempo conservará esa forma. Pero mientras dure, ¿puedo negarle la oportunidad de vivir? He pasado los últimos días intentando con todas mis fuerzas reprimir lo que siento por Logan. ¿Sería tan malo dejarlo fluir?

La lógica y la razón me dicen que no debo aceptar. Sé que necesitan a Logan en Ciudad Edén. Tal vez podría llegar el momento en que yo misma necesite algo que sólo él pueda enviar. Pero, ahora, lo único que necesito de Logan, es a él mismo.

He estado enamorada de él la mitad de mi vida. Ya no me queda la menor duda. Por una vez en mi vida, voy a ser egoísta. Voy a aprovechar esta oportunidad de tener una nueva vida.

—Sí —digo, y con esa única palabra, deseo y creo haber sellado mi Destino. Y espero, con todas mis fuerzas, no haber sellado el de nadie más.

29

El aire huele a romero y a pescado asado. La comida y la plática se mezclan en el aire, como si la gente de Armonía no pudiera decidir si hablar o comer. Estoy atrapada en medio de Logan y Brayden, tratando de no reírme a carcajadas.

Una vez tomé vino espumoso. Un vecino envió una botella a casa cuando Jessa nació. Mamá descorchó la botella, y las burbujas blancas se derramaron por el cuello.

—Toma, rápido —mamá me acercó la botella—. No podemos desperdiciar ni una gota.

Lamí la botella y las burbujas estallaron en mi lengua. Todavía después de tragarlo, sentía el burbujeo bajando por mi garganta.

Pues así es como me siento en este momento. Cada vez que Logan me habla, roza mi hombro o me mira, mi interior burbujea más y más. La culpa y la prudencia han quedado olvidadas por completo. Ahora estoy rebosando de una euforia embriagadora. Cuando termino de cenar, no puedo quedarme quieta por más tiempo. Me levanto de un brinco y me retiro de la mesa, dejando a Logan y a Brayden hablando sobre competencias de natación.

Camino hacia la larga mesa que está frente a la cabaña de troncos, donde Ángela está rellenando un pescado con vegetales cortados en cubos.

—La cena estuvo deliciosa, Ángela —me paro junto a ella, tomo un pescado y lo rebano por el estómago con un cuchillo. Creo que atrapé algunos de estos perdedores yo misma.

—¿Ah, sí? Pues apúrate a terminar tu turno de cazadora porque extraño que me ayudes a preparar la comida —pone su pescado en la bandeja y extiende su mano para que le dé el mío—. ¿Vas a seguir por aquí cuando acabe tu turno?

Le entrego el pescado, que me mira fijamente con sus ojos muertos y vivos al mismo tiempo. Acaricio la parte inferior de mi pulsera, girándola alrededor de mi muñeca. Le hice una igual a Logan. Estas pulseras simbolizan mucho más que nuestra relación. Me ofrecen una nueva oportunidad de vida.

Me viene a la mente algo que sucedió esta tarde, mientras limpiaba el botín en el almacén junto con los otros pescadores. El aire estaba lleno de tripas de pescado y sus inflados estómagos brillaban en la tenue luz. Mientras, Logan, con la barbilla llena de escamas, sostenía un cuchillo delgado de metal como si fuera un bisturí.

Podría ser feliz aquí. No, más bien, *soy* feliz aquí.

—No voy a ir a ningún lado —le digo a Ángela.

Una gran sonrisa se dibuja en su cara.

—Bienvenida a casa, Callie.

Trabajamos en silencio durante algunos minutos, y su sonrisa desaparece. Su tristeza me oprime. Puedo ver el dolor en la rigidez de sus labios y en los movimientos un poco bruscos con que manipula los pescados.

—¿Ángela, cómo te sientes? —le pregunto.

Sus manos se quedan quietas.

—Triste todavía por la muerte de mi mamá. Y Mikey y yo hemos estado peleando.

—¿Por qué?

—Lo normal. Cosas de pareja —da vuelta al pescado—. No te preocupes. Vamos a solucionar las cosas. Siempre lo hacemos.

Preparamos el resto de los pescados, y cuando Ángela los lleva al fuego para asarlos, vuelvo a sentarme con Logan.

Ahora está sentado junto a su hermano, con la cabeza inclinada mientras escucha a Mikey. Podría reconocer su cuerpo de nadador en cualquier sitio. Los anchos hombros que se estrechan formando una *V* al bajar hacia la cintura, los muslos musculosos y las largas piernas. Como si percibiera mi llegada, levanta la mirada y me ofrece su mano. Nuestros dedos se entrelazan, y entonces se me olvida cómo respirar. Cuando me mira, no necesito un recuerdo que me diga a dónde pertenezco. Podría construir un hogar aquí. Junto a Logan, aquí, en Armonía.

En ese momento, un grito atraviesa el aire. Logan y yo nos miramos asustados, y los tres nos levantamos de un brinco y corremos a la chimenea, en donde Ángela está acunando a un niño pequeño. Sus piernas y brazos son largos y delgados. Su piel es suave y del color de la nuez moscada... y tiene una herida profunda y llena de sangre en uno de sus muslos.

Es Ryder, el niño que me sonrió tímidamente, y cuyos padres, con poderes psíquicos, fueron encerrados por la AgeREF. El niño que vino a Armonía en vez de vivir en una ciudad que un día podría encarcelarlo a él también.

—Me duele, Ángela —dice gritando, sacudiendo los brazos y las piernas, como si así pudiera hacer desaparecer el dolor—. Haz que se detenga. Por favor, haz que se detenga.

—Shhh... Vas a estar bien —le dice Ángela, mientras venda su herida. Enrollando un tubo de antiséptico, saca hasta la última gota

de la pomada—. Mikey, ¿no dijiste que enviaste a un mensajero por un nuevo cargamento de suministros? ¿Podrías..?

—Sí, de inmediato —Mikey se va antes de que Ángela termine de hablar. Se conocen tan bien que puede anticiparse a lo que necesita.

—¿Un nuevo cargamento? —le digo en secreto a Logan, mientras Ángela susurra algo en el oído de Ryder, que sigue quejándose. Su frente está cubierta de gotas brillantes de sudor, pero cuando Ángela le habla deja de moverse y se queda quieto.

—Generalmente esperamos a que llegue el siguiente fugitivo para que traiga las mochilas —dice Logan—, pero Mikey quería probar la telepatía con mamá, así que envió a alguien a recoger un paquete al punto de encuentro, en el mismo lugar donde nosotros nos subimos al bote. El mensajero regresó hoy.

Mikey regresa con una mochila azul marino idéntica a la que nosotros trajimos. Abre el cierre, rápidamente, y salen de ella un montón de tubos.

Toma uno de los tubos. Un logotipo con una sonrisa brilla en mi dirección.

—¿Qué... es... esto? —sin decir nada, cierra la mano apretando el tubo y lo revienta.

Me quedo boquiabierta. Si el tubo hubiera tenido algo vivo adentro, en este momento ya estaría muerto.

Logan toma otro de los tubos.

—Parece pasta de dientes.

Mikey azota el tubo contra el suelo; lo aprieta tan fuerte que se parte en dos, y ahora hay una pasta blanca saliendo de él.

—No te preocupes, Mikey —Ángela coloca un pedazo de gasa sobre la pierna de Ryder—. Todavía quedaba suficiente pomada. Ryder estará bien.

—Sí, sí me preocupo —dice Mikey enojado—. ¿Sabes cuántas heridas te puedes hacer en el bosque? Por ejemplo, con un cuchillo que se resbala, como le pasó hoy a Ryder. Un arañazo con una rama, una cortadura en el dedo con un hueso —se levanta la manga, mostrando una horrible herida roja en el antebrazo—. Ésta es de ayer. Cualquiera de estas heridas podrían infectarse. Si no son tratadas correctamente, esas pequeñas infecciones pueden ser mortales.

Busca locamente con la mirada entre todas las caras ahí presentes, hasta que encuentra la mía.

—Resulta que nuestra solución de emergencia tiene una falla —dice, como si solamente me estuviera hablando a mí—. Le pedí a mi madre que nos enviara tubos con pomada antibiótica —aprieta los labios formando una delgada y larga línea—. Esto es lo que envió.

El corazón se me rompe. Estaba probando la comunicación con su mamá. Un mensaje tan simple, un objeto específico, y ni siquiera así se transmitió correctamente.

—¡Ustedes dos! —nos grita Mikey a Logan y a mí—. Vengan conmigo, en este instante.

Mete una antorcha hecha de tule en el fuego de la chimenea y nos lleva a su cabaña. Logan y yo lo seguimos, todavía tomados de las manos. Tengo el estómago revuelto. No sé qué va a decir, pero no será nada bueno. No puede ser bueno. Nunca había visto a Mikey tan enojado, ni siquiera el primer día que lo vi.

Cuando llegamos a su cabaña, Mikey pone la antorcha en un soporte. El destello de la flama hace que nuestras sombras bailen en la pared.

Hay dos pedazos de cuero sobre la tierra. Éste debe ser el lugar donde han estado durmiendo los demás, en vez de los suaves montones de musgo que tengo por cama en la cabaña de Ángela. Siento una punzada al recordar la cama que Logan me hizo con hojas de pino durante nuestro viaje a Armonía. La hizo solamente para que yo estuviera cómoda.

Levanto la vista y veo que Mikey me está viendo.

—No te caigo bien —le digo.

Abre la boca como si fuera a darme la razón, pero la vuelve a cerrar.

—No, eso no es cierto. Pero tu relación con mi hermano no funcionará. No puedo permitir que continúe.

—¿Qué quieres decir con "no puedo permitir"..? —las palabras se quedan atrapadas en mi boca, ahogadas por lo que creo... por lo que *sé* que va a decir.

Logan se mueve detrás de mí. Su respiración sopla sobre mi cabello, pero su calidez no hace que desaparezca el escalofrío que siento en los brazos.

Me paso la lengua por los labios y cambio la pregunta.

—¿Por qué no va a funcionar nuestra relación?

Mikey mira al espacio que hay entre Logan y yo. Su sombra reflejada en la pared se ve enorme y grotesca. Afuera de la cabaña, se oye un ave que grazna, y de pronto me doy cuenta de la quietud que hay en el aire.

—Logan no va a quedarse en Armonía. Pasado mañana, lo enviaré a Ciudad Edén.

30

El mundo se ladea, y por un breve y loco instante, creo que voy a caerme por el borde. Entonces escucho la voz de Logan, suave y contenida, y mis pies vuelven a anclarse a la tierra.

—¿De qué hablas?

—Sabías que tus días aquí estaban contados —dice Mikey—. Armonía te necesita en Ciudad Edén. Necesitamos que te pongas en contacto con la Resistencia. Vienen los meses más fríos del año, y muchas personas se enfermarán de cosas para las que no estamos preparados. Sin tu ayuda, van a morir.

—¿Y no debería ser yo el que decida? —Logan se coloca junto a mí, quedando cara a cara frente a su hermano—. ¿Y si puedo encontrar otro método para enviar mensajes? No... no sé cómo, pero algo se nos ocurrirá. ¿Y si lo que quiero es quedarme aquí con Callie? ¿Contigo..?

Su voz se quiebra, y el corazón se me aplasta, se me aplasta, se me aplasta.

Mikey pone sus manos en los hombros de Logan. Algo pasa entre ellos, una fuerza invisible que no puedo percibir de un modo físico. Pero sé que está ahí. Mi mente la reconoce y su forma se graba en mi percepción.

Está hablando con la mente de Logan, son palabras demasiado personales para los oídos de una desconocida.

Te amo, hermano mío. Nunca olvidaré los días que pasamos juntos. Nuestra unión es fuerte y verdadera, y nada cambiará eso, sin importar en donde te encuentres.

O puede ser que no haya dicho eso. Tal vez le dijo: "Deja de llorar, niñito. Vas a hacer lo que yo diga. Nunca más volverás a decepcionarme."

Parece que lo sucedido entre ellos funcionó. Logan da un paso atrás; y baja la cabeza, como si estuviera considerando las palabras de Mikey.

El estómago se me cae hasta el suelo. No. No dejaré que decidan así mi futuro. No me quedaré aquí parada observando como si fuera una pasajera sin acceso a los controles mientras mi vida se precipita por un camino que yo no elegí.

No dejaré que pase otra vez.

—Tienes que darle otra oportunidad a tu mamá —el eco de mi voz resuena en la cabaña, rompiendo el silencio que me asfixiaba—. Puede ser que sus habilidades mejoren con la práctica. Pudo descifrar que querías un tubo blanco, sólo que no fue el tubo blanco *correcto*. Mejorará con el tiempo. Deja que lo intente.

Mikey inclina la cabeza.

—¿Por qué estás discutiendo conmigo? Aunque Logan no estuviera de acuerdo, que no es el caso, no pertenece aquí. Tú y yo lo sabemos. Le espera un brillante futuro en la civilización. Va a ser el mejor nadador que el mundo haya visto.

Lo que dice Mikey no es nada que yo no haya sentido antes. Y sé que estoy siendo egoísta, sé que debería aceptar la situación y dejarlo ir.

Pero mi corazón se niega a hacerlo. Finalmente, después de todos estos años le abrí mi corazón. Por fin estamos juntos, tal y como se supone que deberíamos estar. No me lo pueden arrebatar otra vez. ¡No puede ser!

—Tiene que haber otra solución, otra forma de comunicarse con la Resistencia. Sólo tenemos que encontrarla. No tiene que ser Logan forzosamente.

Mikey arquea las cejas, sin decir una palabra. No tiene que decir nada. Hasta que no se me ocurra otra solución, nada de lo que diga importa.

Lucho con el último argumento que me queda.

—Si la AgeREF descubre que Logan me ayudó a escapar de detención, van a arrestarlo.

Las pupilas de Mikey se dilatan, y puedo ver en ellas el grito desgarrador que nos destruiría a los dos si sucediera algo así. Si se enteran de que ayudó a escapar a alguien, la AgeREF encerrará a Logan en una celda de la cual no habrá escapatoria. Pasará el resto de su vida pudriéndose en una tumba subterránea.

—No le va a pasar nada —Mikey se pasa la mano por la frente—, mis padres jurarán que estuvo en casa enfermo. En la Resistencia tenemos doctores que podrán conseguirnos documentos falsos sin ningún problema.

—¿Arriesgarás su vida así? —estoy tratando de hacer que se sienta culpable, y me siento mal por eso, pero no puedo renunciar a Logan. No ahora. No cuando por fin le he dicho lo que siento.

—Sí —Mikey aprieta la mandíbula, y se pueden ver a través de la piel tensa los rígidos bordes de sus huesos—. Tu recuerdo del futuro ya destruyó una vida. No destruyas también el resto de Armonía.

Me tambaleo, agitando los brazos intentando encontrar algo en que apoyarme, cualquier cosa. Tapándome la boca, ahogo un grito, porque con esas palabras me roba el aliento, rompe mis músculos y pone de cabeza mi mundo. Con una sola frase, Mikey ha ganado.

En mi recuerdo del futuro, voy a matar a mi hermana. No puedo... no voy a ser responsable también de la destrucción de Armonía. Mikey lo sabe. Sabe que con este argumento tengo que dejar libre a Logan.

Lenta pero firmemente, retrocedo hasta llegar a la pared. Empiezo el largo proceso de bloquear los sentimientos a los que tan tontamente había dado rienda suelta. Tal vez me tarde algunos minutos, o incluso años, pero no puedo permitirme sentir nada por Logan.

Si va a irse, necesito estar preparada.

—Podría quedarme —dice Logan indecisamente—. No tengo que escuchar a mi hermano.

Estamos en el claro del bosque otra vez, sentados en el tronco. Mikey le dio la antorcha a Logan cuando salimos de la cabaña, pero como aquí afuera no hay dónde colocar la antorcha, hizo un hoyo con las manos en la tierra y ahí la colocó. La flama nos ilumina claramente de las rodillas para abajo. Puedo ver las agujetas de sus zapatos cubiertas de lodo, pero su cara sólo es un conjunto de líneas borrosas y distintos tonos de oscuridad.

¡Sí! —Quiero gritar con todas las fuerzas de mi corazón—. *No me dejes. No me dejes cuando por fin he bajado la guardia. No me dejes aquí sin nadie a quien amar. El Destino ya me arrebató a mi mamá y a mi hermana. No te vayas tú también.*

Tan sólo hace unas horas, podría haber dicho esas palabras. Podría haberle rogado. Pero ya no. No cuando la oscuridad que nos separa es tan real que casi es tangible. Quisiera extender la mano, sentir con mis dedos los pliegues en su frente, pero no puedo. La pared invisible entre nosotros me impide ver más que la oscuridad.

—Tu futuro está en Ciudad Edén —murmuro, tratando de convencerme de lo que digo. Intentando no ser tan egoísta—, estás destinado a ser el mejor nadador del mundo.

—No entiendes —dice, moviendo el talón con tanta fuerza que la tierra sale volando de su zapato—. La natación siempre fue el sueño de Mikey. Nunca fue el mío. Yo sólo lo hago por diversión. No necesito los premios ni los aplausos.

Por un instante, la esperanza florece en mí, resplandeciente. Mi nivel de egoísmo me hace sentir desprecio por mí misma, pero no puedo evitarlo. Aunque me odio por intentarlo, las palabras salen de mi boca, buscando, deseando, aferrándose a otra solución. Algo que mantenga a Logan aquí conmigo, y que salve a Armonía.

—Si te quedas, ¿cómo nos comunicaríamos con Armonía?

—Podríamos enviar mensajes usando el método antiguo —dice—. Dejar notas para la Resistencia en el punto de encuentro, y así podrían conseguirnos lo que necesitamos.

Y sin más, mi esperanza se extingue con el peso de la lógica.

—Eso no suena muy práctico. Piensa en lo mucho que nos tardamos en llegar hasta aquí. Tal vez el regreso es más rápido, porque se viaja con la corriente, pero de todas formas, es un viaje de tres días sólo para dejar una nota. ¿Qué tan seguido manda mensajes Mikey?

—Tal vez dos o tres veces por semana —dice—, pero podríamos turnarnos. Diseñar un sistema de rotación, como lo hacemos con el agua caliente. Podríamos hacer que funcione.

Sonrío tristemente.

—¿En serio vas a pedirle a toda una comunidad que se sacrifique para que podamos estar juntos?

Deja de mover el talón.

—Si lo pones así, sí suena un poco egoísta.

—Muy egoísta.

Nos quedamos en silencio. Hace unas horas, había decidido que se quedaría. Me pidió que no discutiera con él. Me pidió... Las palabras se quedan atoradas en mi pecho, y pensar en ellas duele demasiado. Me pidió que fuera su novia.

Y ahora, no somos nada. Sólo dos personas que hubieran podido llegar a ser algo, en otro mundo, en otro tiempo.

Giro mi cuerpo para poder verlo de frente. Una dura protuberancia del tronco se me encaja en el muslo, pero no me muevo, tratando de distinguir su cara entre las sombras.

—¿Te acuerdas de lo culpable que te sentiste por no haber impedido que arrestaran a tu hermano? —pregunto suavemente—. Tal vez ésta sea tu oportunidad de compensarlo.

Se para bruscamente y toma la antorcha. El fuego brilla alrededor de su cuerpo, envolviéndolo en sus flamas.

—Eso nunca pasará.

—¿Por qué no? Eras sólo un niño. No podías hacer nada. Seguramente ahora lo entiendes.

Se voltea, y su cara aparece entre la luz del fuego. Veo en su rostro los estragos de muchas noches sin dormir y de años de autorrecriminación.

—¿Sabes una cosa? Aunque regresara a Ciudad Edén e hiciera exactamente lo que Mikey dice y quiere, le seguiría debiendo más de lo que podría pagar en toda mi vida —aprieta con los dedos las comisuras de sus ojos—. Te he contado cosas que jamás le había dicho a nadie. Pero no te dije toda la verdad.

Me quedo inmóvil.

—¿De qué hablas?

Respira profundamente. El aire atiza el fuego, y las flamas estiran sus dedos hasta el cielo.

—Ese día yo estaba en la cancha de frontón con Mikey y sus amigos. Eran más grandes y mejores que yo, y no dejaban de lanzarme hacia un lado de la cancha como si fuera una bolsa de papel. Así que hice flotar la pelota sobre nuestras cabezas, girándola, rebotándola y trazando ochos. Creí que eso los impresionaría. Pero lo que pasó es que se alejaron de mí y de Mikey, y le dijeron a los maestros.

Mi mente da vueltas.

—¿Estás diciendo que fuiste tú quien hizo flotar la pelota?

—Sí. La telequinesis es mi habilidad preliminar, no la de Mikey. Él sólo me estaba cubriendo. La AgeINT llegó a arrestarlo, y yo me quedé ahí parado y dejé que se echara la culpa —sus labios tiemblan—. ¿No lo entiendes? Es mi culpa que esté aquí. Por mí lo perdió todo.

No sé qué decir. Lo único que queda es lo que veo en sus ojos, fluyendo hasta las líneas de su frente y su mandíbula apretada.

—Estoy segura que Mikey ya te perdonó —digo, pero las palabras salen volando como hojas llevadas por el viento.

—No importa. Porque yo no me he perdonado a mí mismo. Y por eso tengo que regresar —dice decidido—. Ahora lo veo claramente. No sé en qué estaba pensando. No me puedo quedar. No voy a arruinar la vida de mi hermano más de lo que ya lo he hecho.

Debería sentirme feliz. Esto es lo que quería. Estaba tratando de convencerlo para que lo hiciera. Pero, me siento cien veces peor de lo que me sentía antes.

31

La costa es una larga extensión de lodo y pasto que se desliza hasta el agua turbia. Busco el reflejo de la luna en la superficie del río. Me tranquilizaría ver las lunas gemelas, redondas y perfectas, una arriba en el cielo y la otra brillando debajo de ella.

Pero el agua está demasiado agitada y corta en mil pedazos cualquier reflejo. El corazón me duele. ¿Cómo puede abandonarme Logan? ¿Cómo podemos aceptar lo que dice Mikey sin buscar otra solución? Pensé que lo nuestro era especial. Algo que no se encuentra todos los días.

Me agacho y recojo una piedra plana. Llevando mi mano hacia atrás, lanzo la piedra tratando de hacerla saltar por el río. Pero la corriente es demasiado fuerte y se la traga completamente.

Hay miles de preguntas flotando en el aire. Puedo tomar del cielo la que yo quiera, pero hay una que empuja con más fuerza, exigiendo una respuesta.

¿Lo amo?

Sí, grita mi corazón. Siempre lo he amado. Siempre.

No, responde mi mente, decidida a mantener la pared en su lugar. No lo amo. Es imposible. Logan y yo apenas volvimos a reconectarnos. Tenemos muchas cosas que aprender. Ya no sé lo que es el amor.

Creí que amaba a Jessa. La amé desde el instante en que mi hermana me vio con su cara roja y arrugada, y sus puñitos golpeaban el aire. Cuando su mano, enredada en mi dedo, lo apretó con una fuerza increíble, juré que nada ni nadie la lastimarían jamás.

Me equivoqué. Pensé que el amor podía superarlo todo. Ahora sé que hay algo en este mundo más fuerte que el amor, algo ahí afuera que puede hacer que mate a mi hermana. Esta fuerza hizo que sopesara todas las cosas: la marca de nacimiento en forma de mancha que tiene en la cintura, la manera en la que come su sándwich alternando las mitades, sus quejidos parecidos a los de un gato cuando tiene una pesadilla, y que eligiera la muerte sobre el amor.

Tomo otra piedra, y juego con ella lanzándola entre mis manos, que se me llenan de una fina capa de tierra. La piedra se resbala a través de mis dedos y cae al suelo.

Si no puedo entender algo tan simple como amar a mi hermana, ¿cómo voy a entender lo que significa amar a un chico? Y ahora que Logan se va en dos días, ¿vale la pena averiguarlo?

El amanecer se acerca y la oscuridad desaparece. La luz difuminada se convierte en el resplandor del sol. Limpio las lágrimas de mi cara, me visto y me dirijo hacia el río. Los pescadores están reunidos en la costa, gritando y aplaudiendo. Veo desde lejos la silueta delgada de Brayden, y me acerco al grupo.

—¿Qué pasa?

Brayden voltea hacia mí, y puedo ver que le cosió una tira de tela a su gorra de beisbol para proteger su cuello del sol.

—Hay una carrera.

Señala hacia el río. Dos siluetas cortan las olas, con sus poderosos torsos elevándose por encima del agua como si fueran delfines. Arriba está el cielo azul sin nubes, y una parvada vuela sobre el río, como si ellas también quisieran ver a los nadadores.

—Está en juego su orgullo, su honor y una porción de carne seca de venado. Antes de que Logan llegara, Don era el rey del agua. Cuando lo conocí por primera vez, me dijo que lo llamara *Poseidón*. ¿Entiendes? *Posei-dón* —pone los ojos en blanco—. Le dije que lo llamaría *Don Pose*. Supongo que se hartó de escucharnos hablar de lo rápido que nada Logan, porque lo retó a una carrera. Van a nadar diez vueltas hasta llegar a las trampas para cangrejos y de regreso, trayendo una carga cada vez. El que termine primero, será el ganador.

Miro hacia el agua, entrecerrando los ojos. ¿Es esa la cabeza de Logan? Las siluetas están demasiado lejos, así que no estoy segura.

—¿Quién va ganando?

—¿Quién crees? —dice sonriendo—. ¡Mi amigo Logan! Y por mucho. Lleva dos vueltas de ventaja sobre Don.

Claro que va ganando. No por nada es un futuro nadador profesional. Siempre supe que Logan era bueno en el agua. Pero no sabía que era *tan* bueno. Aunque su recuerdo del futuro no hubiera comprobado su potencial mostrándolo en la última ronda, Logan habría llegado al equipo nacional por sus propios méritos. Así de talentoso es.

Lo espera un brillante futuro en la civilización. Su recuerdo lo afirma, y si acaso necesitará otra prueba, la tengo justo enfrente de mí. Tendrá fama y poder. Será una celebridad con un estilo de vida acorde a su estatus.

Siento como si mis rodillas estuvieran hechas del sebo con el que Ángela enciende las lámparas. Por eso Mikey quiere que regrese. No sólo es esencial para Armonía, sino que éste es el futuro que le sería arrebatado si se quedara.

Uno de los nadadores se acerca a la orilla, con una red ondeando junto a él en la corriente, y ya no me queda duda de su identidad. ¿Quién más podría verse tan hermoso en el agua? Fuerte, tranquilo y seguro, como una creatura que alcanza la plenitud en su hábitat natural.

Mikey tiene razón. El punto no es si podemos o no comunicarnos con la Resistencia. Un talento así no puede desperdiciarse en Armonía. A lo más que puede aspirar aquí es a ser un buen pescador. En cambio, en la civilización, podría llegar a ser alguien importante. Podría salvar él solo a la comunidad enviando las mochilas, y podría tener a todo el país apoyándolo para ganar una medalla de oro.

Me pongo la mano en la frente cuando siento que el suelo se levanta bajo mis pies.

—¿Te sientes bien? —las pecas de Brayden dan vueltas frente a mí.

—Estoy un poco mareada —me tropiezo, y pone su brazo a mi alrededor, sosteniéndome.

El verdadero peligro aquí es mi naturaleza egoísta. Quería retenerlo en Armonía, en medio de la nada, y casi le ruego que se quede. La sola idea de perderlo me mata. Y sin embargo, nada de esto tiene que ver conmigo.

Cuando el mareo disminuye, levanto la vista. La cara de Brayden está a unos cuantos centímetros de la mía. La emoción ha desaparecido de sus ojos, y ha sido reemplazada por una seriedad inusual. Leyó mis pensamientos.

—Es lo correcto —dice suavemente—. Va a ser una estrella, Callie.

Asiento con la cabeza, limpiando las lágrimas de mis mejillas. Por primera vez, entiendo las ventajas de tener un amigo que puede leer mi mente. Brayden sabe cómo me siento, y no tuve que decir una sola palabra.

Sin pensarlo, me inclino hacia delante y lo beso en la mejilla.

—Gracias por entenderme.

Brayden se sonroja.

—No quería leer tu mente, pero estaba preocupado.

—Qué bueno que lo hiciste.

El público estalla en aplausos y Logan sale del río. Lanza la última red al montón, y los pescadores se acercan a él, dándole la mano y golpeándolo en la espalda. Logan los pasa de largo y camina hacia nosotros.

—Bien hecho, amigo. ¡Estuvo increíble! —Brayden le ofrece la mano a Logan, mientras su brazo sigue sobre mis hombros.

Logan le da la mano, pero no sonríe ni dice nada. Sus labios permanecen tan rectos como una regla. Acaba de ganar una carrera. Debería estar saltando sobre el agua, pero más bien parece como si su gato acabara de morir y Ángela lo hubiera cocinado en uno de sus estofados.

Brayden me mira rápidamente, y yo me encojo de hombros. Yo tampoco había visto así a Logan. Su mal humor llena el silencio, llegando hasta el espacio que hay entre mi hombro y la mano de Brayden.

Después de varios segundos incómodos, Brayden quita su brazo de mis hombros.

—En fin, tengo que irme. ¿Los veo después? ¿En la cena? —sin esperar una respuesta, sale corriendo hacia la cabaña de suministros. No puedo culparlo. Si fuera cualquier otra persona, yo también saldría huyendo.

Volteo a ver a Logan. Su pecho desnudo está cubierto de gotas de agua, y sus músculos se ven más grandes de lo normal después del ejercicio.

—Estuviste… —busco la expresión correcta. ¿"Cómo siempre"? ¿"Inspirador"? ¿"Sensacional"?—. Sí. Alguien tan talentoso como tú pertenece a la civilización.

Su labio superior se curva, y por un instante se parece a su hermano.

—No quiero hablar sobre mi talento.

—¿De qué quieres hablar?

Abre la boca, pero una ráfaga de viento nos golpea, llevándose sus palabras antes de que las diga. Me mira de una forma que junta todas mis entrañas y las mete en una trituradora de carne, y luego se marcha.

Lo observo mientras se aleja. Siento los ojos calientes, pero me niego a llorar. No sé qué acaba de pasar. No sé por qué se fue. Pero las lágrimas son como el agua que gotea en una cueva. En el momento, pueden no parecer importantes, pero con el paso de los años, el dolor se acumula y te conviertes en una persona tan dura como una estalactita.

Sólo me queda un día con él, y no voy a desperdiciarlo en un malentendido.

—Logan, espera —corro detrás de él, y cuando se voltea, no me importa quedar en ridículo. No me interesa la vergüenza, ni el orgullo. Me lanzo a sus brazos, porque ahí es a donde pertenezco, sin importar que mañana ya no esté—. Háblame, por favor. ¿Por qué estás actuando así?

Gracias al Destino, él también me abraza. El río que moja su piel empapa mi ropa, y siento cómo la pulsera hecha de planta que tiene en la muñeca presiona mi espalda.

No dice nada, y podría ser suficiente estar abrazados. Podría ser suficiente el que las estalactitas de hielo se hayan derretido entre nosotros, casi lo suficiente como para poner mi cabeza sobre su pecho y sincronizar nuestros signos vitales.

Pero *no* es suficiente. Porque quiero a este chico en sus mejores y peores momentos. Si está sufriendo, quiero saber la razón.

—No me hablaste en cinco años —digo—, y el tiempo que hubiéramos podido tener, ya lo hemos perdido para siempre. No soportaría perder también este día.

Esconde su cara en mi cuello, y su respiración se enreda en mi cabello.

—Soy un estúpido.

—Sólo cuando no me hablas.

Sus labios vibran en mi piel. No sé si se está riendo o me está besando, pero no me importa.

—Cuando salí del agua, te vi con Brayden —dice pausadamente—. Y ya no me importó haber ganado. Lo único que quería era arrancarle la cabeza.

—Brayden no me gusta.

—Todavía no. Pero cuando me haya ido, todos estos tipos estarán interesados en ti —retrocede un poco. Su boca se estira en las comisuras. Se ve tan perdido como Jessa estaba el día que extravió a Princesa, su perra morada. Y tan triste como yo la noche que me quedé despierta esperando a papá en la cochera, sin que llegara a casa.

—Un día, vas a elegir a alguien —dice—, y no seré yo.

—Ay, Logan... —lo abrazo fuertemente. Si pudiera, convertiría nuestros brazos en grilletes o en esposas eléctricas y nos ataría por el resto de nuestras vidas. Pero no puedo—. Odio tanto esta situación. Pero así tiene que ser. Tú perteneces a la civilización, y yo pertenezco aquí. Tenemos que encontrar un modo de aceptarlo.

Pone su barbilla sobre mi cabeza y encajamos exactamente, como dos piezas de un rompecabezas. Tan perfectamente, como las dos mitades de un corazón roto.

—¿Y si no podemos? —dice susurrando.

No tengo una respuesta a esa pregunta.

Mi vida se destruyó en un instante, con un único recuerdo enviado desde el futuro. Desde que llegué a Armonía, he estado tratando de reconstruirme. De juntar las piezas y sentar las bases para mi nueva vida, la que supuestamente construiría con Logan, y justo cuando comenzaba a creer que Armonía era mi casa, mi verdadero hogar me fue arrebatado.

Y ahora, el chico al que amo se irá, y yo estoy de vuelta donde empecé: con un millón de preguntas y sin una sola respuesta.

32

El sol ha descendido en el cielo. Si pongo mi mano frente a la cara, está a un pulgar de distancia por encima de los árboles, lo que significa que tengo una hora libre antes de que Logan termine de prepararse para su viaje de regreso a Ciudad Edén.

Deambulo por la plaza, sintiendo la ausencia de Logan como una sombra sólida. Tengo que acostumbrarme, porque muy pronto ésta será mi mejor compañía.

Tomo del aire una pluma que flota en el viento. Está rota, deshaciéndose en pelusas que se alejan volando, y que tratan de resucitar en algo nuevo, que intentan forjarse un camino distinto lejos de su vuelo sin futuro y que escapan de la vida dictada por el Destino.

Este pensamiento me ancla los pies. Yo también soy como esa pluma: golpeada y aplastada, queriendo cambiar mi destino, pero sin saber cómo hacerlo.

Estoy a punto de ahogarme en la tierra seca y polvosa cuando veo a Laurel caminando hacia la cabaña de troncos, arrastrando por el suelo un montón de flores silvestres. Yo con mi pluma hecha jirones, y ella con sus flores marchitas. ¿No somos una pareja deplorable?

—Laurel, mira esas pobres flores —las levanto y soplo la tierra de sus pétalos—. Déjame traerte un poco de agua.

Tomo agua del barril y pongo las flores en la lata de aluminio, acomodando la pluma junto a ellas. Se ven bien juntas. La lata tiene funciones más importantes que ser un florero, pero tal vez las flores regresarán a la vida después de algunos minutos, aunque no tengo muchas esperanzas para la pluma.

—Traté de dárselas a Zed —su voz suena tan apagada como un charco de lodo—. No le interesaron las flores, y mucho menos yo.

—No eres tú. Tiene miedo de su…

—De su recuerdo del futuro, ya lo sé —dice amargamente—. Por eso vino hasta Armonía, para evitar que suceda. ¿Va a dejar que lo gobierne aquí también? ¿Qué clase de vida se tiene si se vive temiendo el recuerdo a cada paso? Eso no es vida.

Trago saliva. Saco la pluma de la lata y la vuelvo a meter.

—Lo conozco desde hace dos años —dice—. En ese tiempo, lo único que he visto es un hombre dulce y amable, intentando resarcir los pecados que no ha cometido —sujeta fuertemente la lata de aluminio—. No tengo miedo, Callie. Confío en él plenamente. Tiene completo control de sus acciones, no de su yo futuro o de algún recuerdo, sino de él mismo. Hay dos opciones: o se niega a escucharme o tiene mucho miedo de creerme.

Inclina la cabeza sobre la lata, regando las flores con sus lágrimas. Al cabo de unos minutos, toma una flor amarilla y me la da.

—Me enteré de lo que pasó con Logan. Lo siento.

Tomo la flor y la acerco a mi nariz. Huele a algo pegajoso, como un postre demasiado dulce. Lo único que me imagino es un montón de abejas atraídas por la fragancia.

—¿Por qué va a regresar? —pregunta.

—Lo necesitan para que se haga cargo de las mochilas —digo, intentando sonar dura. Pero mi voz se marchita como las flores silvestres de Laurel, y a diferencia de los retoños, no hay agua suficiente que pueda reavivarla—. Y bueno... Logan no es como nosotros. Nadie lo busca, así que no pertenece a este lugar.

Las palabras se me atoran en la garganta. Hubo muchas cosas que no debieron haber pasado. Logan no debió haber venido. Yo no debí haberme enamorado de él, pero eso no significa que puedan cambiarse, sin importar cuánto se trate.

—Si necesitas hablar, aquí estoy —dice—. Podemos tener el corazón roto juntas.

Le regreso la flor y, después de pensarlo un momento, saco la pluma de la lata.

—Suena divertido.

Me aprieta el brazo y continúa su camino hacia la cabaña de troncos. Yo sigo caminando por la plaza. La hora de la cena está cerca, pero todavía no estoy lista para enfrentarme a la gente.

Me dirijo al claro. Muevo la mano por el tronco, metiendo los dedos en los surcos y toco las protuberancias. Pongo la pluma dentro del espacio hueco. Ahí es donde pertenece, porque fue en este lugar donde me dijo que me abandonaría para siempre.

Pero los árboles no han absorbido ese recuerdo. Cuando las hojas se agitan, no crujen al ritmo de los corazones rotos. Más bien, cuentan una historia de tierra húmeda y ardillas ocupadas, de hojas de pino secas que se aferran obstinadamente a los árboles pesar del hielo del invierno.

El claro tiene tres lados flanqueados por pinos. Me recuesto en el suelo detrás del tronco, con la cabeza alineada con la pluma, y el árbol muerto se vuelve una cuarta pared. Extraño a Jessa. Más que a Marisa, más que a mi mamá, extraño a mi hermanita.

Ella sabría qué decirme en este momento. Eso es lo que necesito. Sus manos frías en mis mejillas calientes. Sus palabras sencillas, pero más verdaderas que un cuarto lleno de recuerdos.

Desde que descubrí mis habilidades como receptora, he abierto mi mente sin cesar para revisar si hay nuevos recuerdos, para buscar una forma de ayudar a Jessa.

Pero esta vez, mientras dejo que los elementos físicos de mi mundo se desvanezcan, no estoy tratando de ayudarla. Lo que busco es su consuelo.

Respirando profundamente, pienso en los espacios vacíos que hay debajo de las columnas. En los enormes hoyos de una red para pescar. En el corazón abierto de Ángela mientras llora por una niña que tal vez nunca nazca.

La sensación extraña, ya es normal y bien recibida. Después, algo me llena como si estuviera llegando a casa. Aquí viene. El recuerdo. Abierto.

Estoy sosteniendo suavemente una raqueta, tomándola por el mango de goma. Las paredes negras y brillantes reflejan la elegante gorra deportiva que evita que el cabello toque mi cara. Hay un cuadro grande y azul pintando en el suelo de madera. Algo golpea, ¡pum, pum, pum!, contra la pared.

Estoy en la escuela durante la clase de Deportes, en una cancha de frontón.

El aire está caliente, como si hubiera absorbido todo el sudor de la gente que alguna vez ha jugado aquí. Una pelota rebota en la pared reflejante y pasa volando junto a mí.

—¿Qué haces? —las trenzas de Olivia Dresden golpean su cara mientras gira sobre su pie. Su gorra deportiva está en el suelo de madera, probablemente se la quitó desde que entró a la cancha—. Pégale a la pelota.

—No podemos empezar a jugar —digo. Frente a nosotras, las dos esquinas de la cancha están vacías—. Las chicas del Quince de Julio no han llegado todavía.

—Ah, las gemelas no van a venir hoy a la escuela —dice Olivia engreídamente—, o más bien, nunca más vendrán.

La pelota rueda por la pared y se estrella contra mi pie. La recojo.

—¿Por qué no?

—Mi mami dice que ahora todos los gemelos le pertenecen a la AgeREF, porque sus cerebros tienen la misma estructura ge... ge... —arruga la nariz, intentando recordar la palabra correcta—, estructura genética. Aunque son dos personas, es como si sólo fuera una.

Arrugo la frente, rebotando la pelota con mi raqueta.

—Estás mintiendo.

—Claro que no —Olivia se pone las manos en la cadera—, así es como los científicos investigan el recuerdo del futuro. Viendo los cerebros de gemelos. Lo que pasa es que estás enojada porque tu mami no es la directora de la AgeREF, y no sabes nada. Un día, todos van a escuchar lo que digo, y tú seguirás siendo la nada que eres hoy —me arrebata la pelota del aire—. Ni siquiera sé por qué te hablo.

Recoge su gorra deportiva y sale enojada de la cancha. Azota tan fuertemente la puerta de vidrio que mis oídos retumban.

Abro los ojos. Estoy de regreso en el claro, y el sol se ha metido bajo el horizonte. Un insecto trepa por mi brazo, y siento toda la espalda húmeda por la tierra mojada.

Siento un nudo en el estómago. Primero análisis generales y ahora los gemelos. ¿Cuándo terminará esta locura?

—¡Aquí estás! —como si fuera una aparición, Logan llega y se para junto al tronco—. Te he buscado por todas partes.

Tomo sus manos y me ayuda a levantarme del suelo. Dentro de algunas horas se irá, pero no puedo pensar en eso. Tendré el resto de mi vida para llorar por su ausencia. Entonces hago algo que nunca antes había hecho. Me olvido de nuestro pasado. Me olvido de nuestro futuro. Me concentro completa y totalmente en nosotros, en este momento.

Me siento en el tronco frente a él, y le cuento sobre el recuerdo que acabo de recibir.

Mientras hablo, las palabras de la Presidenta hacen eco en mi mente. *El Primer Incidente se aproxima rápidamente... Ahora ya entiende por qué tenemos que hacerlo... Ahora ya entiende por qué tenemos que hacerlo... Ahora ya entiende por qué tenemos que hacerlo.*

Contengo la respiración.

—Si los científicos no saben cómo enviar recuerdos, entonces el Primer Incidente debe ser la primera vez que un recuerdo es enviado al pasado. Y si se aproxima rápidamente, significa que la AgeINT tiene que averiguar cómo enviar un recuerdo para esa fecha. Porque si no lo hacen... si no lo hacen...

—La tecnología del recuerdo futuro podría desaparecer completamente.

Arrugo la frente.

—¿Puede ser posible? Somos tantos los que ya hemos recibido nuestros recuerdos. ¿De dónde vinieron?

—Claro que es posible —dice—. Por la misma razón que un recuerdo que ya ha sido enviado puede cambiarse, aunque la AgeREF quiere hacernos creer que no es posible. El tiempo es un circuito cerrado. En el instante en que un recuerdo se envía al pasado, se crea un mundo paralelo, un mundo nuevo en donde puede pasar cualquier cosa.

Me pongo de pie, tratando de comprender sus palabras. Si Logan tiene razón, entonces no hay ninguna paradoja. Y si yo tengo razón, la existencia misma del recuerdo futuro está en peligro. Eso explicaría todo: por qué la AgeINT está tan desesperada, o por qué están arrestando gente con capacidades psíquicas a diestra y siniestra.

Su investigación no es un montón de experimentos hechos en beneficio de la ciencia. Esta investigación podría afectar todo nuestro estilo de vida.

Logan se levanta y camina hacia mí.

—Estás temblando.

—¿En qué nos hemos metido? —digo susurrando.

Toma mi cara entre sus manos.

—Aquí estás a salvo, Callie. Jessa también está a salvo. Eso es lo importante.

—Por ahora —digo desesperadamente—. Hasta que el cabello le llegue a los hombros. Hasta que le toque el turno de ser analizada en las pruebas generales.

—Sí, pero el ahora es todo lo que tenemos. El ahora es lo que importa.

—Quisiera que durara para siempre —digo, ahogando mis palabras en su playera.

Toma mi barbilla con sus manos, levantándola, y me besa. Quisiera que ese beso también durara para siempre.

33

—Supongo que ha llegado el momento —dice Logan. Después de habernos marchado del claro, regresamos a la plaza de la aldea y cenamos juntos por última vez. Una última noche, y la última vez que nos reunimos con la gente. Ahora Armonía duerme, pero Logan me pidió que lo acompañara a dar un paseo. Por última vez.

A través de las afiladas sombras de las hojas, la luna brilla en el cielo. Es como si se hubiera abierto un hoyo en el universo y un toque de luz proveniente de otro lugar penetrara en nuestro mundo.

—Sí —digo, mirando la luna. Si tan sólo pudiéramos estar allá arriba, en la luz, en vez de aquí abajo llenos hasta el cuello de lodo y porquería, todo estaría bien.

Sabía que este momento sería difícil. Pero no creo que Mikey se lo imaginara. En cuanto quitaron los huesos de la mesa, se paró, parpadeó y se marchó. Pero no antes de haber visto el brillo de las lágrimas en sus ojos.

—¿Cómo está Mikey?

—Me va a acompañar hasta los acantilados para asegurarse de que regrese sano y salvo a la civilización —Logan se frota la cara con la mano—. Cuando regresé a la cabaña, estaba llorando —mueve la cabeza, como si no pudiera creer lo que está diciendo—. Nunca antes lo había visto llorar. Ni siquiera cuando la AgeINT se lo llevó.

—Está enojado. No quiere que te vayas.

—Pensé que eso era lo que quería.

—Quiere lo mejor para ti y para su gente —no puedo creer que estoy defendiendo a Mikey, cuando lo que quisiera es caer de rodillas y maldecirlo de aquí hasta el Limbo. Pero ahora que estamos a punto de perder al chico más importante para los dos, lo entiendo—. Te prometo, que si sólo dependiera de él, Mikey jamás dejaría que te fueras. Te ama.

Qusiera decir *Yo también te amo*. Quisiera decir un millón de cosas, compartir con él un millón de pensamientos y contarle un millón de historias. Porque Logan tiene razón. Ha llegado el momento. Nunca más volveré a tener una oportunidad como ésta.

Pero hay tantas palabras atrapadas en mi corazón que se quedan atascadas en mi garganta. Y finalmente no sale nada.

Seguimos caminando y caminando alrededor de la aldea, agachándonos debajo de las ramas de los árboles y brincando las raíces. En el día, es difícil atravesar el bosque, pero en la noche es completamente peligroso. Aun así, no nos detenemos. Seguimos, como si caminar pudiera detener el tiempo. Como si al detenernos, descansar o ver un lugar, tuviéramos que regresar al mundo real.

Logan se va mañana. En cuanto salga el sol, empacará cosas y se irá, volviendo sobre nuestros pasos de regreso a la civilización.

Y entonces nunca más volveré a verlo.

—Callie —Logan voltea a verme. Su cabeza tapa la luna, haciendo que hasta el brillo de su pómulo desaparezca en la noche—, no quiero verte mañana.

—Está bien —ya no nos movemos, así que ha llegado el momento. La realidad. Debería quitarme mi pulsera de planta y devolvérsela. Pero no lo hago. Aunque voy a perderlo, quiero aferrarme a este recuerdo.

—Digo que no quiero despedirme enfrente de todos. Quiero hacerlo aquí, donde sólo estamos tú y yo. Quiero pensar en este momento y recordar lo que se siente ser las dos únicas personas en el mundo.

Eso mismo quiero yo. Mañana empezaré mi nueva vida, una vida sin él. Mañana trataré de olvidar mi amor. Mañana necesitaré ser fuerte. Yo tampoco quiero verlo mañana.

Las frías puntas de sus dedos rozan mis brazos. Camino ciegamente hasta él y me tropiezo con una roca suelta. Me atrapa, como siempre lo hace, y como jamás volverá a hacerlo. Mis labios buscan los suyos en la oscuridad, rozando su mandíbula. Los vellos de su barba me raspan. Giro la cabeza, para poder sentir mejor el frote en mi mejilla, y su boca captura la mía.

El beso sabe a gotas de rocío, a lágrimas de bebé, al vapor de una noche nublada. Se siente como las pelusas de un diente de león, como la savia de árbol y la picadura de una abeja.

Dura una eternidad, pero se termina demasiado rápido. Me arrepiento de este beso, porque nunca jamás voy a olvidarlo.

—Siempre te recordaré, Callie.

Adiós, Logan.

Adiós.

Cuando regreso a la cabaña, Ángela está avivando el fuego en la fogata interior. Me siento junto a ella y caliento mis manos.

—¿Sigues despierta? —pregunto.

—Te estaba esperando —atiza el fuego con un palo largo—. ¿Cómo estás?

—Estoy viva y respirando.

—Algunas veces eso es todo lo que podemos pedir.

Siento cómo se forman gotas de sudor en mi cuello, aunque el aire frío me roza la espalda. El fuego cruje y crepita, e hilos grises bailan alrededor de nosotras flotando hasta el techo y escapando por el hoyo. Quisiera desaparecer junto con el fuego.

—Seguramente ya te enteraste —la voz de Ángela me saca de mis pensamientos—. Mikey me pidió que me casara con él.

Levanto la vista.

—¡Qué maravilla!

—Le dije que no.

Deslizándome un poco, la tomo de la mano, que cuelga sin fuerza sobre mis dedos, como si los huesos se hubieran convertido en líquido.

—Pero ustedes se aman. ¿Por qué no quieres casarte con él?

—Ya sabes por qué —aprieta los ojos fuertemente, pero aun así salen lágrimas—. Quiere tener hijos, y eso es algo que yo jamás podré darle.

Suelto su mano y me levanto, alejándome del fuego. De pronto, siento mucho calor, y me quito la playera de manga larga, quedándome sólo con una camiseta blanca.

—Mikey está aquí, Ángela. Justo aquí, frente a ti. No tiene que regresar a la civilización.

Me froto el pecho a través del delgado material de algodón. *Detente*. El que mi corazón esté roto no significa que tenga que lanzarle los pedazos a Ángela.

Poniéndome en cuclillas, recargo la mejilla sobre mi rodilla.

—Al venir aquí ya cambiaste el curso del futuro. Puede ser que tu recuerdo no se vuelva realidad. Podrías ser tan feliz, Ángela. Tu hija podría crecer aquí, completamente a salvo. Podrías ver cómo se asombra al ver un pescado sacudiéndose. Podrías trenzar flores silvestres en su cabello tan suave como la tela de araña.

Mueve la cabeza negativamente, y puedo ver el terror reflejado en todas las líneas de su cara.

—No voy a arriesgarme. Ni a mí ni a mi bebé —sus palabras son tajantes. Finales.

Quisiera discutir, pero no puedo.

Me gustaría vivir en un mundo donde el amor todo lo puede. Pero tal vez renunciamos a ese privilegio cuando el Auge de la Tecnología cambió nuestra sociedad, o quizá renunciamos a nuestros sueños cuando construimos un mundo basado en imágenes del futuro. Negociamos con la pasión de nuestras almas, esa pasión que enciende la esperanza, el deseo y las posibilidades. Y lo único que recibimos a cambio fue seguridad. Metas que ya se habían alcanzado. Una vida ya vivida. Y en el caso de Zed, Ángela y mío, una pesadilla hecha realidad.

Tal vez estaríamos mejor si esos recuerdos nunca se hubieran enviado. Podríamos aprender a respirar otra vez, si tan sólo pudiéramos olvidar el mañana.

Las hojas de pino crujen cuando Ángela se mueve o se voltea. Su respiración es irregular. Algunas veces, traga aire como si se le estuviera acabando el oxígeno, y otras parece que no está respirando. Me siento tentada a cruzar el cuarto y checarle el pulso. Finalmente, se tranquiliza, pero yo sigo sin poder dormir.

Intento contactar a Jessa. Si la veo, será como mi protección para espantar a los monstruos, o como un beso de buenas noches para tener dulces sueños. La veré, y después podré dormir.

Abro mi mente más fácil que otras veces. Apenas estoy en la primera imagen cuando la sensación extraña me recorre el cuerpo. Estoy buscando a mi hermana. Estoy buscando el recuerdo.

Alguien me está arrastrando. El metal me aprieta las muñecas, y los tacones de mis zapatos se clavan en la tierra. Un grito agudo desgarra el aire. Me toma un segundo comprender que soy yo quien está gritando.

Alguien me jalonea haciendo que me caiga y choque contra un áspero uniforme azul marino, que tiene una insignia de reloj de arena grabada en el bolsillo. Me está arrestando la AgeREF.

Muevo la mano intentando liberarme. Mi madre está parada en la entrada de nuestra casa, con la mano extendida hacia mí y respirando rápidamente. Hay una mochila abierta en el pasillo, y desde el escritorio-pantalla puede verse una proyección holográfica de mi familia. Mi madre. Jessa. Callie.

Ahí es cuando me doy cuenta de que estoy gritando.

—*¡Callie! Me han atrapado. Ven a salvarme. Por favor, Callie. Te necesito.*

Te necesito. ¡Te necesitoooooo!

Abro los ojos. Mi mejilla roza contra el cuero, y siento la garganta en carne viva, como si hubiera estado gritando a voz en cuello, sólo que no lo he hecho. Estoy de vuelta en la cabaña de Ángela, y la que gritaba era Jessa.

Me equivoqué. ¡Ay, por el Destino!, me equivoqué horriblemente. Pensé que todavía había tiempo. Pensé que arrestarían a Jessa hasta que el cabello le llegara a los hombros. Pero la AgeREF ya la tiene. Ya es muy tarde.

Me necesita. *Mi hermanita me necesita*. Tomo el pedazo de cuero y me lo pongo sobre los hombros, antes de salir de la cabaña. Hay un millón de estrellas en el cielo, que me hacen recordar esa noche en el bosque, justo después de haber dejado la civilización, cuando estaba convencida de que Jessa y yo estábamos conectadas a través de ellas.

Bueno, sí tenemos una conexión, pero diferente a la que imaginé.

Te escucho, Jessa. Lanzo ese pensamiento hacia la noche. *Te escucho, no te preocupes. Voy a ayudarte.*

¿Cómo? Parece como si de pronto las estrellas fueran a caer sobre mí, dejándome atrapada en una jaula puntiaguda tan dura como el diamante. ¿Cómo voy a ayudarla? Ella está allá y yo estoy aquí. Vivimos en dos mundos distintos.

Es mejor así. Soy más peligrosa para ella que la AgeREF. Ellos sólo quieren analizarla, en cambio, mi yo futuro va a matarla. ¿Por qué tentar al Destino regresando a Ciudad Edén?

Los viejos argumentos vuelven a surgir, pero aun cuando las palabras resuenan en mi mente, esta vez algo se siente diferente. No siento náuseas, ni tampoco una desesperación aplastante que me presiona los hombros.

No se puede vivir así; cobardemente en Armonía, temiendo el futuro a cada instante. Veo a Ángela... a Zed... Están tan paralizados por un futuro que no ha sucedido, que ni siquiera permiten que el amor entre a sus vidas.

El Destino puede irse hasta el Limbo, que a mí me importa poco. Tal vez lo tiente si regreso a la civilización, pero no significa que tenga que sucumbir a él.

Lleno mis pulmones con el aire frío de la noche, y las estrellas regresan a su lugar. Sé quien soy. Logan me ha enseñado a la chica que podría ser. Tuve que venir hasta aquí, y alejarme de todo lo que conozco, para entender que no soy una asesina. Esa Callie que encajó una jeringa en el corazón de su hermana, no soy yo. No sé cuáles fueron sus motivos, pero no hay ninguna buena razón para hacer lo que hizo.

Soy yo quien elige. Es mi decisión. No voy a lastimar a mi hermana. Y no voy a dejar que nadie, ni la AgeREF, ni el futuro, ni siquiera el Destino, me digan lo contrario.

Sujetando fuertemente el cuero alrededor de mis hombros, camino en la oscuridad de la noche, cruzando la plaza hacia la cabaña de Mikey.

Mi hermana me necesita, y sé lo que tengo que hacer. Regresaré a Ciudad Edén. Voy a salvarla, aunque para hacerlo tenga que vencer al Destino.

34

El acantilado se eleva en una pared vertical, llena de miles de grietas, protuberancias y bultos deformes.

—Necesito más cuerda —grita Logan.

Desde abajo, suelto unos cuantos metros de cuerda, mientras Logan escala por la pared como un cangrejo. Su pie se resbala, y una nube de piedras y polvo cae como cascada por el acantilado.

El corazón se me detiene. Un instante después, recupera el equilibrio encontrando otro punto de apoyo, y el corazón vuelve a latirme. Estoy intentando ser valiente, de verdad que sí. Pero no discutí con Mikey hasta perder la voz para ver a su hermano caer del acantilado y morir.

Por eso tenemos todo este equipo, me explicó Logan. Para evitar una caída en medio del aire. En teoría, sólo caeríamos el doble de distancia hasta la última "protección", que es como llama Logan a las cuñas de metal que va atorando en la roca mientras escala.

Suelto más cuerda, olvidándome de la fricción que me quema las manos. El sol está encima de los árboles, a una mano de distancia, pero siento escalofríos cuando el viento sopla contra mi ropa húmeda.

Esta mañana, remamos por el río en el bote, yendo con la corriente en vez de luchar contra ella. Recorrimos en cuestión de horas la distancia que cubrimos en nuestro viaje de ida en dos días. Nunca había sentido algo así; el viento sobre mi cabello y el agua de los remos de Logan rociándome la cara. Lo mejor de todo es que volamos a través del agua como si nos deslizáramos en el aire, como si el enérgico movimiento de Logan con los remos pudiera catapultarnos hacia otro mundo.

Regresé a la tierra el tiempo suficiente para escuchar a Logan explicarme su técnica. Si todo sale según lo planeado, en un par de días seré yo quien dirija el bote, sólo que esta vez Jessa será mi acompañante. Y, desafortunadamente, hasta ahí llega mi plan. Entrar por la fuerza a la AgeREF, rescatar a Jessa y remar en el río. Espero que el resto de los detalles se solucionen llegado el momento.

Arriba, en el acantilado, Logan se estira y salta. Ha recorrido tres cuartos de la pared. ¿Es mi imaginación o le están temblando los brazos?

Sujeto fuertemente la cuerda y apoyo los pies. Siento cómo se me llena de sudor la frente. Esto es lo que temía Mikey. Por eso discutimos tanto tiempo. Si él hubiera venido en mi lugar, no habría duda sobre su fuerza o habilidad para anclar a su hermano. Pero Logan dijo que yo podía hacerlo. Insistió en que confiaba en mí.

Parpadeo y la garganta se me cierra. Tengo una gran deuda con Logan. Una cosa es ofrecer apoyo moral, pero otra muy distinta es arriesgar la vida por completo.

Un insecto pasa silbando junto a mí, aterrizando sobre mi resbaladiza frente. Soplo hacia arriba para alejarlo, sin quitar los ojos de la silueta cada vez más pequeña de Logan.

—Tú puedes —digo entre dientes—. Tú puedes. Tú puedes.

Y unos minutos después, lo logra. Sus pies escalan las últimas rocas, lanzando más polvo al aire mientras su cuerpo desaparece en el resplandor de la luz del sol. Un instante después, asoma la cabeza por el borde y agita la mano.

Ahora es mi turno.

Me duelen los brazos. Siento que los muslos me arden, y todavía no voy ni a la mitad.

Encuentro dos puntos de apoyo estables y me abrazo a la pared, luchando por respirar. El sudor me recorre el cuerpo. El aire está seco y polvoso. Siento como si estuviera inhalando partículas diminutas de rocas.

En algún lugar allá arriba, Logan está trabajando con la cuerda. Cada centímetro me acerca más a él. Cada metro que escalo me acerca más a la despedida.

—Está bien —dice finalmente Mikey, congelándome con su mirada—. Puedes sustituirme, pero con dos condiciones.

Miro rápidamente a Logan. Después de estar sentados en los tapetes por varias horas, siento un cosquilleo que me recorre las pantorrillas.

—¿Cuáles?

—Primero, si encuentras a alguien en la civilización que haya cambiado su futuro, no parcialmente o a medias, sino que haya logrado evitar que todo su futuro se vuelva realidad, tráelo de regreso a Armonía. Quiero probarle a Ángela que sí es posible hacerlo. Quisiera convencerla de que podríamos, al menos, adoptar un niño. Tal vez a Ryder. Necesita un papá y una mamá, y él y Ángela ya tienen una relación estrecha. Quiero que vea que hay más opciones.

Asiento con la cabeza.

—Claro. ¿Y la segunda?

Mikey me mira a mí y luego a su hermano.

—Necesito que me prometan que cuando lleguen al acantilado, se separarán. Una vez que lleguen a Ciudad Edén, Logan no tiene nada que ver contigo o con tu misión. ¿Está claro?

Quería levantarme y gritar. *No. Acabámos de revocar las despedidas. No puedes volver a separarnos.*

Pero nuestro reencuentro fue sólo temporal. Nada ha cambiado. Logan nunca me perteneció.

—Lo prometo —digo.

Y luego Logan, tras una mirada punzante de Mikey dice:

—Lo prometo.

Fue lo contrario a una ceremonia de matrimonio. Mikey fue el juez, y esos fueron nuestros votos para mantenernos separados.

Trato de no pensar más en eso, salto y tomo la siguiente agarradera, quedando frente a una cuña de metal. Sujetándola con una mano, doy un tirón hacia arriba, y la cuña se desliza con suavidad, aunque es virtualmente imposible jalar hacia abajo. Engancho la protección a mi arnés y escalo hacia la siguiente.

Un miembro a la vez. Mano, pie, empujar, el otro pie, la otra mano. Repetir. Es un trabajo exhaustivo, pero mientras más me acerco al borde, mi mente se pierde en los últimos días que pasé con Logan. Pienso en cómo se veía cuando me dio la carne de venado. En los callos de sus palmas que rozaban mi espalda. En la sensación de sus labios cuando me besó por primera vez. Quisiera juntar todos estos detalles en un recuerdo y enviármelo a mí misma una y otra vez.

Dicen que con la práctica puedes llegar a ser un experto en cualquier cosa. Yo no creo que algún día sea experta en separarme de Logan.

Meto los dedos en una grieta, y se me rompe una uña. Es la cuarta vez que pasa, pero ahora se rompe muy cerca de la piel, y la sangre se acumula en la herida. Sin embargo no importa porque en este momento estoy subiendo la cintura al borde del despeñadero, y eso me saca el aire del cuerpo. Logan pone sus manos debajo de mis brazos y me jala hacia arriba.

Estoy de vuelta en Ciudad Edén.

—Bueno —digo—. Creo que ha llegado el momento.

Esas palabras son insípidas en mi boca, como si ya hubieran sido pronunciadas antes. Y así es. No en este pedazo de tierra que termina en medio de la nada, ni en medio de un río rugiente y un bosque espeso. Pero se dijeron hace muy poco tiempo. Ni siquiera el cambio de escenario hace que quiera revivir ese momento.

—No nos despidamos —señalo hacia los árboles y a las rocas que hay debajo de nosotros—. Démonos la espalda y caminemos colina abajo en distintas direcciones.

Se acomoda la mochila que lleva en los hombros.

—¿Sabes a dónde vas a ir?

—Claro. Voy a ir por este camino y llegaré al bosque que hay detrás del edificio de la AgeREF —me paso la lengua por los labios—. No voy a entrar esta noche. Necesito descansar y trazar un plan. Y además quisiera ver a mi mamá.

—Entonces, ¿irás a tu casa?

—Todavía no lo he decidido.

—Tal vez estén vigilando tu casa —me dice, preocupado—. Lo más probable es que la tengan cercada desde que escapamos de Detención.

El viento roza la tierra, soplando hojas y ramas por el acantilado. El sol se ha escondido detrás de los árboles, y parece como si estuviéramos parados en el precipicio entre dos mundos. Un viento fuerte, o una simple decisión, podría mandarnos volando hacia cualquiera de los dos lados.

Doy un paso colina abajo, y elijo no dejar mi futuro en manos de una brisa temeraria.

—Está bien. No iré a casa. Pero no te preocupes por mí. Encontraré donde pasar la noche.

—Déjame caminar contigo, por lo menos —insiste.

Sería tan fácil. Podría decirle que sí, y una vez que llegáramos a la pendiente, podría rogarle que viniera conmigo. *Sólo un poco más,* diría. *Mikey no tiene que saberlo. Te necesito.*

Pero no voy a hacer las cosas más difíciles de lo que ya son.

Pongo mi mano en su mejilla.

—Ya has hecho mucho por mí —los dedos comienzan a temblarme. Quito la mano y cierro el puño—. Déjame hacer algo por ti.

Sin verlo otra vez, me doy la vuelta y camino alejándome. Escucho sus pasos detrás de mí, y comienzo a correr. La pendiente acelera mi velocidad, y voy cayendo, derrapando, deslizándome por la colina.

Las ramas se cruzan por encima de mi cabeza como si fueran un montón de leña. A cada minuto que pasa oscurece un poco más, y la espesa cobertura de los árboles bloquea la poca luz que hay. Enrollando el brazo alrededor de un tronco de árbol, me detengo, jadeando. ¿Logan sigue detrás de mí? Miro colina arriba. No veo nada más que sombras y hojas agitándose en una brisa invisible.

Mis dedos aprietan la corteza con fuerza. *No seas ridícula. No hay nada tenebroso en el bosque.* Ha sido mi hogar durante días, y lo único que me asustó fue una ardilla.

Respirando profundamente, me obligo a seguir avanzando. Veo una rama caída y la jalo de entre los arbustos. ¿Ves? Esto es exactamente igual a los bosques de Armonía. Encajo el palo en la tierra y me subo sobre una roca. La fragancia a pino me rodea, y varias criaturas pequeñas se escabullen entre los arbustos cercanos. No hay nada de qué preocuparse.

Brinco un tronco, y pasan dos cosas al mismo tiempo.

El pie se me queda atorado en una roca, lanzándome al suelo, y un perro rojo con negro se dirige hacia mí, ladrando con todas sus fuerzas.

Baja las orejas, y la piel de su cara se cuelga igual que la piel de una persona extremadamente anciana.

El corazón se me sube hasta la garganta. Es un sabueso, el mismo tipo de perro que me siguió por el bosque en mi cumpleaños diecisiete, y que puede rastrear un olor después de días, o incluso semanas.

Estoy justo donde empecé. La AgeREF me ha atrapado una vez más.

35

El sabueso jadea a quince centímetros de mí. Las gotas de saliva brillan en su lengua, y su aliento, rancio y húmedo, sopla a mi alrededor.

El corazón me late tan rápido que casi se enciman los latidos. ¿Los perros comen gente? Y si no lo hacen, ¿me morderá de todas formas?

Me apoyo en una roca para retroceder, y comienzo a alejarme del sabueso caminando como cangrejo. El dolor en el tobillo me mata, pero al perro no le importa. Los huesos rotos son más fáciles de mordisquear.

El sabueso avanza, y yo contengo un grito. Se acabó. Después de tanto huir, he vuelto al mismo lugar de esa mañana cuando cumplí diecisiete años. Voy a regresar al Limbo.

De pronto, un objeto vuela por el aire, flotando en el espacio que hay entre el perro y yo. ¿Qué diablos pasa? Es un palo, bueno, de hecho, es una rama rota con hojas muertas colgando de la madera.

El palo se sacude hacia adelante y hacia atrás frente a la nariz del perro. Y cuando lo mira atentamente, sale volando por el aire, y el sabueso corre detrás de él.

Parpadeo. ¿Desde cuándo los palos tienen vida propia?

—¿Estás bien? —un par de manos me recorren el cuerpo, revisando que no tenga ninguna herida.

Me doy la vuelta, y todos los músculos de mi cuerpo se relajan.

—¡Logan! Regresaste.

—Nunca me fui —sus dedos se quedan quietos sobre mi tobillo, y ahogo un grito de dolor.

—¿Eras tú el del palo? —pregunto con los dientes apretados. Es la primera exhibición de telequinesis que veo.

—Sí. Tenemos suerte de que le guste jugar a traer cosas —dice—. ¿Puedes pararte? Tenemos que salir de aquí.

Tomo su brazo y me levanto, pero el tobillo me palpita en el instante en que trato de poner mi peso sobre él.

—Creo que me lo torcí.

Las ramas se quiebran y las hojas crujen. Volteo la cabeza justo a tiempo para ver al sabueso chocar otra vez contra la maleza. Pero esta vez, viene acompañado de un humano.

No parece un oficial del ComA. En vez de uniforme, el hombre lleva puesto unos pantalones resistentes al agua y una playera negra de malla. Una barba blanca crece debajo de la enorme papada, y su nariz es roja y brillante, como si se la hubiera frotado con un pañuelo hasta dejarla en carne viva.

Tiene una pistola eléctrica, revestida de metal y con un cañón corto, que apunta directamente hacia nosotros.

El hombre nos mira, observando nuestros brazos llenos de rasguños y mi tobillo herido.

La pistola se balancea. Brinco, cayendo justo sobre la torcedura. La visión se me nubla por el dolor, pero no me atrevo a llorar para evitar que el sonido haga que su dedo tire del gatillo.

—Será mejor que vengan conmigo, muchachos —baja la pistola eléctrica, pero sus pies están colocados a la misma anchura que sus hombros. No se moverá hasta que nosotros lo hagamos.

—Mmm… —Logan pone su brazo alrededor de mi espalda, sosteniéndome—. No puede caminar.

—Entonces cárgala.

Logan y yo nos comunicamos con la mirada. No quiero ir con ese hombre, pero la pistola limita nuestras opciones. Logan se agacha, poniendo un brazo debajo de mis rodillas y otro bajo mis hombros. Un instante después, estoy en el aire.

El sabueso comienza a correr, ladrando. El hombre le hace un gesto a Logan indicándole que siga al perro, y luego voy rebotando por el bosque.

—¿Estás cómoda? —me pregunta Logan en voz baja. Su cuello vibra junto a mi mejilla, y va girando su cuerpo hacia la izquierda y hacia la derecha para protegerme de las zarzas.

—No me quejo —digo.

Mi pequeña broma lo hace sonreír, y nos quedamos en silencio mientras nos movemos por el bosque, con miles de preguntas agitando el aire entre nosotros. ¿Quién es ese hombre? ¿Y a dónde nos lleva?

Rápidamente, llegamos a un edificio bajo, junto a una gran extesión de tierra rodeado de una cerca hecha con cadenas.

—Entren —gruñe el hombre.

Logan me baja y me ayuda a cruzar cojeando el umbral. Hay un sillón individual con cojines triangulares, cubierto de pelos de perro, y un par de zapatos para interior en la entrada. En el centro del cuarto hay una silla mecedora pasada de moda, hecha de madera. El perro salta sobre la silla, haciéndola temblar tan bruscamente que casi la tira.

—Siéntense —dice el hombre mientras se cambia los zapatos—. Veamos ese tobillo.

Abro los ojos asombrada. ¿Va a curarme... antes de electrocutarme con la pistola? ¿O esto significa que piensa dejarnos libres?

Me siento en el sillón, y el hombre mete los dedos en un frasco pequeño lleno de salvia y la unta en mi tobillo.

—Esta cosa es casi mágica. En menos de lo que te imaginas podrás caminar —se me queda viendo, y luego parpadea—. Betsy no te asustó, ¿verdad?

La perra ladra, saltando de la silla y caminando hacia su dueño.

Toso un poco.

—¿Se llama Betsy? ¿Sabía que es idéntica a los sabuesos del ComA?

—Sí, tal como debe ser —el hombre tapa el frasco y se pone de pie—. Yo soy quien los cría.

Logan y yo intercambiamos miradas.

—¿Trabaja para el ComA? —pregunta Logan.

—No soy uno de ellos, si eso es lo que se están preguntando —dice el hombre—. Me llamo Potts, y le vendo mis sabuesos al ComA. Ni más ni menos. No soy un soplón, y ellos no me hacen favores.

Betsy camina hacia una planta y remueve la tierra con la nariz. Potts truena los dedos y rápidamente regresa a su lugar.

—Los he visto patrullando por la ciudad todas las noches, desde hace una semana más o menos. Buscando fugitivos que andan por ahí sin usar sus identificaciones. No saben nada al respecto, ¿verdad?

—N-no, señor —dice Logan tartamudeando—. Mi novia y yo estábamos haciendo una excursión por el bosque, y nos perdimos.

—Mmm... Ok —Potts se frota la cara, y sus manos dejan un residuo pejagoso en su bigote—. ¿No hay escuela hoy?

—No fuimos —respondo—. Estamos a punto de cumplir diecisiete años, y queríamos pasar un último día juntos antes de recibir nuestros recuerdos.

Logan pone su mano en mi espalda, y el corazón se me detiene. Me olvidé del tatuaje que tiene en la muñeca, justo debajo de su pulsera de planta. Si Potts lo ve, sabrá que estoy mintiendo. Tan disimuladamente como puedo, me muevo hacia adelante, tapando su muñeca con mi cuerpo.

—Qué interesante —Potts acomoda su enorme cuerpo sobre la mecedora—. Porque, verán, últimamente he oído varios rumores sobre algunas personas que han desaparecido de la red, y que han escapado para ir a vivir a una comunidad oculta en el bosque. No sé si sea verdad, pero debo decir que el ComA está tremendamente interesado en el tema.

—Eso sólo es un cuento —contesta Logan rápidamente—. Igual que esa otra comunidad de las montañas. He oído hablar sobre ella desde hace años, pero la verdad es que no existe.

Potts entrecierra los ojos.

—¿Estás seguro de eso, jovencito?

—Bueno, sí —dice Logan—. Si los rumores son ciertos, ¿por qué permitiría el ComA que existiera una comunidad secreta sin hacer nada?

—Tal vez porque esta comunidad nunca ha estado bajo el gobierno del ComA, y esas personas de las montañas han vivido juntas con ese estilo de vida, desde antes del Auge. No están interesadas en nosotros ni en nuestros medios tecnológicos, y por eso el ComA no tiene ningún motivo para deshacerse de ellos —Potts pone las manos sobre su estómago.

Por un instante, todo lo que oigo es el ruido de la mecedora. Y luego el señor carraspea.

—Por otro lado, he oído que esta comunidad del bosque tal vez está conformada por personas que huyen de la AgeINT. Por psíquicos que, especialmente en estos momentos, les parecen muy atractivos. Y entonces yo diría que la situación cambia un poco, ¿no?

Logan y yo intercambiamos miradas. Betsy está merodeando por el cuarto otra vez, y la silla continúa meciéndose. Si Potts no tiene pensado hacernos nada, creo que ésta es la señal para irnos.

—Gracias por su hospitalidad, señor, pero tenemos que irnos. Nuestros padres deben estar preocupados.

—¿Ah, sí? —algo brilla en la cara de Potts. Se levanta de la silla, tronando los dedos para que Betsy lo siga—. Esperen aquí un minuto. Tengo algo para ustedes.

Silbando una alegre canción, sale del cuarto, con su perra detrás de él.

En cuanto los perdemos de vista, volteo hacia Logan.

—¿Oíste eso? Saben que existe Armonía.

—No, no lo saben. Lo sospechan, pero no están seguros de nada.

—No hay una gran distancia entre sospechar e investigar. Sé que las proyecciones holográficas mantienen fuera a los intrusos. Pero, ¿qué tan efectivas serían en una búsqueda específica?

Logan mastica el interior de su mejilla.

—Enviaré un mensaje a la Resistencia. Tienen un plan de contingencia para casos como éste.

Un instante después, el hombre regresa al cuarto, sosteniendo un palo largo con una almohada pequeña atada en uno de los extremos.

—Éste es mi bastón, pero creo que servirá.

—¿Qué es?

—Tu muleta.

Parpadeo ante esa muestra inesperada de amabilidad. En lugar de ser nuestro verdugo, se ha convertido en un aliado.

—Gracias, señor.

Despidiéndome con esas palabras, nos acompaña a la puerta.

—Más vale que se apresuren. Las patrullas pueden regresar, y no quisiera que los confundieran con esos fugitivos —hace una pausa, y algo vuelve a brillar en su cara—. Si algún día me necesitan... ya saben dónde vivo.

Regresamos al espeso conjunto de árboles. Yo voy cojeando y Logan camina a mi lado. Ya no se ve la casa de Potts, y lo único que se oye es el ruido de los árboles. Ahora que hemos regresado al bosque, supongo que retomaremos el plan original. En cualquier momento, Logan y yo nos separaremos.

Sujeto la parte acolchonada de la muleta bajo el brazo.

—Fue muy amable.

—Supongo que es un simpatizante de la Resistencia —dice—. Aunque no es uno de nosotros, por la relación que tiene con el ComA. Pero te apuesto que sabe mucho más de lo que aparenta. Qué bueno que nos topamos con él y no con una de esas patrullas.

Seguimos caminando algunos metros.

—¿Qué tal está la muleta? —pregunta.

—No está mal.

—Dentro de unos minutos comenzará a molestarte, y entonces maldecirás a diestra y siniestra.

Trago saliva. Creo que mientras viva, no podré olvidar los hoyuelos en sus mejillas, ni esos ojos color verde pasto.

—Lo que no puedes oír, no te matará.

—¿Por qué no voy a oírlo? Si voy a estar junto a ti.

Mi mano se desliza por la muleta.

—Logan, le prometiste a tu hermano que romperías todo contacto conmigo en cuanto llegáramos a la civilización. Ya estamos aquí, y esto... —nos señalo a los dos con el palo—, esto cuenta como contacto.

—Sigue saltando, Callie. Podemos pelear mientras caminamos.

Me tambaleo hacia delante. El esfuerzo ya empieza a dejarme sin aliento.

—No estoy tratando de pelear contigo, pero no quiero decepcionar a Mikey.

—Yo tampoco, pero tenemos que tomar en cuenta algunas cosas. Primero, tienes un tobillo torcido. No puedes utilizar el transporte público porque no puedes escanear tu identificación. Y mi edificio está mucho más cerca que el tuyo. Mikey tendrá que aceptar la situación.

Un nudo hecho de raíces expuestas se cruza en mi camino. Me sujeto de su brazo para evitar caerme. Es difícil discutir cuando es tan evidente que lo necesito.

—Callie... —dice, mientras me ayuda a saltar las raíces—. ¿En serio crees que voy a dejarte aquí, con el tobillo torcido, sabiendo que el ComA está patrullando la ciudad?

Claro que no. Es demasiado noble como para abandonarme cuando estoy lesionada, sin importar lo que le haya prometido a su hermano.

—No.

Sus ojos me perforan, y me hacen estremecer por la intensidad que veo reflejada en ellos.

—Entonces, tendrás que soportarme algunas horas más.

La casa de Logan está más cerca que la mía, pero llegar ahí nos toma dos horas de ir brincando con mi muleta y de ir montada en su espalda. Por lo menos podemos quedarnos en el bosque. Su edificio está hecho de piedra gris y llega casi hasta el cielo, pero está en los límites de la ciudad y colinda con el bosque.

No entramos por la puerta principal. Aunque ya pasó una semana desde que escapé del Limbo, estoy segura que mi identificación sigue bajo alerta. Así que caminamos hacia la escalera de incendios, que está detrás del edificio, y subo cojeando cinco pisos.

Cuando llegamos a su balcón, el sudor me empapa la ropa y me ha lavado la tierra de la cara. No sé qué es mejor: si estar cubierta de barro seco o de sudor grasoso. Lo bueno es que Logan no me está viendo. Observa la puerta trasera de su departamento. Estoy segura que no se fija en la piedra gris polvosa que necesita una buena lavada. Tal vez ni siquiera nota los muebles reflejantes del jardín, que sirven también como paneles solares para convertir cada gota de luz solar en energía.

Ve lo mismo que yo desearía estar viendo: un hogar.

—¿Estás listo para entrar? —pregunto.

Se mueve y señala hacia el cálido resplandor que sale por la ventana abierta.

—Hay alguien en el área de comer. A esta hora, mamá normalmente está en la sala de entretenimiento esperando a que papá llegue del trabajo. Debe tener visitas.

El cuerpo se me pone rígido.

—¿Es normal que vengan a visitarla?

—No.

Comienza a caer una lluvia ligera, y el sol se mete detrás del horizonte. Nos escondemos detrás de las sillas solares, para protegernos un poco de la lluvia. La frente de Logan está arrugada, y nos quedamos ahí una eternidad, mirándonos fijamente.

—Tu mamá saldrá a tapar los muebles —digo, finalmente—. Ahí sabremos si es seguro que entremos o no.

—Bien pensado.

Así que nos acurrucamos y esperamos. La lluvia comienza a caer más rápida y fuertemente. La oscuridad se extiende como un nubarrón, pero la mamá de Logan no sale.

—Debe de estar muy entretenida platicando —dice—. Probablemente es alguien de la Resistencia.

—¿Y si no?

—¿Quién más podría ser?

—Tal vez un oficial del ComA que la está interrogando, y no deja que salga a tapar los muebles.

De pronto las ventanas se cierran de un golpe. El pulso se me acelera al doble.

—De acuerdo, ya está. Vámonos de aquí —me paro y comienzo a caminar detrás de la mesa.

Me toma del brazo.

—Espera un minuto. Ésta es mi casa. Mi mamá está adentro.

—Tu mamá ya se dio cuenta de que está lloviendo, Logan. Y no le importa tapar los muebles solares. Algo está mal. Tenemos que irnos.

Pero ya es muy tarde. La puerta trasera se abre y un tenue rayo de luz se mueve por todo el balcón antes de detenerse sobre nosotros.

—¿Quién anda ahí? —pregunta una voz de mujer.

Muevo la cabeza, pero Logan me aprieta el brazo y sale de atrás de la mesa.

—Soy yo, mamá. ¿Con quién estás?

En ese momento veo que hay dos sombras en la puerta. Entrecierro los ojos, pero antes de poder distinguir los detalles, el rayo de luz se aleja de nosotros, y la primera silueta corre a abrazar a Logan. La segunda silueta se agacha y recoge la linterna. Cuando la luz sube, puedo ver un chongo café despeinado.

La respiración se me detiene. ¿Es posible? Pero, ¿cómo? Mientras me paro, sin moverme de mi lugar, el rayo me apunta en la cara. Una mujer grita. Cuando me doy cuenta, estoy envuelta por unos brazos que huelen a vainilla, a desinfectante y a primavera.

Es mi mamá.

36

Las gotas de lluvia nos golpean, pero no me importa. Otra vez estoy en los brazos de mi madre. Después de un minuto, o de una hora, reúno finalmente la fuerza para soltarla.

—¿Qué haces aquí?

—Yo podría preguntarte lo mismo —las arrugas en la cara de mi madre parecen haberse multiplicado desde mi partida, y el chongo en su cabello se ha caído por el peso del agua. Pero sigue viéndose hermosa. Muy hermosa.

Pasa su brazo debajo del mío y caminamos hacia la casa.

—Supongo que tu respuesta será más larga que la mía, así que contestaré yo primero. Conocí a Hester cuando tu padre y yo nos casamos, pero con el paso de los años dejamos de vernos. Cuando la AgeREF me informó que te habías escapado del Limbo, me puse en contacto con la Resistencia y supe que el hijo de Hester era el responsable de tu rescate.

Llegamos a la puerta y escapamos de la lluvia.

—Desde que se llevaron a Jessa, he venido aquí para ver si llega alguna noticia a través de la comunicación telepática de Hester con Mikey. Hasta ahora la transmisión ha sido irregular, pero Hester pudo deducir que estabas en Armonía.

Tengo un millón de preguntas. ¿Arrestaron a Jessa? ¿Fue igual que en mi visión? ¿Desde hace cuánto tiempo mi madre sabe sobre la Resistencia? ¿Recibió el mensaje que envié? ¿Qué sabe de Armonía?

Abro la boca para empezar a preguntar, pero la mamá de Logan me interrumpe.

—Pobres niños —Hester toma la mano de Logan firmemente entre las suyas—. Tienen que cambiarse y comer. Las cosas se ven mejor después de un baño caliente y el estómago lleno.

—Pero...

—A su debido tiempo, Callie —mamá me quita el fleco de la frente, como lo ha hecho miles de veces—, tenemos toda la noche para ponernos al corriente. Lo importante es que estás en casa.

Diez minutos después, estoy rodeada de gotas de agua que saltan en todas direcciones. Una regadera aérea me moja la cabeza. Hileras verticales de difusores rocían agua por todo mi cuerpo. Hay una fuente en el piso que saca agua a borbotones para enjuagar mis pies. Un botón mezcla el jabón con el agua. Otro añade la fragancia humectante de mi preferencia. Y un tercero reemplaza el agua con aire caliente para secar mi cuerpo.

Nunca me había detenido a pensar en las regaderas de la civilización, pero ahora me parecen lujosas. Hasta excesivas. Cambiaría todo esto por una cubeta de agua caliente.

Me pongo un par de calcetines limpios, unos pantalones deportivos y una playera limpia. El vapor de la ducha empaña el espejo, y me quedo mirando fijamente el vidrio mientras mi reflejo vuelve a aparecer lentamente. Me veo igual. Bueno, mi piel está más oscura y la carne de mi cara se pega a los huesos un poco más, pero la chica que me mira en el reflejo es prácticamente la misma. ¿Cómo puede ser después de todo lo que ha pasado? ¿Y cuándo me siento tan distinta interiormente?

De pronto, quiero golpear mi mano contra el espejo para ver cómo se forman las grietas bajo mi puño. No soporto ver a la chica que era antes. Tan joven. Tan ingenua. Esperando que mi recuerdo del futuro me dijera qué hacer, cómo actuar, qué sentir. Realmente pensé que mi recuerdo me haría feliz para siempre. ¡Qué equivocada estaba!

Abro la puerta del baño. Una brisa de aire frío me envuelve, y puedo oler el dulce olor a tomate que viene desde el comedor, donde las dos madres, preparan una cena de medianoche para sus hijos. Nada podría parecer más inocente. Pero en este caso hay algunos secretos. Cosas que mi madre me ha estado ocultando. Y ha llegado el momento de las respuestas.

Voy cojeando hasta el comedor, con el estómago gruñendo por el olor del ajo, el jitomate y la albahaca. Hester levanta la vista del ensamblador de alimentos y señala hacia la mesa.

—Siéntate. Tu comida estará lista en treinta segundos.

Mamá me toma del brazo, ayudándome a llegar hasta la mesa. En cuanto me siento, Hester pone frente a mí un plato humeante con espagueti de calabaza. Casi puedo saborear las crujientes tiras de calabaza, cubiertas de una deliciosa y burbujeante salsa. Aunque la comida sea fabricada, y no hecha a mano, me siento tentada a tomarla con los dedos y metérmela a la boca.

Entonces veo que Logan ya está a la mesa, y aunque tiene un juego de cubiertos limpios y un plato con comida, está ahí sentado pacientemente. Esperándome.

—Te ves bien —dice.

Tiene el cabello húmedo y levantado en picos, y lleva puesta una pijama de franela. De repente, tengo hambre de otra cosa completamente diferente.

Sonrojándome, miro de reojo a mi madre. Está preparando té de yerbabuena, y si acaso ya vio las pulseras de planta en nuestras muñecas, no ha dicho nada.

—Entonces, ¿tú? —digo.

Hester se acerca a mí con un juego de cubiertos.

—Come, o se enfriará la comida.

No tiene que decírmelo dos veces. Logan y yo nos abalanzamos sobre los platos, y durante los siguientes minutos, los únicos sonidos que se oyen son el chocar de los tenedores y el tronar de las calabazas.

Cuando terminamos, mamá levanta mi pie lastimado y lo pone sobre sus piernas. La pomada de Potts ha desaparecido, y en vez de tobillo tengo un bulto del tamaño de un huevo de ganso y del color de una berenjena.

—¿Qué te pasó? —me pregunta.

—Me tropecé con una piedra —digo, tratando de jalar la pierna—. No pasa nada, mamá. Ya casi no me duele.

Me sujeta el pie.

—No he podido hacer nada para ayudarte. Por lo menos déjame vendarte el tobillo.

Asiento con la cabeza. Mientras me cura la herida, Logan y yo les contamos todo. Desde el momento en que brincamos del edificio de cristal y acero, hasta las cabañas de Armonía, y la relación entre Mikey y Ángela. Sin olvidar mis nuevas habilidades psíquicas y mis planes para rescatar a Jessa.

Mientras hablo, parece como si mi madre estuviera metida en sus pensamientos. Me unta un gel en el tobillo y lo envuelve con una venda que tiene terapia de ultrasonido integrada. Cuando termina, se sienta en silencio, con las manos frente a ella.

—Mamá... —comienzo, sintiendo cómo mi tobillo vibra relajadamente—, ¿de qué tamaño tenía Jessa el cabello cuando la arrestaron?

Mamá parpadea, como si no entendiera por qué es importante este detalle.

—Llevaba tiempo rogándome para ponerse extensiones. Todas las otras chicas de su clase las tienen. Y la semana pasada le di permiso.

Logan y yo intercambiamos miradas. ¡Extensiones! No se me había ocurrido. Los adolescentes en Ciudad Edén cambian de aspecto casi todos los días, pero supuse que la moda tardaría un poco más en llegar a la clase T-menos once. Me equivoqué.

—Ahora, ¿puedes responderme algo? —pregunta mamá—. Es que no logro entender. ¿Por qué te arrestaron?

Miro hacia la ventana. Las gotas de lluvia se estrellan contra el vidrio y se persiguen unas a otras por el cristal. La venda me ha anestesiado el tobillo. Qué lástima que no pueda decir lo mismo de mi corazón.

He estado temiendo este momento desde que recibí mi recuerdo del futuro. Siendo honesta, tal vez una de las razones por las que dejé la civilización, fue para no tener que decirle a mi madre lo que hice.

Hester se pone de pie y le dice a su hijo que haga lo mismo.

—Vamos a darles a Callie y su mamá un poco de privacidad. Tu padre regresará pronto del trabajo, y querrá hablar contigo.

Logan camina hacia mí, como si quisiera protegerme de lo que está a punto de suceder. Pero no puede ayudarme. Nadie puede. Ésta es mi madre, y lo que voy a confesarle es solamente la verdad.

Hester empuja a su hijo. Logan me ve por última vez, y luego sigue a su madre al otro cuarto.

Nos hemos quedado solas. Tengo salsa de espagueti en la playera. Un pequeño insecto revolotea alrededor de las paredes encendidas, y el grifo gotea en el fregadero.

Respiro profundamente.

—No sé cómo decir esto. Así que sólo voy a contarte lo que vi.

Mirando al piso, le cuento todos los detalles de mi recuerdo del futuro: la huella de zapato en el piso, el camino de tierra hasta una maceta rota, el oso de peluche con el listón rojo. Y luego, sólo queda una cosa por decir. Miro la cara de mamá, sabiendo que nunca más volverá a verme de la misma manera. Sabiendo que estoy a punto de decirle lo único que podría transformar su amor incondicional en condicional.

—Le encajo la jeringa en el corazón, mamá. En mi recuerdo, mato a Jessa.

Sus ojos se abren enormemente. En ese momento se parece tanto a la Jessa de mi recuerdo, justo antes de morir, que siento como si la jeringa se me encajara en mi propio corazón.

—Perdón, mamá.

No dice nada. No me mira. Se queda viendo el ventilador, como si estuviera contando las partículas de polvo que cubren los bordes.

Me acerco un poco más, y la venda se me cae del tobillo.

—Mírame, por favor.

Retrocede asustada, y cuando sus ojos me ven, están vacíos. Es mucho peor de lo que imaginé. Pensé que me gritaría, que me lanzaría cosas y lloraría, pero no que me miraría como si no existiera. Como si ya me hubiera muerto.

—¿Me odias? —pregunto en voz baja.

Esto la trae de vuelta.

—¿Cómo puedo odiarte por algo que no has hecho?

—Pero, ¿y si el recuerdo se vuelve realidad? —trago saliva— ¿Y si mato a Jessa? ¿Me odiarías entonces?

Mi madre suspira.

—No sé, cariño. Si te soy honesta... no puedo saber cómo me sentiría en una situación así. Lo siento.

—Está bien —miro fijamente mi reflejo ondulante en la taza de té—. Si la mato, yo también me odiaré.

—Oye —dice—. Todavía no ha pasado, así que no nos preocupemos por eso, ¿de acuerdo?

—¿Crees que puedo cambiar mi futuro?

—Sé que puedes.

—¿Cómo? —pregunto—. ¿Cómo sabes?

Mamá levanta su taza y menea el té.

—Porque lo he visto. Conozco a una mujer en la Resistencia que logró cambiar su futuro.

De pronto, algo pasa. Hay demasiadas emociones girando en mi interior. Demasiada culpa, demasiados remordimientos. En un instante, la tristeza se transforma en rabia. Me levanto, ignorando el dolor en mi tobillo. Le arrebato a mamá la taza de las manos, y la lanzo al fregadero. Ésta es mi vida. Y ella nunca se tomó la molestia de contarme ningún detalle.

—¿Por qué nunca me contaste sobre la Resistencia? ¿No crees que merecía saberlo?

Mamá parpadea.

—Era demasiado peligroso.

—¡Peligroso! ¿Y no es peligroso que ande por ahí sin tener idea de lo que pasa? —las manos me tiemblan a los lados como si fueran bolsas llenas de huesos—. Mamá, nunca preparé a Jessa para responder las preguntas del análisis. Ni siquiera sabía que se podía hacer. Según parece, la Resistencia tiene librerías completas llenas de material. ¿Ves? Es mi culpa que esté encerrada en la AgeREF.

—Ay, Callie. Eso no fue lo que pasó.

Entrelazo las manos, pero siguen temblando.

—Vi como se la llevaba la AgeREF, mientras ella pateaba y gritaba. ¿Estás diciendo que eso no pasó?

—No. Se la llevaron hace unos días, justo como lo viste. Pero no fue para hacerle ninguna prueba —se frota la nuca con una de sus manos—. La razón por la que arrestaron a tu hermana es porque es hija de tu padre.

37

El tiempo se detiene. El insecto deja de revolotear, una gota de agua se queda suspendida a la mitad en el grifo. Mi corazón flota entre los latidos. Y entonces, escucho otra vez la vibración de las vendas alrededor de mi tobillo.

—¿Qué dijiste? —pregunto susurrando—.¿Acabas de decir que Jessa y yo somos hijas del mismo padre?

Mamá pone sus manos en mi cara.

—Es idéntica a ti. Pensé que ya lo sabías. Creí que por eso me molestabas tanto con que tu padre regresara a casa.

Empujo su mano. No. No voy a dejar que se salga tan fácilmente con la suya.

—Me mentiste. Me dijiste que Jessa tenía otro papá, y te creí.

Se estremece, como si en lugar de lanzarle acusaciones, estuviera lanzándole piedras.

—Tenía que darte una respuesta. No dejabas de hacer preguntas, y no te dabas por vencida. ¿Qué querías que hiciera?

—¡Que me dijeras la verdad! —aprieto los puños, encajándome las uñas en las palmas—. ¿Sabes cuánto quería a papá? Creí que si era muy buena, si me portaba bien y seguía todas las reglas en la escuela, regresaría con nosotras. Pero no lo hizo—. Abro las palmas, con pequeños semicírculos que decoran mi piel como si fueran tatuajes de henna—, y ahora me dices que todo el tiempo estuvo aquí. ¿No quería verme aunque fuera una vez? ¿No le importó saber en quién me había convertido?

—Ay, querida mía —dice mamá—. Tu padre te quiso mucho. Estaría muy orgulloso de ver cómo has crecido.

—Entonces, ¿por qué no vino a verme?

—No podía —mamá baja la mano en busca de su taza, pero la lancé al fregadero—. Sabes que tu padre era un científico. Se dedicaba específicamente a estudiar el desplazamiento de los cuerpos físicos en el espacio.

Hago una mueca. Siempre he sabido a qué se dedicaba mi padre, y nunca me había molestado. Pero eso fue antes de que me encerraran en el Limbo. Antes de que Bellows tratara mi cerebro como si fuera su experimento personal.

—Callie, él mismo fue una rata de laboratorio —dice mi madre, como si pudiera escuchar mis pensamientos—. A eso me refería cuando dije que la AgeREF se había llevado a Jessa. Están tan desesperados por encontrar la Llave, que han empezado a arrestar a los hijos de todas las personas con habilidades psíquicas.

Las palabras de Bellows sobre mi padre resuenan en mi mente. *Esa información es clasificada. Si tu madre no te dijo nada, yo no puedo divulgarla.*

Las náuseas me estremecen el estómago. Pensé que el científico estaba mintiendo, y que sólo quería alterarme.

—¿Cuál era la habilidad psíquica de papá? —mi voz es tan baja, que parece como si quisiera abrazar el piso—. ¿Podía enviar recuerdos como Jessa?

—No. Podía teletransportar su cuerpo de un lugar a otro. Pensó que si se estudiaba a sí mismo, podría descifrar cómo mover su cuerpo a otro tiempo.

—O sea, viajar en el tiempo.

—Sí —mamá empuja mi taza, y el té se derrama en la mesa. Pasa los dedos por el líquido—. Cuando llegaron los primeros recuerdos del futuro, la comunidad científica estaba vuelta loca. Creyeron que eso probaba que era posible viajar en el tiempo. Después de todo, ¿qué son los recuerdos futuros sino recuerdos enviados de regreso en el tiempo? Tu padre se obsesionó con la idea, y pensó que su habilidad psíquica lo volvía la persona idónea para estudiar este ámbito. Estaba convencido de que sería el precursor de un nuevo límite de la ciencia —respira nerviosamente—. Entonces decidió enviar su cuerpo hacia otro tiempo. Le rogué que no se fuera. Ahí no iba a encontrar el conocimiento científico que buscaba, y no podíamos garantizar que regresaría sano y salvo. Pero dijo que el precio del conocimiento era el riesgo.

El dolor que se dibuja alrededor de sus labios es tan profundo que me hace estremecer. Es mi mamá. No se supone que deba verse tan perdida, ni tan indefensa. Ella es quien debería mantener unida a nuestra familia. Sólo que ya no somos una familia. Nos han destrozado y lanzado a distintos rincones del mundo. Ya no tiene a nadie a quién aferrarse.

—Estoy segura de que puedes adivinar el resto de la historia —dice—. Se envió a otra época, y nunca regresó.

—Pero debe haber vuelto. Una vez por lo menos. Por Jessa.

Mamá mueve la cabeza.

—No. Después de ese día no volví a verlo.

—Pero entonces, ¿cómo...?

Suspira, entrelazando los dedos. Creo que está a punto de mentirme otra vez, como lo ha hecho tantas veces. Pero no lo hace.

—¿Recuerdas que te dije que yo no había recibido un recuerdo del futuro?

Afirmo con la cabeza.

—Pues, mentí. Sí recibí uno, pero no fue bueno. En ese entonces, la AgeREF no podía rastrear los recuerdos, así que nadie supo que lo había recibido. Creí que podía cambiarlo. Me alejé de mis amigos y dejé de relacionarme con la gente de la Resistencia. Todo con la esperanza de alterar mi futuro.

El corazón comienza a latirme rápidamente.

—¿Funcionó?

—Sí. En cierto modo. ¿Recuerdas que te dije que conocía a una mujer que cambió su futuro? Pues estaba hablando de mí —la sombra de una sonrisa se dibuja en su cara—, pero no lo logré del todo. Hace unos días, una versión de mi recuerdo se volvió realidad.

Estoy segura que no quiero oír esto. Cualquiera que sea su recuerdo, será devastador, igual que todos los otros recuerdos que he escuchado. Pero la ignorancia ya no es una opción.

—¿Qué pasó? —pregunto susurrando.

—Estaba parada en la entrada de nuestra casa, extendiendo mi mano pero sin tocar nada, gritando con todas mis fuerzas pero sin que saliera ningún sonido de mi boca. Veía como la AgeREF se llevaba a mis bebés. A mis gemelas de diecisiete años —me toma por la barbilla, moviendo mi cara de un lado a otro—. Ambas con esta misma cara.

Un escalofrío que comienza en mi estómago se extiende hacia cada uno de mis órganos. Pulmones. Corazón. Cerebro.

—No entiendo.

—Creí que podía eludir el futuro —dice—. La AgeREF se las llevó porque alguien, en algún lugar, recibió la predicción de que la Llave para desbloquear los recuerdos futuros la tenían un par de gemelas —su voz se vuelve un susurro—. Por eso traté de engañar al Destino. Pensé que si no tenía gemelas, la AgeREF no me podría quitar a mis hijas.

Apenas puedo respirar.

—¿Qué hiciste, mamá?

—Jessa y tú compartieron el mismo útero. Hice que extrajeran su embrión fertilizado y lo guardaran hasta que fuera seguro, o sea, hace seis años. Pensé que ya había pasado suficiente tiempo —sus hombros se mueven, tan impotentes como un papalote al viento—. Supongo que me equivoqué.

38

Voy cojeando hasta la antigua habitación de Mikey, en donde pasaré la noche. Hace cinco años que se fue, pero una hilera de medallas cuelga todavía de la pared. Hay un fuerte olor a barniz para muebles en el aire, y su repisa está llena de viejos libros de texto de la época pre Auge. Libros hechos de papel real, en lugar de ser digitales.

Logan me espera en la cama gemela.

Gemela. Igual que dos embriones en el mismo útero. Igual que Jessa y yo. La mente todavía me da vueltas. Con razón nos parecemos tanto, y siempre hemos sido tan cercanas.

Me muerdo el labio para tratar de controlar mis emociones.

—¿Mi mamá sabe que estás aquí? —pregunto.

Logan sonríe.

—Dijo que podía pasar una hora contigo, y que después necesitabas dormir. También dijo que más me valía tener las manos quietas o me lanzaría a otra dimensión.

—Es probable que lo haga.

—Lo sé —se inclina hacia delante para tocar mi pulsera de plantas, y por un instante, eso es lo único que importa. Su cabello ya está seco, pero los picos no se han caído. El suave material de su pijama hace que quiera acurrucarme entre sus brazos y quedarme ahí para siempre.

Pero no puedo. Mañana iré a la AgeREF y rescataré a mi hermana. Regresaremos a Armonía, y él se quedará aquí en la civilización para continuar con su vida.

Siento cómo se acumula la presión detrás de mis ojos. Parpadeando rápidamente, me doy la vuelta y observo las medallas que adornan la pared.

—Estas medallas son de exposiciones de ciencias —digo, intentando que no se note el temblor en mi voz.

—Sí. Mikey siempre ha estado obsesionado con la idea de que los cuerpos físicos pueden viajar en el tiempo. Ya sabes, hoyos negros, embudos de Gödel y ese tipo de cosas.

Igual que mi padre. Una ola de tristeza me golpea. Antes de que me aplaste, tomo un libro de la repisa y lo hojeo. Varias tiras pequeñas de papel se caen al piso, y hay un montón de notas escritas a mano en los márgenes. Leo una de las anotaciones y arrugo la frente. La hoja está llena de ecuaciones complicadas, teoremas y pruebas, en vez de tener escritos los pensamientos elementales de un estudiante.

—¿Cuántos años tenía tu hermano cuando lo arrestaron?

—La misma edad que tenemos ahora. ¿Por qué?

Le doy el libro.

—Nunca aprendí nada de esto en la escuela. ¿Tú sí?

Logan analiza las ecuaciones.

—Te dije que era una especie de nerd.

Tomo otro libro y lo hojeo. Más anotaciones escritas con la misma letra. Más ecuaciones que no entiendo. Miro otro, y lo mismo. Y otro más. Rápidamente, todos los libros de la repisa están esparcidos a mi alrededor.

Logan me toma las manos.

—¿Qué pasa? ¿Qué estás haciendo?

La áspera piel de sus palmas roza mis nudillos.

—¿Alguna vez has pensado que Mikey no debería haber huido? Tal vez debió quedarse en la civilización y convertirse en un gran científico. A lo mejor hubiera descubierto la Llave, y probablemente sin él, jamás encontrarán la respuesta al recuerdo del futuro.

—Supongo que es posible —sigue sosteniendo mis manos—. Pero igual de posible que cualquier otro supuesto. ¿Cuál es la diferencia?

Suelto mis manos, y me dejo caer en la cama.

—Porque si no es así, y no hay nada que impida que los científicos descubran la Llave... —aprieto el edredón con los puños—, entonces creo saber por qué mato a mi hermana en el futuro.

Logan se queda en silencio durante todo un minuto. Se sienta en la cama y pone los codos sobre las rodillas.

—Continúa.

Respirando hondo. Me pongo en la misma posición que él, recorriendo la lógica dentro de mi cabeza. Sé que tengo razón. Tiene que ser así. Es la primera suposición a la que he llegado que tiene sentido.

—La AgeREF ha empezado a arrestar gemelos para examinarlos. Y acabo de descubrir que Jessa y yo somos gemelas.

Le cuento a Logan sobre el recuerdo del futuro de mi mamá y sobre la extracción del embrión de mi hermana, y cómo se lo implantaron hace seis años.

—Y luego está mi recuerdo. Sé que maté a mi hermana, pero no sé por qué —muevo la cabeza—. He estado dándole vueltas a esto

una y otra vez. Cualquiera que sea la razón, tiene que ser muy importante. Me conozco, y no me importa qué versión futura mía ande por ahí. No voy a matar a mi hermana porque estoy enojada o para evitarle algún sufrimiento. Tiene que ser algo más grande que eso —los pantalones deportivos que llevo puestos se están deshilachando de las piernas, tomo uno de los hilos más largos y lo jalo—. Tiene que ser algo que afecte a toda la humanidad.

Vuelvo a tomar aire.

—¿Sobre qué está construido todo nuestro mundo? ¿Qué es lo que la AgeREF quiere descubrir tan ansiosamente que ha ignorado los derechos civiles a diestra y siniestra?

—El recuerdo del futuro —dice.

—Exactamente —me seco las palmas de las manos en los muslos—. Creo que Jessa es la Llave que los científicos están buscando. Tiene una habilidad demasiado excepcional. Puede enviar recuerdos completos a mi mente, y no sólo mensajes telepáticos como Mikey y tú. No sería tan loco pensar que Jessa es la gemela que buscan.

—¡Wow! —se tumba en la cama y mira hacia el techo, donde el adolescente Mikey instaló un *show* de luces del universo—. ¿Entonces crees que matarás a Jessa para impedir que descubran el recuerdo del futuro? ¿Por qué harías algo así?

—Seguramente pasará algo malo en el futuro —me recuesto junto a él—. El recuerdo del futuro debe ser responsable de algo tan devastador que me hace decidir matar a Jessa antes que vivir en un mundo así.

Voltea la cabeza, y nuestros ojos se encuentran, quedando a quince centímetros de distancia. No planeaba decirle esta parte, pero pase lo que pase mañana, quiero que sepa que traté de hacer lo correcto.

—Logan, mañana voy a rescatar a mi hermana. Pero antes de hacerlo, voy a buscar algunas respuestas. Necesito saber qué pasa en el futuro. Si no lo hago, nunca tendré paz.

—¿Qué vas a hacer?

—No estoy segura —respondo—. La Presidenta Dresden dijo que la información provenía de un premonitor. No como la habilidad de Jessa de poder ver algunos minutos en el futuro. Un premonitor real, alguien que puede ver años, si no es que décadas a partir de ahora. Supongo que esa persona es uno de los pacientes que tienen en el laboratorio. Empezaré por ahí y averiguaré lo demás.

Levanta su mano y recorre mi cara. Mis cejas, mis pómulos, mi mandíbula.

—Digamos que encuentras la respuesta. ¿Qué pasaría si te hace cambiar de opinión? ¿Y si decides matarla después de todo?

Tomo su mano y la cubro con la mía.

—Una vez me dijiste que conocer mi futuro no me quitaba mi libre albedrío. Supongo que tendré que confiar en mí misma.

Se incorpora repentinamente. Siento que la mejilla me duele por la ausencia de su mano. Ya llegó el momento. Aquí es cuando me desea la mejor de las suertes. El futuro que elija, ya no tiene nada ver con él.

Pero en vez de pararse y agrandar la distancia entre nosotros, mira fijamente sus pies bajo la luz tenue.

Me muerdo el labio. No voy a llorar. Aceptaré sus buenos deseos y le daré las gracias. Es el chico más decente que he conocido. El chico más decente que conoceré jamás.

—Quiero ayudarte mañana —dice finalmente.

Muevo la cabeza.

—Logan, no...

—Si tú puedes enfrentarte a la AgeREF, y si estás dispuesta a ir contra tu destino, entonces yo puedo ir en contra de los deseos de mi hermano.

—No se trata de lo que puedes hacer. Se trata de lo que quieres.

Toma mi mano y recorre mi palma con su pulgar.

—Nunca te dije la razón por la que te seguí. Después de que nos despedimos en el bosque, y de que saliste corriendo a través de los árboles como si alguien te estuviera persiguiendo.

Es cierto. El palo flotante y él aparecieron milagrosamente, justo cuando creí que Betsy estaba a punto de morderme.

—¿Por qué? —pregunto en voz baja.

—En algún momento del futuro, en este mundo o en otro distinto, mi yo futuro fue lo suficientemente inteligente para enviarme un mensaje. Cuando algo era importante, me decía: "No lo dejes ir." Y lo ignoré durante un tiempo. Dejé que la culpa nublara mis decisiones. Renuncié a lo que quería por dar gusto a los demás —presiona mis nudillos contra sus labios. Nos quedamos así un instante, sintiendo su cálida boca en mi piel—. No pienso seguir haciendo lo mismo. No voy a dejarte, Callie.

—Pero, ¿y las mochilas? —No puedo evitar pensar en la gente de Armonía.

—Algo se nos ocurrirá. Si tengo que hacerlo, viajaré hasta el punto de encuentro cada cierto tiempo para llevar los mensajes a la Resistencia. Regresaré a Armonía, te daré un beso y volveré a irme. Lo haré si es necesario —sus ojos están absortos en los míos, y no podría dejar de verlos aunque quisiera—. Así de importante eres para mí. Tuviste que abandonarme para que comprendiera lo que mi yo futuro estaba tratando de decirme. Te amo, Callie. Creo que nací para amarte. Mi recuerdo del futuro todavía no se vuelve realidad, y ya quiero que suceda. Te quiero a mi lado por el resto de mi vida.

Me lanzo a sus brazos.

—Ay, Logan. Yo también te amo. Tanto.

Debería discutir con él. Debería tratar de convencerlo de que se quedara. Pero si he aprendido algo durante los últimos días, es que no podemos vivir nuestras vidas con miedo al futuro. Tenemos que tomar la decisión correcta hoy, y confiar en que mañana las cosas saldrán bien.

Me besa, y eso es todo lo que necesitaba. Un beso de Logan es como un par de guantes para mis dedos durante el frío invierno... Como fruta deshidratada en una lata en tiempos de hambruna... Como la esperanza en un mundo que se ha derrumbado. Todo eso es un beso de Logan. Mi Logan.

Hasta este momento, no sabía cuánto había estado conteniéndome. Cuando supe que Logan y yo estábamos destinados a vivir separados, tuve que construir una pared. Ahora, con este beso, él acaba de atravesarla. Se ha caído el cristal y el acero. Este beso es distinto a todos los demás, porque, por primera vez, sé que puedo darme completamente a él. No hay recuerdos del futuro, ni mochilas que nos separen. Siento el amor de Logan como nunca me había permitido sentirlo. Y cuando el beso se termina, mi cuerpo quiere más. Toda una vida. No importa cuántas veces me bese, nunca dejaré de querer más. Nunca dejaré de necesitarlo. Nunca dejaré de amarlo.

Cuando mi cuerpo se tranquiliza, me acurruco en su pecho y escucho su corazón. Intento hacer que nuestros latidos coincidan, pero el mío no se está quieto, mientras que el suyo late a un ritmo constante.

—Mañana te acompañaré —recorre mi cara con sus dedos, como si me estuviera desafiando a discutir—. Si tú puedes luchar contra el futuro, yo puedo dejar ir el pasado.

El corazón me brinca. Lo abrazo fuertemente, y los botones de su pijama se me encajan en el pecho. Sigo estando aterrorizada de lo

que pasará mañana, pero con Logan a mi lado, ¿qué podría salir mal?

39

—Despierta, Callie. Vas a llegar tarde.

Gruño y me doy la vuelta. Estoy a punto de volver a dormirme, cuando recuerdo.

Quitándome la almohada de la cara, me siento y veo a mi madre. La luz del sol entra en la habitación por las persianas abiertas, y por un instante sólo puedo ver una silueta borrosa. Luego mis ojos se acostumbran a la luz, y veo su cabello peinado hacia atrás en un chongo bien hecho, y una blusa blanca completamente abotonada y metida dentro de un pantalón azul marino. Mamá tiene mi uniforme plateado en una mano y una larga peluca color castaño rojizo en la otra.

—Me olvidé por un instante —digo—. Pensé que me estabas despertando para ir la escuela.

—Ojalá fuera así —mamá me pone la peluca en la cabeza, acomodándola hacia un lado y hacia el otro—. Bien. Sabía que te quedaría perfectamente.

Tomo un puñado de la peluca. Es suave, como si fueran tiras de plástico extremadamente delgadas, en vez de cabello, y un poco más oscuras que el mío.

—¿De dónde la sacaste?

Se sienta en mi cama y me hace un gesto con la mano para que me dé la vuelta. Cuando lo hago, comienza a trenzar la peluca con movimientos rápidos y seguros.

—Cuando tu padre se envió de regreso en el tiempo, se quitó toda la ropa y se rasuró todo el cuerpo. Los científicos creían que sería más fácil empujar un cuerpo a través del espacio-tiempo si dejaba atrás las cosas innecesarias.

Coloca una banda elástica al final de mi trenza, y me doy la vuelta. Bajo la luz del sol, mamá se ve vieja. Siempre ha tenido la piel suave como un pañuelo de papel, pero ahora veo miles de arrugas diminutas en las líneas alrededor de su boca.

—Tu papá siempre me dijo que no importaba en qué espacio-tiempo estuviera su cuerpo. Él y yo siempre estaríamos juntos porque éramos una misma persona —mamá toma un set de maquillaje y comienza a pintarme la cara.

—Cuando no regresó, me rasuré la cabeza —dice—. Me hizo sentir más cerca de él. Usé esta peluca durante meses, y tú nunca te diste cuenta.

—Ay, mamá —quito sus manos de mi cara y la abrazo—. Ven conmigo y con Jessa a Armonía. Hay espacio en el bote para todas, y así podremos estar juntas otra vez.

Me abraza por un instante, tan fuertemente que no hay espacio para más aire en mis pulmones. Y luego suspira, y siento su respiración en el cuello.

—No puedo, cariño.

—¿Por qué no? En Armonía hay familias enteras. Podemos comenzar desde cero.

Mamá retrocede un poco y vuelve a tomar mi cara entre sus manos.

—Siempre has sido una muy buena hermana con Jessa. Siempre confié en ti para que la cuidaras. Sé que seguirás haciéndolo.

—No —digo, moviendo la cabeza—. No digas eso. Te necesitamos, mamá. No sé lo que estoy haciendo. Te necesito.

—Perdóname, Callie, pero no puedo dejar Ciudad Edén —sus palabras son lentas y titubeantes, y salen de su boca como si fueran un prisionero con esposas eléctricas. Parece como si estuviera luchando contra algo en su interior, y no pudiera decidir quién ganará la batalla. Toma un cepillo pequeño y comienza a oscurecer mis cejas, con manos temblorosas—. Estoy sirviendo de ancla para tu padre. Si algún día va a regresar a este tiempo, necesita concentrarse en una persona determinada y en un lugar específico. Si me voy de Ciudad Edén, quedará perdido para siempre.

—Pero tal vez ya está perdido —digo en voz muy baja.

—Sí. Probablemente —hace otra pausa, como si estuviera luchando con un demonio en su interior. Un demonio invisible.

Y luego suelta el maquillaje y toma mis manos.

—Tu padre sólo es un pretexto. Las amo a ti y a Jessa más que a la misma gravedad. Destrozaría el espacio-tiempo para poder quedarme con ustedes. Lo sabes —sus ojos me perforan con la intensidad de un rayo láser—. Pero ella dijo que si las amaba, tenía que dejarlas ir. Dijo que ésta era la mejor forma de protegerlas.

—¿Quién dijo eso, mamá? ¿Por qué?

—No puedo explicártelo, pero así tiene que ser. Nada de lo que digas o hagas me hará cambiar de opinión —su voz vibra como si estuviera en una cuerda, que se romperá si la jalo un poco más—. Algún día, en el futuro, lo entenderás. Pero ahora no puedo responder a tus preguntas, así que, por favor, no las hagas. Confía en mí, por favor, sólo por esta vez.

Quiero gritar: *¡No! Dime ahora.*

Pero ya la he hecho sufrir mucho estas últimas semanas. Pase lo que pase hoy, habrá más sufrimiento en los próximos días. Puedo sentirlo en el temblor de sus dedos, en su piel pálida que se ha vuelto más transparente por la preocupación. Ha tomado una decisión, y ahora tiene que vivir con las consecuencias.

Si puedo hacer este momento un poco más soportable para ella, lo haré. Olvidaré mis preguntas. Asiento con la cabeza, y ese simple gesto abre una cadena atada alrededor de su corazón. Su espalda se endereza, y hasta sonríe un poco.

Nos quedamos en silencio mientras maquilla mis pómulos e ilumina mi frente, para modificar el contorno de mi cara.

—Listo —dice, después de algunos minutos—. Si no fueras mi hija, no te reconocería —guarda el maquillaje—. Tengo que irme. Los Russell han contactado a algunos de sus amigos de la Resistencia, y van a ayudarte. Ellos te darán los detalles, ¿de acuerdo?

Vuelvo a asentir. Parece que es todo lo que puedo hacer en este momento.

Mamá vuelve a ver su reloj.

—Te veré en el cuarto de higiene en unas dos horas. Ahí ya no tendremos mucho tiempo para hablar —pone sus manos sobre mis hombros y besa en el aire mis dos mejillas—. ¿Cariño?

Carraspeo, tratando de encontrar mi voz.

—¿Sí, mamá?

Sus dedos aprietan mis hombros.

—Sé que hoy harás lo correcto.

Mi mejilla roza contra el metal duro y frío, y un montón de sábanas de veinticinco kilos me aplastan en el fondo del carro. Logan está junto a mí en algún lugar de la oscuridad. Creo que mis pies están tocando su estómago, y que podría ser su brazo lo que rodea mis rodillas.

Estamos en una camioneta de reparto, metidos dentro de un gigantesco cubo de sábanas nuevas, que fue lanzado sobre una banda transportadora. Ahí, lo desataron y lo llevaron al carro de la lavandería en un androide, que está empujando el carro hacia el cuarto de higiene, donde lavarán las sábanas antes de ponerlas en las camas de los pacientes del laboratorio.

Se supone que hay mucho oxígeno dentro de los pliegues de estas sábanas. Respiro por la nariz y me doy cuenta de que no es una buena idea. El olor a químico de la tela recién fabricada hace que el desayuno se me suba hasta la garganta.

Intento llevar un mapa mental de nuestro camino. Pero el carro se jalonea y se detiene constantemente. Pierdo la cuenta de las vueltas y sólo me quedo ahí tumbada, sintiendo cada choque en mis huesos.

Por fin nos detenemos, y escucho la voz de mi mamá.

—Rápido. Pueden salir.

Logan y yo nos abrimos camino hasta llegar a la superficie, y salimos del carro un poco antes de que sea levantado por unos brazos mecánicos. Estos voltean el contenido en otra banda transportadora, que llega hasta la máquina de limpieza. Las sábanas saldrán del otro lado, limpias, secas y perfectamente dobladas.

Mamá aprieta algunas teclas en el panel esférico, y el androide gira y sale del cuarto. Escucho cómo salen chorros de agua hirviendo, y las paredes encendidas comienzan a parpadear. La máquina de limpieza ocupa toda una pared, y del otro lado hay una hilera de carros vacíos.

—El contacto de la Resistencia los verá aquí —dice mi madre—. Tengo que irme, pero pueden esconderse en uno de esos carros vacíos hasta que llegue.

Me retoca el maquillaje y luego me lo da.

—Este maquillaje podría durarte toda una guerra, siempre y cuando no te olvides de retocarlo después de algunas horas —me arregla la peluca, y sus dedos permanecen un instante en los mechones de cabello falso—. Recuerda lo que te dije.

—Siempre —me levanto y le doy un último abrazo.

Se voltea hacia Logan.

—Tengan cuidado, y cuida a mi hija.

Vuelve a verme, con una mirada que se quedará fija en mi memoria para siempre, y luego se va. Todo pasa tan rápido, que casi no tengo tiempo para sentir la presión que se acumula en mi pecho.

Logan y yo nos metemos en uno de los carros vacíos, colocando nuestras espaldas contra el marco de metal.

—¿Pudiste ponerte en contacto con la gente de la Resistencia? —le pregunto— ¿Para decirles lo que Potts nos dijo?

—Sí. Mamá llamó anoche a su contacto del consejo —toma mi mano, siguiendo con su dedo mi línea de la vida—. Tal y como lo sospeché, ya sabían de la situación. Enviaron un mensajero a Armonía para avisarle a Mikey.

—¿Qué van a hacer?

—Cambiarse de lugar —dice—. Esperarán a que Jessa y tú regresen, y luego recogerán el campamento y se irán. En vez de buscar otro lugar, se quedarán vagando por algún tiempo, hasta que estemos seguros de que el ComA haya dejado de buscarlos.

Justo cuando termina de hablar, la puerta se cierra. El corazón me late rápidamente en el pecho, pero el movimiento de la máquina de limpieza ahoga el ruido. Logan se pone un dedo en los labios y señala hacia arriba, para indicarme que deberíamos asomarnos.

Poniéndome de rodillas, miro por encima del borde. Un guardia uniformado está de pie en la entrada, revisando el cuarto. No puedo verle la cara, pero el color de su cabello es el más lindo que he visto. Rojo cobrizo profundo con mechones dorados. Sin pensarlo dos veces, me pongo de pie.

Gira la cabeza, y veo la cara asustada de William, el guardia que mintió por mí.

—Veintiocho de Octubre —William se tambalea hacia atrás, con los ojos abiertos de par en par—. ¿Qué estás haciendo aquí?

Me sorprende que me haya reconocido con todo el maquillaje que traigo puesto, pero es probable que mi cara lo haya atormentado en sus sueños. La chica que casi lo deja sin trabajo.

—Así que por eso me ayudaste —digo, atando los cabos—, porque eres parte de la Resistencia.

Mueve la cabeza afirmativamente.

Logan sale del carro y me ayuda a salir.

—¿Se conocen?

—William administró mi recuerdo. Cuando vio lo que era, me dio la oportunidad de escapar —volteo a verlo—. Él es Logan. Me sacó de detención.

—Me dio gusto saber que te habías escapado —dice William—. No sabía que iban a tratar de sacar por la fuerza tu recuerdo. Te juro que de haber sabido, te hubiera dicho.

—¿Cómo te enteraste? —pregunto.

—Por mi novia, MK —su cara se enrojece—. No me gusta hablar con ella sobre asuntos relacionados con la AgeREF, por obvias razones. Pero sabía que había administrado tu recuerdo, así que me contó lo que había pasado.

De pronto, recuerdo algo que me dijo la primera vez que nos vimos. En treinta años, su novia será la jefa de la AgeREF. Así fue

como consiguió este trabajo. MK no sólo es la asistente de la Presidenta Dresden. La están entrenando para el cargo principal.

William está caminando por un terreno peligroso entre su novia y la Resistencia. Entre su amor y sus creencias. ¿Puedo confiar en él? No estoy segura. Tengo la sospecha de que sabe y entiende más de lo que nos dice. Pero no tengo muchas opciones. La Resistencia confía en él, y es nuestro único contacto. Tendremos que confiar.

—¿Vas a ayudarnos? —le pregunto a William.

Inclina la cabeza un poco, examinándome.

—No viniste a matar a tu hermana, ¿o sí?

—¡No! Vine a rescatarla.

Se muerde el labio, como si estuviera decidiendo si creerme o no. Obviamente, las sospechas son mutuas.

—¿A dónde quieres ir? —me pregunta.

—Estoy buscando a un paciente que está en el laboratorio. Uno que tiene visiones premonitorias. ¿Puedes llevarnos a alguna computadora desde donde podamos acceder a los expedientes?

Seguimos a William por un pasillo lleno de gente. Trato de mantener los dedos quietos, pero no puedo dejar de tocar la peluca con las manos. La toco, la aliso y jalo la trenza sobre mi hombro. *Soy una estudiante, ocupada en mis asuntos, que camina detrás de un guardia de la AgeREF para una misión aprobada.* Me repito estas palabras una y otra vez, pero no sirven para tranquilizar el martilleo que hay en mi corazón.

William nos lleva a un lugar lleno de hileras con cubículos.

—Ésta es el área administrativa.

Examino el cuarto más cercano a mí. Unas láminas de plástico transparente hacen las veces de pared, y dentro de cada cubículo hay un escritorio envolvente, un librero y un archivero. Todas las superficies están cubiertas de plantas en macetas y flores.

—Se ve un poco amontonado —digo.

—Te acostumbras con el tiempo —dice William—. Los separadores de plástico eliminan el ruido exterior casi por completo. Y la AgeREF nos deja traer todas las plantas que queramos.

Caminamos por varios pasillos. Los separadores de plástico comienzan a cambiar, volviéndose más oscuros a medida que avanzamos, hasta que se vuelven completamente blancos.

—Estas oficinas pertenecen a los administradores con más antigüedad —dice William—. La información que manejan es más confidencial, por eso tienen paredes de verdad.

Llegamos a una oficina en un pasillo alejado, frente a una puerta doble, a la que William entra. Una mujer de cabello rizado está sentada en su escritorio, rodeada de plantas. En cuando el guardia entra, la mujer se levanta sin decir una palabra y sale del cuarto.

—Andrea es una simpatizante, pero no quiere verse involucrada en nada de esto. Tenemos quince minutos antes de que regrese —se coloca frente a su escritorio-pantalla y sus manos se mueven rápidamente por el teclado esférico—. Bien. Ya estamos dentro del sistema. ¿Qué necesitan?

Quiero encontrar al premonitor, pero no puedo dejar de lado mi máxima prioridad. Me muerdo los labios y veo de reojo a Logan, que me aprieta el hombro para tranquilizarme.

—¿Puedes buscar a mi hermana? —pregunto—. Jessa Stone.

William escribe su nombre, y unos segundos después, se abre en el aire una proyección en 3-D con su expediente.

Nombre: **Jessa Stone**

Cuarto: **522**

Habilidad preliminar: **Premonición**

Habilidad primaria: **Telepatía**

Está aquí. En algún lugar de este edificio, al alcance de mi mano. Ver las palabras escritas en la pantalla, me quita el aliento, como si Jessa se hubiera lanzado a mis brazos en busca de un abrazo.

Cuarto 522. Claro. *Una placa dorada con espirales en forma de caracol, y que tiene escrito el número 522.*

Un escalofrío me recorre el cuerpo. Desde que me lancé del acantilado, he sentido los largos dedos del Destino empujándome por la espalda, obligándome a avanzar. Una sensación sutil y fácil de ignorar, como una vibración suave que no se siente físicamente. Se sentía casi igual que los mensajes telepáticos que Mikey le enviaba a Logan, y que giraban en el aire.

Pero la sensación acaba de cobrar vida. Mi recuerdo del futuro se está volviendo realidad. Poco a poco.

No sé cuánto tiempo me quedo inmóvil y temblando. Al cabo de un tiempo, Logan me acaricia los hombros a través de la malla plateada de mi uniforme.

—¿Podemos hacer una búsqueda en la base de datos según las habilidades? —pregunta Logan—. Busca "premonición" como "habilidad primaria".

William aprieta algunas teclas.

—No hay ningún registro.

Pongo el brazo de Logan a mi alrededor. Ahora que lleva puesto su uniforme escolar, huele a cloro otra vez.

—¿Estás seguro?

William examina la proyección.

—Hay treinta y ocho registros con premonición como habilidad preliminar. Pero sólo les interesa como habilidad primaria, ¿no?

—Sí.

Intentamos con otros parámetros de búsqueda. Reviso uno por uno los treinta y ocho expedientes, pero no hay nada que llame mi atención.

Miro las macetas y las plantas que hay en las repisas. Helechos, cactus y bambúes. Y muchas otras cuyos nombres desconozco. Plantas en forma de espada, con hojas puntiagudas y tallos de madera. Alguna vez escuché que la vegetación supuestamente nos ayuda a respirar. Pero estas plantas me acechan. Parece como si estuvieran a punto de caer sobre mí y asfixiarme.

—¿Y ahora qué?

—¿Vamos por tu hermana? —pregunta Logan.

Veo el escritorio-pantalla, y sé que tiene razón. Es hora de ir por Jessa. ¿En qué estaba pensando? Esta idea es ridícula. ¿Por qué creí que podría entrar al sistema y encontrar al premonitor?

Abro la boca para decir que sí cuando escucho un grito agudo. El aullido atraviesa las paredes sólidas y hace que quiera doblarme y agarrarme las rodillas. Lo peor de todo es que creo saber de quién es esa voz. Suena igual a Melan.

40

—¿Qué es eso? —pregunta Logan.

El grito se apaga, y luego escuchamos pies que se arrastran y una fuerte bofetada. El aullido comienza de nuevo.

William se frota la nuca.

—¿Saben que cuando las presas han llevado a cabo su recuerdo se las llevan del Limbo?

—¿Aquí es a dónde las mandan? —pregunto.

No puede ser ella. Es imposible. Se supone que Melan nunca saldría del Limbo. Seguramente está en su celda, viendo las rosas que hice con las hojas. No puede estar aquí.

Poniéndome en cuclillas, me arrastro hasta la puerta y la abro un poco. Dos guardias uniformados arrastran a una chica, amarrada con esposas eléctricas, por el pasillo. Tiene puesto un uniforme amarillo de manga corta, y sus brazos están llenos de cicatrices horizontales. Su cabeza está hacia adelante, pero conozco su perfil tan bien como el ojo a través de la pared.

Me caigo hacia atrás, y la puerta se cierra con un ligero clic. Siento que estoy en el río otra vez, girando locamente, sin dirección. ¿Hacia dónde queda la superficie?

Logan me toma entre sus brazos. Lo miro a los ojos. Después de parpadear unas cien veces, puedo verlo claramente.

—¿Por qué está aquí? —pregunto susurrando.

—Ya te dije —contesta William—. Ejecutó su recuerdo, y ahora la sacan del Limbo.

Camino alrededor del guardia.

—Tiene que haber un error. Su escáner cerebral decía que no era agresiva. Sus ondas no afectaban a nadie. Ella nunca quiso llevar a cabo su recuerdo. No quería matar a ese hombre. Hasta se cortó los brazos para que no la violaran...

—No. No hay ningún error.

Su voz es plana, y sus palabras definitivas. No hay lugar para la discusión.

Hago un esfuerzo para recalibrar mi mundo con esta nueva información. Melan no está a salvo en su celda. Fue violada por un extraño, y luego la misma agencia que se supone debe protegernos a todos, la obligó a matarlo.

Las lágrimas me cierran la garganta. Algo salió mal. Algo pasó que los hizo calificarla como agresiva después de todo.

Exhalo un suspiro agitado.

—¿A dónde se la llevan? ¿Qué va a pasarle?

William mueve la cabeza, sin mirarme.

—Como ya no estará en el Limbo, la llevan a la Sala de Procesos. Pero no sé qué pasará después.

Acerco mi cara a la suya.

—Esa chica estaba en la celda de al lado, William. Era mi amiga. Así que dime la verdad. ¿Qué van a hacerle?

Las gotas de sudor en su cabeza, le pegan el cabello a la frente.

—Te juro por el Destino, que no sé. Esa no es mi área.

—Entonces llévame a la Sala de Procesos —digo.

—No puedes entrar sin permiso. Te arrestarán y te enviarán de regreso al Limbo.

Muevo la cabeza. Cuando me escapé del Limbo, huí a Armonía. Me alejé de la civilización porque pensé que así era más seguro. Pero la vida no se detuvo. Arrestaron a Jessa y Melan tuvo que llevar a cabo su recuerdo. No puedo taparme los ojos cuando se trata de la gente que quiero. Ya no lo haré. No si hay algo que pueda hacer para ayudarlos.

—No voy a interferir —digo. Al menos, no todavía—. Tengo que saber qué está pasando. Piensa en cómo te sentirías si fuera alguien a quien quisieras. Tu mamá o tu novia. ¿No querrías saber también? —pongo mi mano en su hombro—. Melan tal vez sólo era un ojo al otro lado de la pared, pero estaba ahí. Me dio esperanza, cuando no tenía a nadie más. Por favor, William, llévame a la Sala de Procesos.

Se queda viendo mi mano sobre su hombro. Y luego suspira.

—Está bien. Creo que hay otra forma de entrar.

Unos minutos después, estamos encima de una escalera, en la esquina de un laboratorio. Hay un sinfín de máquinas puestas sobre un montón de mesas en medio de miles de cables, que rodean un sillón reclinatorio que está encima de una plataforma. El olor a ácido impregna el aire, y las repisas están llenas de todo tipo de cosas, desde portaobjetos de cristal hasta paneles de circuitos.

William golpea el techo y un panel levanta la rejilla metálica. Una nube de polvo cae sobre nosotros, cuando mueve el panel hacia un lado. Con un movimiento rápido, sube por el espacio abierto.

—Es tu turno —me dice Logan—. Te ayudaré a subir.

Respiro. Pongo mi pie sano en sus dedos entrelazados. El dolor se dispara en mi otro tobillo. Apretando los dientes, tomo el borde del techo, y subo.

El aire me asfixia. Hay tuberías largas y delgadas sobre mi cabeza, y me arrastro sobre mi estómago por el túnel en forma de caja. Los tenis de William rechinan contra el metal, y más que escucharlo, siento que está detrás de mí. Gateamos unos diez metros. Luego, oigo que se levanta otro panel. Unos minutos después, William desaparece por el hoyo. Me atrapa al caer, colocándome silenciosamente sobre el suelo. Un minuto después, llega Logan.

Estamos dentro de un armario. La luz se filtra a través de la ranura en el extremo inferior de la puerta. Cuando mis ojos se acostumbran a la oscuridad, veo un montón de botellas con pastillas sobre las repisas, gasas, tubos de ensayo y pinzas de metal.

Me masajeo el tobillo, pero no hay tiempo para sentir dolor. Del otro lado de la puerta cerrada se escuchan pisadas y voces graves. Por lo menos Melan ya no está gritando.

Abro la puerta un par de centímetros, agachándome tanto como puedo. La barbilla de Logan roza mi cabeza mientras se acomoda arriba de mí.

Melan está atada a un sillón reclinable, y un trapo le cubre la boca. El sillón se parece al del laboratorio de Bellows. ¿Qué van a hacerle? Ya tienen su recuerdo del futuro. Ahora que lo ha llevado a cabo en la vida real, ¿la harán revivirlo? ¿Harán que vuelva a vivirlo una y otra vez?

Un escalofrío me recorre el cuerpo. Bellows también podría hacerlo. Le dará los gases. La hará revivir su violación todos los días por el resto de su vida.

Melan ve a un guardia y luego al otro. Desde la distancia puedo leer su mente. *Mírame. ¿No he sido castigada lo suficiente? Soy la víctima, y me convirtieron en una criminal. Son ellos los que de-*

berían ser castigados. No yo. Todo lo que hice fue recibir un mal recuerdo del futuro. Mírame.

Pero a los guardias no les importa su historia. Los dos están ocupados doblando algo en una mesa lateral, con guantes en las manos y sin mirarla.

Pero yo sí te veo, Sully. Y siento tanto que esto haya pasado. No sabía. Creí que estabas a salvo. Pero no te preocupes. Te sacaré de aquí y nos olvidaremos de nuestros recuerdos por completo.

Uno de los guardias me tapa la visibilidad. Veo hacia el otro lado y observo la mesa lateral, que tiene un gabinete de cristal con las puertas cerradas y un estante lleno de jeringas.

El corazón se me detiene. Hay una jeringa con un líquido transparente; y otra con un líquido rojo. Las jeringas son pequeñas y cilíndricas, e idénticas a la que yo usé para matar a mi hermana.

El guardia tiene otra jeringa en la mano; llena con un líquido transparente.

—No —digo en voz muy baja—. Ay, no, por favor.

Pero ya es tarde. El guardia camina hacia adelante y encaja la jeringa en el corazón de Melan.

Su cuerpo se encorva algunas veces. Y luego se queda quieto.

41

Grito. Grito una y otra vez hasta que la cabeza me explota. Una y otra vez hasta que el pecho se me colapsa.

Pero no sale ningún sonido. Intento respirar pero no puedo jalar aire. Una mano me cubre la boca. Es Logan. Ahogándome y evitando que los gritos salgan.

Me jala hacia atrás y me derrumbo sobre el suelo; abrazando los mosaicos de linóleo como si me pudieran anclar a este mundo. No sé cuánto tiempo permanezco en esa posición. Lo suficiente para que William abra la puerta del armario y diga: "Se han ido." Lo suficiente para que las manos frías de Logan se sientan sudorosas en mi hombro. Lo suficiente para preguntarme si puedo quedarme aquí para siempre.

La mano de Logan se mueve hacia mi cuello, moviendo la peluca en mi cabeza.

—Lo siento mucho, Callie.

Me quito la peluca y la dejo caer. El cabello falso cae sobre mis piernas como si fuera un animal muerto.

—¿Cómo puede ser éste su destino después de haber salido del Limbo? ¿Cómo?

—Cuando llevó a cabo su recuerdo, las ondas ya no representaban un peligro —William se queda viendo el sillón reclinable vacío—. La AgeREF ya no la necesita... viva.

Me pongo de pie, atravieso la sala y lo empujo tan fuerte como puedo, haciendo que caiga sobre el sillón.

—Tú sabías, ¿verdad? —lo tomo por el cuello de la camisa y encajo mis uñas en su piel. Cuando trata de soltarse, las encajo más profundamente—. Sabías que la iban a matar, pero no dijiste nada. Si me hubieras avisado, tal vez hubiéramos podido hacer algo. Podríamos haberla salvado.

Me mira a los ojos.

—¿Qué hubieras hecho? ¿Hubieras salido a darle el antídoto?

Sus palabras me dejan inmóvil.

—¿Hay un antídoto? ¿Dónde?

Señala hacia el gabinete de cristal.

—En caso de que inyecten accidentalmente al administrador.

Quedan dos agujas. Una con líquido transparente y otra con un líquido rojo.

Hace tiempo, Melan me contó una historia sobre una chica llamada Jules, que supuestamente trataría de matar a su padre. Un guardia la llevó a la sala de ejecución, y los seguía un científico con dos hileras de agujas. Unos minutos después, todos salieron de la sala aparentemente ilesos.

Jules lo mató con una jeringa y lo revivió con la otra.

La jeringa roja contiene el antídoto.

Busco con la mirada y cojo el teclado esférico flotante del soporte magnético. Lo lanzo contra el gabinete con todas mis fuerzas. Los fragmentos de cristal salen volando por todas partes. Sin hacer caso, estiro el brazo entre los bordes afilados y tomo la jeringa roja.

—¿Qué estás esperando? Vamos.

—Callie —dice William moviendo la cabeza—. Ya es muy tarde.

La jeringa comienza a temblar en mi mano.

—¿De qué hablas? Todavía podemos encontrar su cuerpo. Podemos salvarla.

—El antídoto debe inyectarse un minuto después del envenenamiento para que funcione. Han pasado por lo menos diez minutos desde que se llevaron su cuerpo. Lo siento.

Lo miro fijamente.

—No. Tiene que haber otro modo.

—Callie. Está muerta.

Bajo la mirada hacia el líquido rojo. Rojo como la hoja que cae en la mano de una niña pequeña. Rojo como la sangre que ya no corre en el cuerpo de Melan.

—Lo bueno es que no sabías nada porque no era tu área —los sollozos agitan todo mi cuerpo. Lanzo la jeringa al suelo y escondo la cara entre mis manos.

Unos cálidos brazos me sujetan, y sé que es Logan, aun sin verlo.

—Está hecho —dice susurrando en mi cabello—. No puedes cambiarlo. Necesitamos pensar en tu hermana. Si quieres rescatarla, tiene que mantener la calma.

—No —de pronto, todo está muy claro. Terrible y horriblemente claro.

Una extraña calma me recorre el cuerpo, silenciando todas mis preocupaciones y adormeciendo mis emociones. En ese momento entiendo cómo puede ser que alguien vea a su hermana a los ojos y la mate. Todo se apaga menos la tarea en cuestión. Esa meta única que debe ser cumplida.

—Todavía no podemos rescatarla. Si son capaces de matar a Melan por un mal recuerdo, ¿qué más podrían llegar a hacer? —las manos ya no me tiemblan y las lágrimas ya se han secado. Y si todavía queda algún pedazo de mi corazón destrozado, se esconde cobardemente de mi vista—. ¿No entiendes? No puedo ignorarlo. Le debo a Melan llegar al fondo de esto. Estaba destinada a encontrar al premonitor. Estaba destinada a ver un futuro tan terrible que haría cualquier cosa por evitarlo. No actuaré igual que lo hizo mi yo futuro, pero necesito llevar a cabo esta parte de mi destino.

—Está bien —Logan asiente con la cabeza, y sé que cuento con él, sin importar lo que pase. Mira a William—. ¿Seguirás ayudándonos?

William quita la vista de la costura de la silla.

—Arriesgué mi vida dándote ese minuto extra para escapar. Arriesgo mi vida todos los días ayudando a la Resistencia. Y aun así me culpas por la muerte de tu amiga. Por todas las muertes.

William tuvo la culpa. Pero yo también. Tuve una fracción de segundo antes de que el guardia encajara la aguja en el corazón de Melan. Una fracción de segundo en la que hubiera podido salir del armario, y quitarle la jeringa de la mano. Debería haberme imaginado que la jeringa roja era el antídoto de la historia de Jules.

Pero no lo hice. Me quedé adentro del armario llorando. Eso es algo con lo que tendré que vivir por el resto de mi vida.

—Sí te culpo —digo—. También me culpo a mí. ¿Y sabes quién son los verdaderos culpables? Los guardias, la Presidenta Dresden, la AgeREF y el recuerdo del futuro.

William mueve la cabeza afirmativamente, como si supiera que no puedo absolverlo de esta culpa. Nadie puede. Es algo con lo que los dos tendremos que lidiar.

Hay otra pista que debo seguir. A William no le gustará, pero ya hemos dejado atrás nuestra zona de confort desde hace mucho.

—Necesito que me lleves a la oficina de la Presidenta Dresden —le digo—. Cuando MK ayudó a Bellows a darme los gases, tenía un oso de peluche en su mochila. Un oso blanco, con un listón rojo. El mismo oso de mi recuerdo del futuro. Ella, y por lo tanto, la Presidenta Dresden tienen algo que ver con Jessa. Voy a averiguar de qué se trata, y tú vas a ayudarme.

Se pone de pie lentamente.

—No me gusta involucrar a mi novia en los asuntos de la Resistencia.

—No me importa —la voz me tiembla, mientras señalo hacia el sillón—. Una chica murió ahí. Una víctima inocente. Tú y yo somos culpables. Así que tienes que ayudarme.

Su respiración suena entrecortada. Asiente.

—En vista de... lo que ha pasado... lo haré. Te llevaré a la oficina de la Presidenta Dresden. Pero tienes que hacer lo que yo diga, ¿de acuerdo?

Logan y yo asentimos.

Estamos casi en la puerta cuando Logan se regresa por algo. Cuidándose de los vidrios, recoje la jeringa roja del suelo y toma del gabinete la del líquido transparente.

El pulso se me acelera.

—¿Qué haces?

Revisa las jeringas para comprobar que tengan puestas las tapas de seguridad y luego las pone en un botiquín médico que hay en la mesa.

—Si nos llevamos estas jeringas, no podrán usarlas.

—Sí, pero...—trago saliva—. Logan, esa es la jeringa que usé en mi recuerdo.

Se pone el botiquín debajo del brazo.

—Tú controlas tus decisiones por completo, Callie. No la usarás a menos que así lo decidas.

Eso es justo lo que me preocupa.

42

MK está parada detrás de un escritorio blanco lleno de círculos concéntricos. Su escritorio-pantalla, un grueso panel de cristal que la rodea por completo, es la más grande que he visto en mi vida. Frente a ella hay una puerta gigantesca de cristal, y las paredes de metal se curvan hasta llegar a un tragaluz redondo en el centro del techo.

Nuestras pisadas resuenan en el piso de mármol blanco, y hacen que MK levante la vista desde un montón de archivos abiertos en su escritorio-pantalla.

—Will —el brillo de sus ojos compite con el de su cabello—. ¿Qué haces aquí?

—Te extrañaba, MK —mirando hacia el largo pasillo, la besa en la sien.

Me quedo inmóvil detrás del hombro de Logan. Si MK no me ve de cerca, no se acordará de mí por el maquillaje recién retocado y la peluca.

—Pensé que podía ayudarte —nos señala a Logan y a mí—. Tengo a un par de internos de una preparatoria local, y se me ocurrió que podían cuidar a Olivia para que tú puedas trabajar.

Al oír su nombre, una niña pequeña asoma la cabeza detrás del cubículo, desde donde está sentada en el suelo. Reconozco los cachetes gordos y el fleco negro recortado. Olivia Dresden. La hija de la Presidenta Dresden.

—Sí, eso me ayudaría mucho —MK golpea con los dedos el escritorio-pantalla—. La Presidenta quiere estos archivos organizados antes de que termine el día, y no sé qué hacer.

—No sé por qué no contrata un cuidador de niños —dice William—. La verdad es un poco ridículo.

—No le gusta tener a extraños interfieriendo con sus asuntos —MK despeina el fleco de la pequeña—, y Olivia, aquí presente, es muy bien portada, ¿verdad, cariño?

Olivia asiente.

—MK, necesito contarle a mi mami sobre mi pesadilla.

—Claro, pero mami estará ocupada toda la tarde en juntas, ¿recuerdas? En cuanto salga, se la contaré —voltea a ver a William otra vez—. ¿Oíste las noticias? La AgeINT cree haberla encontrado. La Llave para el recuerdo del futuro.

Ahogo un suspiro y miro a Logan. Sus músculos se contraen, como si estuviera a punto de comenzar una carrera de natación.

—Es mi compañera de la escuela —dice Olivia—. Pensé que podríamos jugar juntas, ahora que vive aquí, pero MK dijo que Jessa está muy ocupada con los análisis.

Las rodillas me tiemblan. Si no fuera porque Logan pone su brazo alrededor de mi cintura y me sostiene, me hubiera caído al suelo.

—Calla, Olivia —dice MK—. No sabemos nada a ciencia cierta. Los escáneres de su cerebro no se parecen a nada que hayamos visto, y los científicos necesitan estudiar su actividad neuronal durante el proceso de enviar un mensaje a su Receptor. Pero el problema es que no está cooperando.

William apoya la cadera contra el escritorio.

—¿Cómo saben que tiene un receptor?

—Su escáner muestra todas las señales de que es una emisora —dice MK—, y cuando hay un Emisor, tiene que haber un Receptor. Uno es inútil sin el otro.

—Qué loco —una sonrisa encantadora se dibuja en la cara de William—. Bueno, les dejaré la política a ustedes los burócratas. Yo sólo soy un simple guardia, ya lo sabes.

—Ay, Will. Tú jamás serás simple —se funden en sonrisas empalagosas.

Tenía razón. Mi hermana es la Llave. En cierto modo, no me sorprende. Todo este día se ha sentido como un rompecabezas que va encajando, pieza por pieza. No es un deja *déjà vu*, pero es algo parecido. En vez de sentir que ya viví este momento, siento un impulso por vivirlo.

Son los dedos del Destino en mi espalda. Tengo que ir a la oficina de la Presidenta Dresden. Tengo que escuchar a William hablar con MK. Tengo que encontrar al premon. Porque en algún lugar, de un mundo futuro, ya hice todo eso.

William se endereza.

—Los internos pueden entretener a Olivia en la oficina de la Presidenta Dresden. Así, no te interrumpirán.

MK duda un poco.

—No sé. Normalmente no le permite la entrada a extraños.

—Depende de ti, claro está. Pensé que podrías concentrarte más si no te estorban.

Se muerde el labio.

—Sí, tienes razón. Supongo que no pasará nada. Olivia juega ahí dentro todo el tiempo, y yo estaré aquí afuera —suspira y aprieta la mano de William—. Eres tan bueno conmigo.

William sonríe, pero puedo ver como le palpita el pulso en las sienes. Tiene la mandíbula tan apretada que sus huesos sobresalen a través de la piel. Mentirle a MK lo está matando.

Me armo de valor y volteo la mirada. Mala suerte. A Melan la mató ser parte de este sistema. Así es como tiene que ser.

William abre la puerta de cristal, y yo lo tomo del brazo.

—Gracias —le digo, esperando que entienda que esas palabras significan algo más que una simple formalidad.

Parpadea, sin poder ocultar su resentimiento. Contra mí y contra él mismo.

—Estaré en mi oficina, si me necesitas. Puedes preguntarle a MK cómo llegar.

Y luego se marcha.

Olivia comienza a correr en círculos alrededor de la oficina. Pasando detrás del escritorio de cristal y acero, brincando sobre los sillones de piel blanca, y golpeándose por poco en la rodilla con la mesa de centro reflejante.

No sé muy bien qué pensaba encontrar. ¿El oso blanco, con su listón rojo saludando desde el escritorio de la Presidenta? Pero la respuesta tiene que estar aquí, en algún lugar de este cuarto. El oso conecta a mi hermana con MK. Y la Presidenta debe tener algún documento relacionados con el premonitor.

Logan va directamente hacia el escritorio-pantalla, señalándome a Olivia con la cabeza para indicarme que yo me haga cargo del torbellino.

Las ventanas que van del piso al techo cubren la pared exterior. Contengo la respiración cuando Olivia pasa corriendo frente a mí. Si no la detengo, podría estrellarse contra el vidrio. En su siguiente vuelta por la oficina, la tomo del brazo.

—Olivia, ¿quieres detenerte un momento y hablar conmigo?

Varios mechones de cabello salen de sus trenzas, y su pecho sube y baja rápidamente

—Sé quién eres.

—Bueno, sí —supongo que mi disfraz no engaña a una niña de seis años hiperobservadora—. Soy la hermana de Jessa. Seguramente me has visto recogerla en la Clase T-menos once.

—No, no es eso. Te he visto en mis sueños —comienza a correr de nuevo, saltando sobre los pies de Logan que está arrodillado frente al escritorio, buscando cómo entrar al escritorio-pantalla—. ¿Qué hace?

—Nada. ¿Quieres jugar algo? ¿O cantar una canción?

Olivia mira por encima del hombro. Logan está metido debajo del escritorio, analizando la parte inferior de la pantalla.

—Hoy tuve una pesadilla en la escuela —dice—. Necesito contársela a mamá.

—¿Te quedaste dormida? ¿Estás cansada? Si quieres, puedes dormir una siesta en el sillón.

Pone los ojos en blanco.

—No me quedé dormida. ¡No tienes que estar dormida para poder recibir sueños, estúpida!

Otra vez se echa a correr. Esta vez trazando números ocho. Alrededor del escritorio, detrás de la mesa. La observo, sintiendo como me punza la piel del cuello.

—Olivia —cuando se detiene otra vez, me agacho para poder verla a la cara. Sus mejillas redondas están sonrojadas y me mira con los ojos entrecerrados, como si necesitara cirugía correctiva con láser.

—No estás hablando de tus sueños, ¿verdad?

—Mami dice que debo llamarlos así, para que la gente no sospeche.

La boca se me seca, y tengo que pasarme la lengua por los labios.

—¿Qué sospecharía le gente?

El cabello suelto le cae alrededor de la cara.

—Mi mami dice que no debo hablar de eso. Pero te he visto. Eres buena. En el futuro, tú tratas de ayudarme.

—Olivia, cuando dices *sueños*, ¿estás hablando de visiones? ¿Visiones del futuro?

Se me queda viendo. Algo en mi cara debe hacerla sentir segura, porque asiente con la cabeza.

Exhalo un suspiro. El corazón me late tan fuertemente que me sorprende que no envíe vibraciones al otro lado del cuarto.

—Logan —lo llamo—, ¿puedes venir, por favor?

—¿Qué pasa? —atraviesa el cuarto y se pone de cuclillas junto a mí—. Los científicos de la Resistencia han fabricado una puerta trasera en estos escritorios-pantalla —me dice al oído—. Estoy a punto de abrirla.

—Olvida eso por un minuto —vuelvo a voltear hacia Olivia—. Estamos buscando un premonitor. Alguien que puede ver varios años en el futuro. ¿Conoces a alguien así?

Mete los dedos en un hoyo que tiene su uniforme en la rodilla.

—No me gusta esa palabra. Suena como si fuera un androide, y un premon es sólo una persona, como todas las demás.

—Sí, claro, un premon es una persona —digo—. Una persona que puede ayudar a los demás, preparándolos para el futuro, o avisándoles que algo está a punto de pasar.

Se levanta abruptamente.

—Es muy aburrido ser la única niña aquí. Pensé que si le daba un oso de peluche a Jessa, vendría a jugar conmigo. Pero no la he visto. Tal vez a mamá se le olvidó enviarlo.

La boca se me abre de par en par.

—¿Fuiste tú? ¿Tú le enviaste el oso de peluche a Jessa?

—Sí. MK me lo dio, pero yo ya tenía uno —su labio inferior sobresale un poco—. Pensé que Jessa vendría a visitarme, pero no lo ha hecho.

Recuperando la compostura, me inclino hacia adelante.

—Estoy segura de que jugaría contigo si pudiera —le acaricio los hombros, igual que lo haría con mi hermana—. Quiero ayudarla, Olivia. Pero no puedo hacerlo a menos que encuentre al premonitor. Algo malo va a pasar en el futuro, y necesito saber qué es. ¿Entiendes?

Asiente. Sus estrechos hombros se elevan con la siguiente respiración.

—Yo soy la premon. ¿Y la cosa mala que estás buscando? Creo que es lo que vi en mi pesadilla.

Retrocedo cayéndome sobre el mármol. No puedo creerlo. La encontramos. La fuente de la profecía, la información dada a todo un equipo de científicos. Todo este tiempo la respuesta estaba en la hija de la Presidenta. Una niña de seis años. Y la acabamos de encontrar.

Las manos de Logan aprietan mis brazos. No sé si me está deteniendo a mí o se está apoyando.

—¿Puedes contarnos tu pesadilla? —le pregunta Logan a Olivia.

Mueve la cabeza.

—Es muy difícil de explicar. Tendrás que verla tú mismo, igual que lo hace mi mamá.

—¿Cómo podemos verla? —pregunto.

—En las mismas máquinas que usan para leer el recuerdo del futuro.

Abrimos la puerta de cristal. MK tiene las manos en la cadera, mientras revisa los archivos proyectados en su escritorio-pantalla. Mirando hacia arriba, se quita de un soplido un mechón de cabello de la frente.

—Imaginen cómo estaría si no estuvieran ustedes aquí. ¿Cómo van las cosas por allá?

—Nada mal —dice Logan—. Queremos llevar a Olivia a dar un paseo. Tal vez podríamos ir a visitar a William. Las cosas se están poniendo un poco ruidosas allá adentro.

—Sí, hasta acá oigo los golpes —dice, riéndose—. Está bien. Pero no salgan del edificio, y regresen en una hora.

Logan le da las gracias a MK, y luego nos marchamos. En cuanto lleguemos a la oficina de William, conectaremos a Olivia al escáner. La máquina leerá las imágenes en su mente, y podré ver su visión del futuro. Si mi teoría es correcta, finalmente sabré por qué la Callie del futuro decide matar a su hermana.

Si. Si. Si... Nada es definitivo, y sin embargo, los músculos de mi cuello y de mis hombros se vuelven como de piedra. Esta es la respuesta. Puedo sentirlo.

Los pasillos están casi vacíos. Olivia se adelanta brincando, con sus trenzas deshaciéndose con cada salto que da, las pocas personas que vemos nos sonríen complacientes, dejándonos pasar sin cuestionarnos.

—Con razón la Presidenta no tiene un cuidador de niños —le digo a Logan en voz baja—. No quiere que nadie sepa.

Olivia comienza a correr por el pasillo.

—¡Rápido! —nos grita por encima del hombro— ¡Ya casi llegamos!

—Olivia, ten cuida...

Un empleado uniformado sale por la esquina con una maceta en las manos. Olivia se estrella contra él, tirándolo al suelo. La maceta sale volando, se estrella contra la pared y se rompe en mil pedazos.

Los fragmentos de cerámica se quedan esparcidos en el suelo. Un camino de tierra conduce, como migajas de pan, hasta el tallo roto de la planta.

El frío viento del Destino sopla en mi espalda. He visto esta imagen antes.

Logan ayuda a Olivia a ponerse de pie y se disculpa con el hombre.

El guardia frunce el ceño, y su bigote se retuerce.

—No tengo tiempo para esto. Llego tarde a una junta.

—No se preocupe, señor —dice Logan—. Somos internos. Llamaremos a un androide para que limpie.

Diciendo algo entre dientes sobre los niños malcriados y sus irresponsables cuidadores, el hombre se aleja por el pasillo a grandes pasos. Espero hasta que se ha ido, y me volteo con Logan.

—Esa planta rota estaba en mi recuerdo —digo susurrando—. Se veía justo así. Con un camino de tierra y las hojas verdes y anchas. Mi recuerdo se está volviendo realidad.

Ya no sé si tomé la decisión correcta. Tal vez no necesito conocer el futuro. ¿Por qué estoy tentando al Destino? Sólo debería ir por Jessa y huir.

Logan me toma de la mano y me repite las palabras que yo le dije a él.

—Conocer el futuro no te quita tu libre albedrío. Sólo tú puedes decidir lo que harás —sujeta mi mano fuertemente—. Hemos llegado muy lejos, Callie. Hay que terminar con esto.

Miro fijamente a la persona que me ha acompañado durante este viaje.

—Tengo miedo.

—Yo también —responde.

43

Estamos en el mismo cuarto. El mismo sillón con los cojines cilíndricos, máquinas vibrando y una bandeja con material para meditar. Los mismos mosaicos negros y brillantes, aunque han barrido el polvo y lo han echado hacia un lado, como si fuera un montón de excremento de ratón. Las mismas paredes de vidrio, pero las sábanas blancas que daban la ilusión de privacidad ya no están.

Trato de concentrarme en las pequeñas diferencias, pero no sirve de nada. No puedo respirar, y todas las fibras de mi cuerpo gritan *¡corre!*

Tomo la botella de vidrio de la bandeja y le quito el tapón. El picante olor a yerbabuena me limpia la nariz. Eso me hace recordar una mañana, hace no mucho tiempo. Estoy sentada en la mesa para comer con mi familia, tomando té de yerbabuena. Jessa se calienta las manos en el vapor que sale de la taza, mientras mi madre cierra los ojos, perdida en sueños del pasado.

El recuerdo fluye a través de mí, e inhalo profundamente. Los latidos de mi corazón disminuyen a un ritmo más estable. Tal vez estos materiales de meditación sí funcionan.

William coloca el casco de metal en la cabeza de Olivia, que está sentada en el sillón reclinable, con los tobillos cruzados, como si hubiera hecho esto miles de veces. Y tal vez sí lo ha hecho.

—Esto trae recuerdos, ¿no? —me dice William, inclinándose sobre Olivia y apretando la correa de la barbilla.

Pongo los ojos en blanco por su comentario de doble sentido.

—Ja ja.

—Mi mami siempre me enciende una vela —dice Olivia—. Me gusta jugar con la flama.

William levanta una ceja, como si no estuviera seguro de darle fuego a una niña pequeña.

—Si eso es lo que te pone en el estado mental adecuado, claro... Encogiéndose de hombros, enciende una vela sobre una mesa lateral y la rueda hacia las piernas de Olivia.

—Abre tu mente y deja que la visión venga a ti. Si necesitas algo, estaremos en la puerta de al lado.

Me hace una seña, y lo sigo a su oficina en el cuarto de junto, en donde Logan está esperando. Como no hay sábana blanca, podemos ver a Olivia a través de las paredes de cristal. La saludo con la mano, pero está ocupada tratando de atrapar la flama entre sus dedos.

William conecta unos cables a un escritorio-pantalla. En vez de ser plana y horizontal, la pantalla es vertical y completamente curva, y se parece a una dona gigante. Logan ya está adentro de la máquina.

—¿Cómo entraste? —le pregunto.

—Sólo me agaché —dice Logan—. Ten cuidado con la cabeza.

Entro junto con él a la máquina. A mi alrededor, bailan un montón de luces blancas, persiguiéndose unas a otras como luciérnagas en una pantalla negra.

—¿Qué es esto? —pregunto.

—La mente de Olivia intentando averiguar dónde aterrizar —William se agacha bajo la máquina y se sienta junto a nosotros—. Cuando la visión le llegue, estas luces formarán imágenes para que podamos vivirla junto con ella.

—¿Vivirla? —pregunta Logan, estirándose para tocar una luz, pero sus dedos chocan contra la pantalla— ¿No sería más bien mirarla?

—Ya verás lo que digo —William nos da unos cascos y nos indica que nos los pongamos—. La visión llegará a través de los cinco sentidos. Sentirán como si la estuvieran experimentando ustedes mismos. La verán a través de la perspectiva de Olivia.

Las luces comienzan a vibrar, juntándose para formar una masa sólida.

—Aquí viene —susurra William—. Sujétense.

Mis manos sujetan unos barrotes negros. Tengo rasguños gruesos y sangrientos a lo largo de mis brazos, el olor a orina y heces llena el aire. Hay muchas chicas adolescentes con uniformes escolares presionándose contra mí.

Al otro extremo de la celda, una de cabello castaño gruñe y salta sobre la espalda de una pelirroja, cogiéndola del cabello y jalándolo hasta que se desprende en mechones. Otra chica en la esquina canta a todo pulmón. Su cabeza está recostada sobre un montón de heces, manchando su cabello que alguna vez fue rubio.

De pronto, escucho golpes cortos y entrecortados en la pared de concreto. Todas nos quedamos en silencio, también la chica que cantaba. Dos personas aparecen al final del pasillo. Hablan rápidamente algo entre ellas, y luego la más alta camina hacia nosotras. Veo un uniforme azul marino, y cabello plateado cortado casi al ras de una cabeza bien formada. Su cara tiene más arrugas, pero los rasgos son inconfundibles. La Presidenta Dresden.

Me levanto sobre mis piernas temblorosas y sujeto los barrotes con más fuerza todavía.

—Mamá —digo—. Tienes que cancelar la ejecución.

Me mira varias veces, como si no me reconociera. Finalmente me sostiene la mirada y se estremece.

—Te lo dije, Olivia. Sabías el precio que había que pagar por recibir un recuerdo mediocre, pero no me escuchaste, ¿verdad?

—Mi yo futuro me envió un recuerdo feliz —afirmo—. En él, sostenía a mi bebé recién nacido y me sentía en paz con el mundo.

—¡Fue mediocre! Tú mejor que nadie debiste haber sabido lo que se aproximaba —un músculo salta en la comisura de sus labios—. Fue tu visión del futuro la que nos mostró en lo que nos podíamos convertir. En una raza de superhumanos —pone sus manos sobre las mías, que sujetan los barrotes—. Sé que tienes talento, Olivia. Eres mi hija, ¿no? ¿Por qué no te envió un mejor recuerdo tu yo del futuro? Pudiste haber elegido el que tú quisieras. Uno que mostrara tus excepcionales habilidades como violinista, o que ejemplificara tu talento para las matemáticas. ¿Por qué enviaste ése?

Enderezo la espalda.

—No sé por qué lo hizo, mamá. Tal vez mi yo futuro no pensó que fuera correcto ejecutar al noventa y nueve por ciento de la población basándonos en sus recuerdos. Tal vez sabía que ésta era la única forma de que escucharas. De mostrarte que la humanidad tiene algo más que sus talentos. Que también existe la felicidad. Y el amor.

Sus dedos sueltan mis manos.

—Me temo que no en este mundo. No podemos permitir que los genes mediocres contaminen la selección genética. La ejecución ya está programada. Tú y todos los otros Mediocres cumplirán su sentencia en dos horas.

Se da la vuelta y se marcha, y sus tacones resuenan en el suelo mientras camina hacia la persona que supongo es su asistente.

—¡Mamá! —le grito—. No puedes hacer esto. Soy tu hija. ¡Tu hija!

—No —su voz se escucha por el largo pasillo, y ya no puedo ver su cara. Lo único que distingo es su uniforme azul marino—. Ninguna hija mía es una mediocre.

44

La imagen se rompe, y las luces blancas vibran en la pantalla negra. Estoy respirando, pero el aire se convierte en plomo en cuanto entra en mi boca. El corazón me late fuerte, pero los latidos se dispersan como insectos en la noche.

Así que ésta es la razón. Por fin tengo mi respuesta. Finalmente sé por qué voy a matar a Jessa.

La pantalla, que parece dona, gira a mi alrededor. Estoy en el centro, pero no soy el ojo del huracán. Yo giro más rápido que todo, tan rápido que estoy a punto de desmayarme. Pero Logan me sujeta por los brazos, sosteniéndome.

Veo mi reflejo en el iris de sus ojos. La chica a la que él siempre ha visto, pero que yo no sabía que existía hasta este momento.

Un grito agudo perfora el aire, seguido de un fuerte golpe.

—Olivia —dice William. Logan y él se quitan los cascos al mismo tiempo y se agachan bajo la máquina.

Un instante después, escucho un balbuceo histérico:

—No sabía... fue peor que antes... ¿por qué mami dijo que yo no era su hija?... ¿Por qué mataron a todos los Mediocres?...

—Shhh —dice Logan—. Todo va estar bien. Shhh.

Moviéndome en cámara lenta, me quito el casco y caigo de rodillas. El recuerdo del futuro provocará la ejecución sistemática de los mediocres. Pero las cosas no tienen que ser así. Puedo impedirlo, si no se descubre nunca. Puedo detenerlo si mato a mi hermana.

Siempre fue mi decisión. Nadie me obligó a hacerlo. El Destino nunca se anticipó a mi voluntad. Mi hermana o el noventa y nueve por ciento de la población. La muerte de una sola chica o un genocidio.

Cierro los ojos. Mi mano llega hasta mi boca. La muerdo, pero mi mente no registra el dolor. Está demasiado ocupada con todas esas chicas prisioneras. Las que luchan y las apáticas. La que rodaba sobre sus propias heces y la Olivia adolescente. Otra celda y otra, todas llenas de chicos y chicas de diecisiete años. Ejecutados día tras día hasta que la mediocridad se extinga. Hasta que sólo quede una sociedad de superhumanos.

¿Cómo puedo permitir que eso pase? ¿Cómo puedo matar a mi propia hermana?

Una densa humedad me cubre la lengua. Quito la mano de mi boca y veo las marcas de dientes perforándome la piel. Sangre. Muevo la vista rápidamente por el cuarto hasta que veo un botiquín médico lleno de jeringas.

Miro hacia el otro cuarto. La cabeza de Olivia está sobre las piernas de Logan, quien le acaricia el cabello. William está recogiendo la máquina del suelo.

Es mi decisión. Pero a fin de cuentas, ¿qué otra opción tengo?

Tomo las jeringas del kit médico, tanto la transparente como la roja, y las meto en mi bolsillo. Salgo del cuarto y escucho que Logan me grita, pero no miro hacia atrás.

Camino por el pasillo. Tiene piso verde de linóleo con pantallas de computadora incrustadas en los mosaicos. Las iluminadas paredes brillan tan intensamente que puedo distinguir lo que parece una huella de zapato en el suelo. El penetrante olor a antiséptico me quema la nariz.

Aprieto los puños para contener el flujo de sangre, pero las gotas rojas manchan el suelo. Doy vuelta en la esquina y rodeo los pedazos rotos de una maceta de cerámica. Un camino de tierra conduce, como si fueran migajas de pan, al tallo roto de una planta y a hojas verdes sueltas.

Camino por un pasillo idéntico. Y luego por otro. Y otro más.

Finalmente, me detengo enfrente de una puerta. Una placa dorada, decorada en las esquinas con espirales en forma de caracol, tiene escrito el número 522. Respiro profundamente, pero no importa cuánto aire inhale, no es suficiente.

No hay otro lugar al que huir. Nadie puede salvarme de este momento. Este es mi futuro, y lo estoy viviendo.

Camino hacia adentro. El sol brilla a través de la ventana, la primera ventana que veo en este lugar. Un oso de peluche con un moño rojo está sentado en el alféizar.

Así que, después de todo, la Presidenta *sí* envió el regalo de Olivia. La desquiciada sí tiene corazón. Una carcajada sube por mi garganta. Debajo de su demencia despótica hay una mujer considerada. Una tirana que hace cosquillas. Una asesina que llora.

La risa sale de mi boca a borbotones, como espuma rabiosa, y luego se apaga a medida que veo el resto de la escena.

Todo es color blanco hospital. Paredes blancas, persianas blancas y sábanas blancas.

Jessa está acostada en medio de las sábanas. Ay, se ve tan pequeña. Tan inocente. Mis huesos se hacen líquidos, y caigo de rodillas junto a la cama.

Su cabello color castaño cae sobre sus hombros, enredado y suelto. Hay muchos cables que salen de su cuerpo, como si fueran las

serpientes de Medusa, moviéndose por todos lados hasta llegar a una de muchas máquinas.

—¡Callie! ¡Viniste! —sus labios se curvan en una hermosa sonrisa.

Intento tres veces antes de poder hablar.

—Claro que vine —tomo su delgada mano. Cabe en mi palma igual que un gorrión en su nido—. ¿Cómo te están tratando?

Jessa arruga la nariz.

—La comida es asquerosa. Y nunca me dejan salir a jugar.

Toda una vida de recuerdos pasa por mi mente. Jessa recién nacida golpeando el aire, como un pajarito en busca de comida. Jessa, un poco más grande, llorando para que bese su moretón de la rodilla. Mi hermana hace un mes, secando las lágrimas de mi cara.

Me levanto, siempre ha sido mi decisión. Conocer el futuro no me quita mi libre albedrío. Tengo completo control sobre mis acciones. Ésta es mi decisión. Mía. No de la AgeREF, no del futuro, ni siquiera del Destino.

—Cuando salgas de aquí, podrás jugar todo lo que quieras —quito los cables de su pecho y pongo mi mano sobre su corazón—. Te amo, Jessa. Lo sabes, ¿verdad?

Asiente con la cabeza. Su corazón late de forma regular contra la palma de mi mano. Es el latido fuerte y estable de la confianza total que una niña tiene en su hermana mayor.

Las lágrimas corren por mis mejillas. Ésta es una decisión imposible. Imposible. Pero tengo que tomarla.

Lo siento tanto, Jessa. Las palabras no pueden describir cuánto lo siento. Eres más que mi hermana. Eres mi gemela, mi mitad, mi alma.

Eres la luz que brilla cuando toda la electricidad se ha extinguido. La prueba de que el amor existe cuando la vida se ha apagado.

Cuando todas mis capas han sido arrancadas, cuando todo lo que conozco está al revés, lo único que queda es esto. Mi amor por ti.

Es lo único que no pueden tocar.

—Perdóname —susurro, aunque yo nunca jamás podré perdonarme a mí misma.

Meto la mano en mi bolsillo y saco las jeringas.

La puerta se abre, y Logan entra corriendo al cuarto. Su mirada se detiene en las jeringas.

—No, Callie. No lo hagas. ¡No!...

Es muy tarde. Lanzo la jeringa roja al suelo destruyendo el antídoto. Luego levanto mi brazo en el aire, hundiendo la aguja con líquido transparente en mi propio corazón. El líquido se vacía en mi cuerpo.

Atraviesa el cuarto en tres grandes pasos y me atrapa mientras caigo hacia delante.

—¿Qué has hecho? ¡Ay, por el Destino!, ¿qué has hecho?

Extiendo mi mano para tocar su mejilla, pero ya estoy muy débil y mi mano se queda a medio camino. Baja la cara para encontrarse con mis dedos. Toco los vellos de su barba y la sal cálida y húmeda de sus lágrimas.

—Ésta es la única forma —la voz me tiembla, como si supiera que éstas son mis últimas palabras—. La única forma de salvar a Jessa. La única forma de salvar el futuro.

Ella es la Emisora. Yo la Receptora. Una sin la otra no sirve de nada. Si no hay Receptor, Jessa no puede enviar sus recuerdos. No podrán meterse en su mente. No descubrirán el recuerdo del futuro.

Las chicas de la prisión estarán a salvo. Mi hermana estará a salvo. Todos estarán a salvo.

Excepto yo.

Volteo a ver a mi hermana una última vez, y lo que veo es la cara de un ángel. La curva redondeada de sus mejillas atrapa el brillo de la luz, y su cabello cae sobre sus ojos tan luminosos que parecen hechos de estrellas.

Te amo, digo en mi mente.

Miro a Logan, y mi último pensamiento es: *a pesar de todo, me alegro tanto de haber llevado a Jessa al parque el Veintiocho de Octubre.*

Y luego todo se pone oscuro.

EPÍLOGO

Voy flotando a través de una noche oscura interminable. Mi conciencia trata de aferrarse a un pensamiento, y trata de volver ese pensamiento presente y real, pero luego lo suelta de nuevo, y yo sigo flotando. ¿Estoy muerta? ¿Seguiré flotando por toda la eternidad? Las preguntas se desvanecen en cuanto aparecen, antes de que pueda siquiera comenzar a formular las respuestas.

Algunas veces, esucho una voz muy suave y muy joven. No puedo distinguir las palabras, o si puedo, se escapan en cuanto comprendo su significado. Hay amor en esa voz, amor incondicional que perfora todo el laberinto, y por un momento, estoy entera y sólida. Por un momento, casi puedo recordar.

Luego escucho otra voz, suave y dolorosamente familiar. ¿Cómo puede ser tan familiar, cuando es tan distinta a la mía? ¿Cómo puede resonar tan profundamente, como si viviera dentro de mí, si no sé a quién pertenece? Aquí también hay amor, pero de otro tipo. Este amor me llena y hace que todas las fibras de mi existencia duelan. ¿Cómo puedo llorar si no tengo ojos? ¿Cómo puedo perder la esperanza, si no sé lo que he perdido?

Preguntas, siempre preguntas, preguntas eternas, flotando dentro y alrededor de mi conciencia. Pero nunca hay respuestas. Porque no puedo pensar en ninguna, o porque cuando lo hago, ya es muy tarde.

No sé cuánto tiempo permanezco flotando. Cinco minutos o cincuenta años. Una eternidad o un segundo. Siento como si fuera a flotar para siempre, pero algo atraviesa mi conciencia. Algo punzante, agudo y consciente. Una visión. No, fragmentos de visiones, imágenes de recuerdos, uno detrás de otro, cada vez más rápido, apremiando mi mente, haciéndome recordar.

Una niña pequeña con un perro morado. Mi brazo moviéndose en el aire. El roce de los labios de un chico. Una pluma desbaratada flotando en el aire.

No puedo estar muerta, no cuando el corazón me duele tanto. No cuando vivo los recuerdos tan claramente. No cuando siento el contacto de la niña. No cuando escucho al chico rogándome que regrese con él.

Lo haré, quiero decirles. Volveré en cuanto pueda.

En cuanto averigüe cómo abrir los ojos.

Fin del libro uno.

AGRADECIMIENTOS

Desde que tengo seis años mi sueño ha sido ser una autora publicada, y he tenido mucha suerte de contar con tantas personas que me han apoyado en este viaje.

Gracias a mi incomparable agente, Beth Miller, por ser una verdadera socia en este trabajo.

Mi más sincero agradecimiento a Liz Pelletier, mi editora y publicista, y una de las mujeres más brillantes que he conocido, por creer en este libro. Gracias a todo el equipo de Entangled, y en especial a Heather Riccio, Meredith Johnson y Stacy Abrams por su trabajo duro. Un agradecimiento especial también a Debbie Suzuki, Melissa Montovani, Jessica Turner y Ellie McMahon. Todas ustedes son increíbles. Gracias a L. J. Anderson por la estupenda portada, y gracias a Rebecca Mancini por su magia. Gracias también a mi agente de filmación, Lucy Stille.

Los siguientes escritores han hecho reseñas sobre mi libro, pero lo más importante es que me han dado su amistad. Gracias a Kimberly MacCarron y Vanessa Barneveld por estar siempre ahí; a Meg Kassel y Stephanie Winklehake, por compartir sus pasiones y sueños; a Denny Bryce y Holly Bodger, por estar siempre a un mensaje de texto de distancia; a Danielle Meitiv, por su experiencia científica; a Stephanie Buchanan, por leer incontables borradores; y a Kerri Carpenter, por la responsabilidad. Gracias a Romily Bernard,

Masha Levinson y Darcy Woods. No sólo son mis amigas escritoras; son las mejores amigas que una chica podría tener.

Gracias a la difunta Karen Johnston. Karen, tú fuiste una de las primeras animadoras de este libro, y tu confianza ha dejado una huella en mi corazón.

Estoy tan agradecida con mis comunidades de escritores por darme un hogar: las Waterworld Mermaids, Honestly YA, el Writing Experiment, los Firebirds, las DoomsDaisies, los Dreamweavers, los Dauntless y los Washington Romance Writers.

Gracias a mi lectora por excelencia favorita, Kaitlin Khorashadi.

Con el paso de los años, he tenido la fortuna de contar con maestros que me han animado a convertirme en escritora, especialmente Jeanie Astbury, el Profesor Phil Fisher y el Profesor Kenji Yoshino. Me siento muy agradecida con Frankie Jones Danly, por su apoyo y guía. Gracias a Kim Brayton, por escribir mi primer libro conmigo.

Gracias a mis queridos amigos que han creído en mí durante dos décadas: Anita, Sheila, Aziel, Kai, J.D., Francis, Josh, Nick, Steph, Peter, Gaby, Alex, Larry, Nicole, Julia y Monique. Gracias a mis nuevos amigos, a los que quiero igual que a los demás: a Jeanne Johnston, por escucharme todo el tiempo, y a la talentosa Elizabeth Chomas, por mis fotografías como escritora.

Me siento sumamente bendecida por tener una familia tan amorosa. Desde el fondo de mi corazón, le doy las gracias a mi papá, Naronk, y al resto de los Hompluems: Uraiwan, Pan, Dana y Lana. Gracias a los Dunns: Donald, Catherine, Chantal, Franck, Quentin y Natasha. Gracias a P. Noi, y a Karen. Gracias también a A-ma y a mi familia tailandesa, el clan Techavachara. Su apoyo es todo para mí.

Gracias a Aksara, Atikan y a Adisai. Por ustedes lucharía contra el futuro y contra el mismo Destino.

Y finalmente, gracias a Antoine. Creíste en mí cuando yo no lo hice. Tú seguirías creyendo en mí, aunque el futuro te dijera lo contrario.

Busca nuestros libros también en formato electrónico